El poder creador de la mente

René Sidelsky

El poder creador
de la mente

Traducción de F. García-Prieto

ROBIN BOOK

Título original: *Le pouvoir créateur de votre pensée.*
© 1989, Éditions Dangles, St-Jean-de-Braye (France).
© 1991, Ediciones Robinbook, SL.
    Aptdo. 94.085 - 08080 Barcelona.
Diseño cubierta: Regina Richling.
Fotografía: Mitchell Funk (The Image Bank).
ISBN: 84-7927-016-0.
Depósito legal: B. 15.723-1991.
Impreso por Libergraf, Constitució, 19, 08014 Barcelona.

Impreso en España - *Printed in Spain*

Agradecimientos

Debo a Antoine, mi hijo mayor, la iniciativa de esta obra. «Papá, deberías escribir un libro con todo lo que haces», me decía con frecuencia. Y un día, me ordenó autoritariamente: «¡Mañana, empiezas sin falta!». Le obedecí y escribí así este libro con gran alegría y entusiasmo.

Se lo agradezco de todo corazón.

Doy las gracias con el mismo fervor a Colette Chabin, Christiane Gotthold y Guy Le Gal por la atención con la que leyeron el manuscrito, corrigiendo mis faltas de ortografía y estilo y haciéndome observaciones juiciosas,

Agradezco al señor Anstet-Dangles, mi editor, y a la señorita Marie-Béatrice Jehl, directora de la colección, el haber aceptado que este libro entrase a formar parte de su fondo editorial, además de la satisfacción que me produjo el colaborar con ellos.

Agradezco a mis padres el haberme traído al mundo y todo cuanto me dieron.

Doy las gracias a mi mujer Danielle, que comparte mi vida y, a su manera, mi búsqueda.

Doy las gracias a todos los buscadores de verdad y de plenitud cuyo camino he compartido por un momento y que tanto me han dado y enseñado. Doy las gracias a la vida y al mundo por lo que son.

Doy las gracias a todos los sabios de todas las épocas y de todas las Tradiciones que han alcanzado la realización perfecta y que nos guían en el camino.

Doy las gracias a **lo que es.**

Introducción

Patricia viene un día a inscribirse para una lección particular de yoga. Su marido es radiólogo; ella, profesora de instituto. Tiene treinta y cuatro años.

Me pregunta si podría enseñarle algunos ejercicios capaces de hacer disminuir su tensión arterial, que sube con frecuencia hasta 26. Ha probado numerosos tratamientos, sin ningún resultado. Los especialistas a los que consultó no descubrieron ningún motivo fisiológico para esta tensión arterial excepcionalmente elevada. Esta última información me incita a suponer que tal vez haya causas psicológicas determinantes de su enfermedad. Por lo tanto, le contesto:

–Sí, conozco ejercicios de yoga que actúan en el sentido de una disminución de la tensión arterial. Pero, antes, me gustaría que me dijese si ha encontrado alguna relación entre su tensión elevada y ciertos acontecimientos de su vida que le causan ansiedad, en mayor o menor grado.

Empieza entonces a hablarme de sí misma y, sobre todo, de su madre. Esta última, de salud delicada, monopoliza la atención de su hija y la culpabiliza.

–Mi madre me telefonea muy a menudo –explica–, siempre para quejarse y exigir todavía más de mí, hasta el punto en que he acabado por temer el timbre del teléfono, incluso el propio aparato. Siento oleadas de angustia cada vez que mis ojos se posan en él, y todavía es peor cuando suena. En esos momentos me gustaría desaparecer en una ratonera, tanto me asusta, antes de descolgar, el oír a mi madre al otro extremo del hilo y tener que soportar sus quejas, sus lamentaciones y sus culpabilizaciones.

Después de algunas preguntas y respuestas, ya sé lo suficiente. Invito a Patricia a practicar a diario uno de los métodos precisos y rigurosos expuestos en este libro, proponiéndole desarrollar en ella el poder del pensamiento siguiente: *Yo, Patricia, vivo alegremente mi relación con mi madre.*

—¡Está usted loco! —me dice ella—. Eso es falso. Lo que ocurre es exactamente lo contrario.

—Precisamente por ese motivo he elegido tal pensamiento. El que tenga esos peligrosos y frecuentes saltos de tensión se debe a que sus creencias actuales son las opuestas. En el caso de que hubiese venido a verme con la intención de continuar viviendo bajo la influencia de los esquemas de pensamiento que la retienen en la enfermedad, era inútil haber solicitado una cita. Entiéndalo bien. Si quiere modificar su estado de salud, es preciso que cambie de actitud interior. Puede usted iniciar el cambio inmediatamente. Basta con elegir ese camino y tomar la decisión. El método que le enseñaré se lo permitirá. Que conste que no le pido que crea ahora mismo en la afirmación: *Vivo alegremente la relación con mi madre.* Me limito a recomendarle que haga una prueba leal del método. Los resultados los comprobará por sí misma.

Alrededor de un mes más tarde, me crucé con Patricia en la entrada, entre dos clases. Estaba radiante.

—¡Es increíble! —me dijo—. Sólo le vi durante una hora, hace un mes. Creí en sus palabras, apliqué el método y, ahora, el chantaje de mi madre no tiene otro efecto sobre mí que el de hacerme reír. Y lo que es más extraordinario todavía, mi madre se ríe también... Me siento muy feliz, y mi tensión arterial se mantiene totalmente normal. Cuando pienso en el estado de angustia en que me encontraba hace un mes, cuando vine a verle... Tengo la impresión de haberme despertado de una pesadilla y de que ésta se va desvaneciendo rápidamente de mi memoria.

He de decir que tales casos de transformación son frecuentes entre las personas que vienen a verme desde hace años para exponerme sus dificultades e intentar hacerlas desaparecer o superarlas, y lo son más aún desde que se forjó, poco a poco, a fuerza de experiencia, de enseñanzas recogidas aquí y allá, de búsquedas y de intuiciones, el conjunto coherente de métodos y el enfoque de la vida expuestos en esta obra.

Empecé por experimentar esos métodos sobre mí mismo, pasando después a aplicarlos durante clases particulares. Por lo demás, un gran número de personas está de acuerdo conmigo en la afirmación de que dichos métodos hacen mucho más que desembarazarnos de problemas. Nos permiten adquirir una **manera de ser** tal que la vida se convierte en una aventura maravillosa. Cuando el pensamiento positivo se instala en nosotros, todo cuanto nos acaece, todo acontecimiento se convierte en una ocasión de avanzar hacia nuestra realización, hacia la plenitud y la felicidad. Basta con apropiarnos –cosa posible gracias a los métodos y técnicas precisos y eficaces de este libro– pensamientos como éste:

> **Todo lo que me sucede me viene dado por la vida para mi realización.**

Primera parte

Vivir plenamente mediante el dominio del pensamiento

1. Vivir plenamente

El pensamiento desempeña un papel determinante, tanto en la vida personal del ser humano como en su vida colectiva. Gracias al pensamiento, el hombre satisface sus necesidades vitales de alimento, seguridad, confort. En él se encuentra también el origen de sus creaciones artísticas, intelectuales, filosóficas o espirituales, lo mismo que de sus ocios. De hecho, el pensamiento, asociado a las emociones y los sentimientos, es el instrumento fundamental de la relación del hombre con el mundo, con los demás y consigo mismo. Y es él ante todo el que le permite actuar sobre su ambiente –tanto físico como social– y sobre sí mismo.

El pensamiento obedece a leyes, algunas de las cuales estudiaremos más adelante. Bien asimiladas y tomadas en cuenta, comunican al pensamiento y a su poder creador una mayor eficacia, que se manifiesta en el conjunto de nuestras empresas y, en particular, en la más fundamental de todas: **la realización de nuestra vida.**

1. ¿Qué significa realizar su vida?

Invito al lector a interrogarse de este modo:
- ¿He realizado mi vida?
- ¿Qué significa realizar mi vida?

La respuesta a la primera pregunta será de verdad positiva cuando el «sí» se imponga espontáneamente, como algo sentido y evidente, y no después de una larga reflexión.

En cuanto a la segunda cuestión, cada uno dará su propia respuesta. Veamos la que yo propongo.

Realizar su vida es sentirse en armonía consigo mismo, los demás y el mundo, poner en práctica de la mejor manera posible su vocación particular y dar una expresión satisfactoria a sus potencialidades principales. Es amarse a sí mismo, amar a los demás, la vida y el mundo. Es experimentar un sentimiento general y profundo de satisfacción. Es sentirse conforme consigo mismo, ocupando el lugar que le corresponde en este mundo. Es ser feliz.

Realizar su vida equivale a sentir una felicidad tal que las vicisitudes y los accidentes del recorrido no puedan afectar durable y profundamente esa dicha. Equivale a ser libre, abierto, a desarrollarse por completo. Equivale a vivir plenamente, aceptando y amando la vida en su totalidad, venga lo que venga. Equivale a estar dispuesto a abandonar el mundo cuando llegue el momento, sin nostalgia, sin sensación de privación, sin frustración, en paz.

El gran motor de las actividades del hombre (dirigidas por su pensamiento) consiste en la búsqueda de la **felicidad** más estable, más permanente posible y, por consiguiente, más independiente de las circunstancias y las situaciones. Cuando hemos alcanzado ese objetivo, podemos afirmar que nuestra vida es un éxito. Ahora bien, como en el ejemplo de la introducción, para obtener tal resultado, se precisa, con mucha frecuencia, limar los obstáculos mediante el poder creador del pensamiento.

Realizar su vida constituye un objetivo natural para todo ser humano. Cualesquiera que sean su cultura, su modo de vida, su medio social y cultural, el ser humano tiende –consciente o inconscientemente– a realizar su vida. Se trata de una **disposición esencial del hombre** (y de todo ser viviente). Conviene, por lo tanto, asumiendo por entero esta disposición, aplicar juiciosamente y en la buena dirección nuestra energía psíquica y nuestro pensamiento, a fin de ser plenamente felices.

La búsqueda de la felicidad –confundida a veces erróneamente con la del placer– motiva el conjunto de las actividades humanas. Pero hay grandes diferencias de calidad en la concepción que cada uno tiene de la felicidad, y el hecho de tender a ella de manera consciente o de dejarla en manos de los acontecimientos da, como es natural, resultados distintos.

Una vida realizada no puede ser confundida con el éxito social. Son muchos los que creen haber triunfado socialmente y, sin embargo, tienen el sentimiento de que su vida es un fracaso. Al contrario, hay personas sin éxito social aparente, pero que están en paz y en armonía consigo mismas y con el mundo.

16

a) La vocación del ser humano

Lograr una vida de plenitud exige necesariamente la realización de nuestra vocación de seres humanos, individual y colectiva. Debemos, pues, interrogarnos sobre lo que puede ser la vocación humana. ¿Cuál es el sentido de la vida consciente e inteligente del hombre? Visto desde esta perspectiva, «realizar su vida» es un objetivo cuya trivialidad aparente nos oculta que se trata, de hecho, de la respuesta que cada uno de nosotros está llamado a dar a estas preguntas eternas:

- ¿Quién soy?
- ¿Adónde voy?
- ¿Qué he venido a hacer a esta tierra y en esta vida?

Una vida lograda es una respuesta a estas preguntas, una respuesta concreta, verdadera, indiscutible. Responder a nuestra vocación humana constituye una necesidad para todos y un deber, tanto respecto a sí mismo como respecto a todos los humanos que la tierra ha albergado, alberga y albergará.

b) ¿Por qué el dominio del pensamiento?

Si este libro le propone realizar su vida mediante el dominio del pensamiento, se debe a que el hombre es específicamente un ser pensante. Sus actos, sus sentimientos, sus decisiones, sus orientaciones, su manera de vivir y de morir están condicionados por su manera de pensar. Lo mismo sucede en lo que se refiere a sus relaciones con los demás, con el mundo y consigo mismo.

Por todos estos motivos, me parece evidente –evidencia basada en mi propia experiencia, que deseo compartir con el lector– que, para encaminarse hacia el éxito de nuestra vida, con toda conciencia, el dominio del pensamiento es un medio a la vez muy directo y muy eficaz, que hace posible orientar las energías mentales en una dirección positiva y fecunda. Se trata, además, de un método fácil de aplicar.

Inversamente, si damos libre curso al funcionamiento automático de la mente, vehículo de todos nuestros condicionamientos, nos convertimos en esclavos de esos condicionamientos. Entonces, el inmenso poder del pensamiento, a la manera de un tirano, nos somete y nos dicta nuestros comportamientos, nuestros juicios, nuestra manera de ver el mundo y de vivir en él. Y en la mayoría de los casos, no lo hace de la mejor manera.

2. Un trampolín hacia el éxito definitivo

Si desarrollarse, realizarse, es la vocación natural del ser humano, los valores actuales de nuestra civilización occidental se centran, por el contrario, en las ambiciones, el «éxito social» o la satisfacción de necesidades siempre nuevas, creadas por la publicidad. Por lo tanto, dado tal contexto cultural, son muchos los que no perciben con claridad la orientación de su vida hacia la autorrealización. Quizá haya algunos que ni siquiera vean su necesidad. Por eso mismo, su camino hacia la realización es incierto, y los acontecimientos de la vida pueden parecerles con frecuencia injustos o absurdos. Cuando nuestra vocación de autorrealización se hace consciente, nuestra manera de vivir las situaciones es más fecunda. Todo lo que nos sucede cobra entonces sentido y nos procura enseñanzas.

¿Se puede fijar *a priori* un límite a la autorrealización? En mi opinión, el camino debe ensancharse sin cesar, ascender hacia las cumbres, hacia el éxito definitivo. Aunque no nos sea posible lograr la autorrealización perfecta en esta vida, al menos habrá tenido un sentido y habrá sido fecunda, gracias a una orientación consciente hacia el desarrollo total.

Uno de los objetivos de este libro consiste en ofrecer los medios que faciliten la realización de la aspiración natural del ser humano a realizarse. Propone métodos precisos y un espíritu que influirán sobre su comportamiento y su relación consigo mismo, con los demás y con la vida, facilitanto ésta, suprimiendo los grandes obstáculos para la autorrealización, haciéndole así más abierto a su vocación profunda.

Obtendrá todavía más beneficios de la enseñanza aquí propuesta si la considera, no sólo como un conjunto de medios para suprimir en un momento dado el sufrimiento o la dificultad de ser, sino también, y sobre todo, como una manera de eliminar los obstáculos para la realización de sí mismo.

Si padeciese usted un horrible dolor de muelas y le invitasen a escuchar una música que en momentos normales le parecería sublime, la intensidad del sufrimiento le haría encontrar, en ese día, la audición odiosa e insoportable. Los métodos y el espíritu de este libro le permitirán librarse del sufrimiento, sentirse cada vez más libre, cualesquiera que sean las circunstancias. Cuando lo consiga, su autorrealización se hallará en el buen camino.

Los métodos y el estado de ánimo positivo a que le invito constituyen, por así decirlo, un sólido trampolín para tomar impulso hacia el éxito definitivo de su vida.

3. Fuentes esenciales de esta enseñanza

Considero necesario presentar ahora las fuentes de la enseñanza y de las prácticas que propongo en este libro.

a) El yoga

La primera de mis fuentes es el yoga. Enseño varias de sus disciplinas desde 1969. Fui alumno durante once años, en París, de un profesor indio muy conocido, trabajando después como ayudante suyo durante otros cinco.

Tratar del dominio del pensamiento sin referirse al yoga y a su inmensa anterioridad y competencia en este campo me parece poco honrado. En los *Yoga Sutra* de Patanjali, obra clásica de la literatura india del yoga (entre el siglo II a. de C. y el IV d. de C.), se le define así: *Yogash-citta-vritti-nirodah,* lo que, en ese contexto, puede traducirse por: «El yoga es el dominio absoluto del pensamiento y de la psiquis».

b) El «rebirth»

Yo practico, acompaño experiencias individuales y animo grupos de *rebirth*. Se trata de una técnica respiratoria que permite una adhesión total a la vida, por la liberación del aliento y de las secuelas de los traumatismos del nacimiento. Forma parte del fondo común del yoga antiguo y fue redescubierta por el americano Leonard Orr.

Dicha técnica permite liberarse de las secuelas de los traumatismos psíquicos, en particular de las debidas a las condiciones del nacimiento, que son muy persistentes. Cuando se practica el *rebirth,* es corriente experimentar que los estados de ánimo son consecuencia directa de esquemas de pensamiento. Durante la experiencia, la cosa está muy clara: basta con cambiar de pensamiento, de creencia, para cambiar el estado de ánimo.

Leonard Orr, sacando las consecuencias de esta relación indisoluble entre lo vivido interior y el esquema de pensamiento correspondiente, preconiza, paralelamente a la práctica del *rebirth,* un trabajo sobre la positivación del pensamiento. Yo hago lo mismo, y algunos de los métodos expuestos en este libro proceden de Leonard Orr o derivan de los suyos.

c) El seminario intensivo de meditación

Otra de mis fuentes es el «seminario intensivo de meditación hacia el estado de Vigilia». Estos seminarios, ideados por el americano Charles Bernes en los años setenta e importados a Francia por Jacques de Panafieu, me permitieron igualmente experimentar el poder de los esquemas de pensamiento y sus consecuencias sobre nuestro comportamiento y nuestra vida. Los esquemas de pensamiento, las creencias son hábitos mentales que nos conducen, como si fueran raíles, en direcciones de vida determinadas, inpidiéndonos entrar en contacto directo con la realidad, con *lo que es.* Durante los seminarios, el buscador de verdad que medita intensamente sobre la cuestión; «¿Quién soy?» se hace consciente, en un primer tiempo y de manera cada vez más aguda, de los esquemas de pensamiento que rigen su vida y su comportamiento. Y llega un momento en que su conciencia del condicionamiento se hace tan grande, tan luminosa, que ya no le es posible continuar por el mismo camino. El buscador de verdad abandona entonces ese sistema de pensamiento. Se le revela luego otro, y otro más, o el mismo, pero a un nivel más profundo o más arcaico. Cuando renuncia por fin a todo sistema –y la exigencia del seminario le empuja a ello sin cesar–, se vuelve de pronto él mismo Entra en contacto directo con la Verdad, con lo que él es. Es la experiencia del Despertar. La Verdad se le revela en su total y evidente sencillez.

Las tres vías de conocimiento y dominio de sí mismo que acabo de exponer están, en lo que a mí se refiere, perfectamente integradas en la cultura en cuyo seno he nacido. Todas estas fuentes se entrecruzan, se completan y se apoyan mutuamente. Se hallan todas orientadas hacia la realización del ser humano, hacia su desarrollo total, hacia el éxito pleno de la vida humana.

2. El poder creador

Todo cuanto hace el ser humano, desde los actos más triviales a las obras intelectuales, artísticas, filosóficas o espirituales más sublimes, es la expesión de su poder creador. El poder creador tiene una dimensión infinitamente más amplia y más profunda de lo que parece a primera vista. Para comprenderlo, le invito en primer lugar a considerar tres aspectos principales del poder creador:

- El **poder creador del universo** (todo lo que hay en el universo es una manifestación o expresión de ese poder, que actúa de manera permanente y también, por consiguiente, en y a través del hombre, su vida y su pensamiento).
- El **poder creador de la vida** (procedente del anterior, tiene su propias modalidades de acción y actúa en y a través de todos los seres vivientes).
- El **poder creador del pensamiento.**

1. El poder creador del universo

La vida y el pensamiento humanos son también expresiones del prodigioso poder creador del universo. Dicho poder ha creado, y crea permanentemente, las partículas elementales, los átomos, las moléculas, los gases, las estrellas, las galaxias, la vida, el pensamiento humano, etc.

Como dice muy bien el físico Carl Sagan en su libro *Cosmos*, «somos los hijos de las estrellas». Las primeras estrellas estaban constituidas por sólo dos elementos simples: el hidrógeno y muy poco de helio. Mediante la fusión nuclear de esos combustibles, las primeras estrellas produjeron «cenizas», es decir, átomos más pesados y más complejos, como el carbono, el hierro, etc. Llegada al término de su vida, la estrella se convierte en supernova, explota y desparrama sus residuos por la galaxia. Los átomos pesados van a integrarse en nuevas estrellas en formación y favorecen su combustión, produciendo, a causa de la composición diferente de la estrella, nuevos elementos. Cuando estas estrellas exploten a su vez, las nuevas partículas creadas se incorporarán a las nubes interestelares, que, al condensarse, se convertirán en estrellas de la tercera generación y, a su vez, dada su distinta composición, elaborarán en el crisol de su núcleo elementos atómicos nuevos...

El carbono, el nitrógeno y el oxígeno, que, además del hidrógeno, constituyen la mayoría de la materia de nuestro cuerpo (y todos sus otros elementos también indispensables, aunque sólo entren en una ínfima parte en la composición de la materia viviente), fueron producidos por la vida y la muerte de muchas generaciones de estrellas. El universo trabajó, pues, durante quince mil millones de años para elaborar esta maravilla entre las maravillas que es el cuerpo humano y su cerebro. El cerebro obedece en los aspectos más sutiles de su funcionamiento a leyes de combinaciones, especialmente químicas, que son el resultado del desarrollo del universo.

La gravitación, que se ejerce tanto en lo infinitamente pequeño como en lo infinitamente grande y bajo nuestros pies, supone otro ejemplo, más evidente para nuestros sentidos, de nuestra sumisión a las leyes universales.

Todo cuanto el universo produjo desde el comienzo del mundo (el Big Bang) nos ha sido necesario, en consecuencia, para ser lo que somos ahora.

Somos realmente hijos de las estrellas, nacidos del universo. El fantástico poder creador del universo actúa de modo permanente sobre cada uno de nosotros.

2. El poder creador de la vida

Es fácil darse cuenta del poder creador de la vida. Basta con mirar la naturaleza que nos rodea. ¿Cómo no sentirse confundido de admiración y de respeto ante tanta riqueza de invención? Consideremos, por ejemplo, la extraordinaria variedad de las especies de insectos: odonápteros (4.500), ortópteros (10.000), hemípteros (55.000), coleópteros (300.000), lepidópteros (mariposas, 120.000), dípteros (75.000), himenópteros (100.000)..., sin contar los insectos marinos. Y las muy numerosas especies de moluscos, de peces, de plantas y de flores... ¡Y qué eficacia! La menor brizna de hierba, gracias a la función clorofílica, utiliza la luz para absorber, con un gasto mínimo de energía, el gas carbónico del aire ambiente y para devolver en su lugar oxígeno. Cuando los humanos intentamos, copiando este modelo, crear algo análogo, necesitamos emplear una cantidad enorme de energía para obtener algún resultado.

Además, ¿qué invenciones no despliega la vida para transmitirse y reproducirse? La división celular, la puesta de huevos o su maduración interna, la fecundación de las flores favorecidas por los insectos o por el viento, el hermafroditismo de los caracoles y todas las variantes del acoplamiento macho/hembra...

La vida manifiesta de manera evidente un poder creador prodigioso. Pero conviene también señalar que todas las vidas de la biosfera se interpenetran (las cadenas alimentarias, los intercambios respiratorios, etc.). Al parecer la vida de cada especie se extiende de hecho, a través de esta interdependencia, a toda la biosfera, de modo que se puede considerarla como un inmenso organismo viviente formado por todas las especies. La interdependencia de las especies vivientes va a la par con una noción de equilibrio y de armonía, tanto entre las especies entre sí como entre ellas y su medio natural. Ahora bien, si observamos el funcionamiento de nuestro cuerpo, comprobamos que, a semejanza de la representación unitaria de la biosfera que acabamos de proponer, está constituido también por un gran número y una gran variedad de células y órganos, que manifiestan igualmente entre ellos interdependencia, equilibrio y armonía. Esos modos de relación son todavía más necesarios en el interior del ser humano que entre éste y en el medio ambiente. ¿La simetría entre las entidades biosfera y cuerpo humano se debe a una coincidencia, a un puro azar?

A través de «tanteos» creativos de una enorme variedad, la vida evoluciona hacia una complejidad cada vez mayor, dotada de una conciencia cada vez más manifiesta.

Aunque el universo se componía esencialmente en sus orígenes de hidrógeno y una cantidad exigua de helio, evolucionó también hacia una complejidad cada vez mayor. El gas primordial simple terminó por dar nacimiento a objetos celestes de una gran complejidad, formados por numerosos elementos, en combinaciones innumerables.

24

RIP ME OFF...

and send me in to get a subscription to NICKELODEON MAGAZINE.

Receive 1 year for $19.97 – a savings of 32%*.

Yes, send me a subscription to NICKELODEON MAGAZINE.

☐ Payment enclosed
☐ Bill me
☐ 1 year – $19.97
☐ 2 years – $27.97

Increase your savings get 2 years for $27.97!

Kid's name _____

Address _____

City _____

State _____ ZIP _____ Kid's birthdate _____

Parent's signature _____

Canadian orders: One year $27.97 US$ (includes 7% GST). Foreign orders: One year $28.97 US$.
*Off the $2.95 cover price. Please allow 4-6 weeks for delivery.   JS026S2

Yo no creo que esta evolución simétrica del universo y de la vida desde lo simple a lo complejo sea fruto del azar. Al contrario, me inclino a ver en ella un proceso global, que se desarrolla en función de una finalidad. De acuerdo con esta visión del mundo, la vida parece haber proseguido la evolución de la materia, permitiendo, en unos centenares de millones de años, la emergencia en el hombre de la conciencia refleja. El hombre, por la extrema complejidad de su cuerpo y en particular de su sistema nervioso, por su capacidad de conciencia superior a la de los animales, es actualmente, en este planeta, el resultado del desarrollo del universo en el plano material y de la vida en su evolución hacia la conciencia refleja. Como todos los seres vivientes, el hombre es a la vez el depositario y la expresión del prodigioso poder creador de la vida, que se ejerce en él, a cada instante con una complejidad y una eficacia extraordinarias.

3. El poder creador del pensamiento

Imaginemos lo que era el paisaje terrestrre antes de la aparición del hombre y comparémoslo con el que nos rodea ahora. Donde había pantanos, bosques, estepas, hay ahora ciudades y pueblos, cultivos, carreteras, fábricas, vehículos, etc. Todas estas producciones son obra del poder creador del pensamiento humano.

Cada gesto del ser humano es una «creación», en la que el pensamiento representa el papel principal. Los actos más triviales, como levantarse, vestirse, preparar y consumir el desayuno, son «creaciones» originales, que serían imposibles de cumplir sin el concurso del poder creador del pensamiento. Más aún, cada persona que ejecuta estos actos realiza unos gestos y se encuentra en un estado de ánimo diferente, que expresan el carácter y la originalidad de su autor.

Dado que nuestra mente produce sin cesar pensamientos, nos encontramos en un estado de creación permanente, aunque sea inconsciente la mayoría del tiempo. **Nuestra manera de vivir y de ser es el resultado directo del poder creador de nuestro pensamiento.** Nos daremos mejor cuenta observando sus efectos desde los puntos de vista material, emocional, fisiológico y espiritual.

a) Efectos materiales del pensamiento

A título de ejemplo, fíjese en el edificio en que vive en la actualidad. Aunque sólidamente material, es en realidad el resultado de un pensamiento emitido un día por alguien: «Voy a construir una casa en este lugar».

b) Efectos emocionales del pensamiento

La tradición hindú cuenta esta historia clásica: a la caída de la noche, al volver a su pueblo siguiendo el seto que delimita un campo, se da usted cuenta de pronto, lleno de horror, que acaba de poner el pie sobre una cobra extendida a través del camino. Da un salto hacia atrás, con el corazón latiéndole muy fuerte y con los cabellos erizados. Piensa que habrá muerto antes de llegar al pueblo. Pero la serpiente permanece inmóvil. La mira entonces mejor, con más calma... y comprueba que lo que había tomado por una cobra no es más que un trozo de cuerda.

El pensamiento: «Es una cobra» desencadenó una formidable tormenta emocional, un miedo atroz a morir. El efecto fue exactamente el mismo que si de verdad hubiera una cobra bajo su pie.

Por el contrario, un niño puede muy bien jugar con una verdadera cobra. Inconsciente del peligro, al no pensar en él, no se siente trastornado. Si se toca a una persona bajo hipnosis con un lápiz, habiéndola convencido previamente de que se trata de un cigarrillo encendido, «creará» (por el poder del pensamiento inducido y por el hecho de que está convencida de su veracidad) una verdadera quemadura, con su ampolla correspondiente... Todas nuestras creencias, ya estén fundadas objetivamente o no, son una forma de autohipnosis. «Está lloviendo. Había decidido ayer que hoy iría a merendar al campo, luego me siento decepcionado y desdichado». En realidad, no es el tiempo lo que me hace desdichado sino mi propio pensamiento: «No acepto el tiempo que hace ni el verme obligado a cambiar de proyecto». Si modifico la forma en que reacciono frente a esta situación, por ejemplo, si reemplazo el último pensamiento por el siguiente: «Acepto el tiempo que hace hoy y no me importa nada cambiar de proyecto», el mal humor desaparece en el acto.

En última instancia, nuestros estados emocionales se deben a nuestras interpretaciones mentales (conscientes o inconscientes) de los acontecimientos y las situaciones. En consecuencia, **soy responsable de lo que vivo,** de mis estados de ánimo, puesto que mis pensamientos los crean y sólo depende de mí el cambiarlos.

c) Efectos fisiológicos del pensamiento

En el ejemplo de la cuerda confundida con una cobra hemos visto que el pensamiento «es una cobra» provocó un miedo atroz, que se manifestó fisiológicamente por una aceleración cardíaca, el erizamiento del sistema piloso, temblores, una súbita palidez, etc.

Se trata de un ejemplo extremo del impacto fisiológico del pensamiento. Dicho impacto se produce cada vez que pensamos y es directamente proporcional a la carga afectiva de nuestros pensamientos. Cada uno de ellos ejerce una influencia –más o menos grande– sobre el ritmo respiratorio, la digestión, los sistemas endocrino y nervioso, etc., y sobre la salud en general.

Los médicos consideran ciertas enfermedades –la úlcera de estómago, por ejemplo– como el resultado de actitudes mentales. Incluso aquellos que se muestran más reticentes en lo que se refiere al enfoque psicosomático de las enfermedades están obligados a aceptarlo. En realidad, la mayor parte de las enfermedades resultan de factores psicológicos (para no apartarnos de la lógica de este libro, diremos también que las enfermedades y su evolución dependen en gran parte de las maneras de pensar y de las creencias). Simétricamente, los medicamentos actúan, en una parte nada despreciable, mediante el efecto placebo. Ciertos enfermos creen en los productos caros, o en aquellos cuyos méritos les han alabado, o en los prescritos por el médico con gran seguridad y una autoridad convincentes. Aunque se les administren productos que no tienen prácticamente ningún efecto en el plano fisiológico, son curativos porque el enfermo cree (piensa) que lo tienen, cosa que se ha demostrado con experimentos muy rigurosos.

El poder del pensamiento puede, en consecuencia, hacer enfermar, pero **también puede curar.** Tal es uno de los temas de este libro.

d) Efectos espirituales del pensamiento

Los pensamientos de amor frente a los demás, el mundo y la vida tienen efectos espirituales, especialmente por el hecho de que nos unen a lo que las personas creyentes consideran obra divina. Tienen también efectos benéficos en lo que se refiere a la relación con nuestro ambiente próximo, tanto humano como animal y vegetal, incluso material. Amar a los seres vivientes y a la naturaleza equivale a respetarlos y, simétricamente, a respetar la vida y la naturaleza en nosotros mismos.

Los pensamientos que nos sitúan en el seno del universo, haciéndonos considerarnos como parte integrante de éste, tienen también efectos espirituales, lo mismo que aquellos que se asocian al sentimiento de unidad de todo cuanto es. Similarmente, los pensamientos verdaderos, es decir, acordes con la verdad de la vida y del mundo, crean una armonía con ellos. Ser cada vez más veraz y sincero en sus pensamientos (lo que se traduce en las palabras y los actos) revela sus efectos espirituales.

Por último, los pensamientos asociados a la experiencia de ser tienen efectos espirituales, muy en particular cuando la búsqueda del «¿Quién soy?» se practica sin complacencia y con perseverancia.

Todos estos pensamientos amplían nuestro campo de conciencia, desarrollan nuestra capacidad de amor y de don y nuestra integración amorosa en el universo. Nos hacen más aptos para percibir lo infinito en lo finito y la belleza de lo que es. Gracias a ellos, nos hacemos cada vez más permeables al mundo sutil del espíritu, a la intuición de lo divino, a la vida espiritual.

Hay otros pensamientos, en cambio, que tienen un efecto inverso, sobre todo:

● Los *pensamientos falsos* (mendaces) o erróneos (contrarios a la realidad de la vida y del mundo).

● Los *pensamientos egoístas,* que nos hacen considerar que el mundo y los demás existen para nuestro servicio y nuestro bienestar exclusivos. Tales pensamientos reducen nuestra concepción del mundo y de los demás y desvían el sentido de lo sagrado. El dios adorado es entonces el pensamiento «yo», que representa un papel preponderante en nuestra vida en general y más aún en la vida espiritual, debido al efecto empobrecedor que ejerce sobre ella. Expresión de todos nuestros condicionamientos educativos y culturales, de todos nuestros prejuicios, el pensamiento «yo» forma una pantalla entre la realidad y nosotros mismos, enmascarando, cuando es demasiado exigente, nuestra dimensión espiritual, ocultando nuestra aspiración al infinito. Cuanto más exigente y reivindicativo es el pensamiento «yo», más exilia a la persona de su dimensión espiritual y la cierra a su verdadero ser, a los demás y al mundo.

Las dos categorías de pensamiento que acabamos de exponer son (¿se trata de un azar?) unas de las principales causas del malestar, del desasosiego, del sufrimiento moral en el mundo.

4. La jerarquía de los poderes

En los párrafos anteriores, insistí más particularmente sobre los poderes del pensamiento porque los métodos y las técnicas que expondremos más tarde van a utilizarlos. Recordemos, sin embargo, que cada ser humano es el depositario de tres poderes de creación prodigiosos: el del universo, el del pensamiento y el de la vida. Esos tres poderes se mantienen sin cesar en actividad. Constituyen, de hecho, tres aspectos del poder universal de creación, que se ejercen en el hombre de una manera jerarquizada.

El poder creador del universo ocupa la cima.

Es evidente que los otros dos no son más que emanaciones o manifestaciones del primero y que le están subordinados. La libertad y la autonomía del ser humano se ejercen en un campo estrecho de posibilidades, respetando las leyes universales de la manifestación.

El segundo en esta jerarquía de poderes es el del pensamiento. He aquí la demostración.

El poder del pensamiento es capaz de aniquilar en el hombre el poder de la vida. Así sucede en el verdadero suicidio, como en el caso del escritor Montherlant, llevado a cabo con toda lucidez y de acuerdo con su propia filosofía (gesto que no debe confundirse con el hecho de darse muerte en un estado de confusión mental, como suele ocurrir casi siempre cuando una persona atenta contra su vida). En el harakiri, el sujeto sacrifica su vida a un código de honor, o sea, a una creación del pensamiento. Cuando el barco naufraga, la orden: «Las mujeres y los niños primero» expresa la decisión de poner a salvo ciertas vidas antes

La jerarquía de los poderes o la tri-unidad
(Croquis alegórico de Claude Lorraine)

- El dedo designa el poder creador del universo.
- El jinete que domina al caballo representa el poder creador del pensamiento.
- El caballo fogoso representa la vida.

que la suya propia, con el riesgo de perderla, etc. Esta primacía del pensamiento sobre el ser viviente se comprueba a diario. Todas las enfermedades, los mismo que su curación, tienen, por así decirlo, un aspecto psicosomático. Es posible –lo explicaremos más adelante– triunfar sobre las enfermedades por el poder del pensamiento.

Decálogo del dominio del pensamiento

1. Las palabras tienen un poder.

2. Todo pensamiento produce un efecto.

3. Creo el universo en que vivo mediante mi pensamiento.

4. Vivo en un universo que funciona exactamente de la manera en que lo pienso.

5. La calidad de mis pensamientos determina la calidad de lo que vivo.

6. El universo y la vida cooperan conmigo en el sentido que elijo con mi manera de pensar.

7. El universo, como un espejo de aumento, me devuelve multiplicado lo que emito a través de mis pensamientos.

8. Los pensamientos que van en el mismo sentido que la vida y el orden cósmico favorecen la circulación y la manifestación de mi energía vital, en potencia y en calidad, lo mismo que mi alegría de vivir.

9. Los pensamientos contrarios a la vida, contrarios a la verdad, contrarios al ser, engendran debilidad y sufrimiento.

10. La utilización positiva del poder creador del pensamiento me exige ser particularmente vigilante en la formulación de mis pensamientos.

3. Decálogo del dominio del pensamiento

A fin de poder comunicar mejor las bases de mi enseñanza práctica, he reunido diez proposiciones que, a mi entender, dan cuenta de lo esencial que hay que conocer para convertir el pensamiento en el instrumento por excelencia de nuestra **libertad interior** y de nuestro **desarrollo.**

La buena comprensión y la asimilación del *Decálogo del dominio del pensamiento* (desde el punto de vista en que se presenta en este libro) darán como resultado una evolución sensible de su vida hacia el bienestar. Por eso le propongo que estudie con atención las diez leyes que lo componen y cuyo enunciado aparece en la página anterior. (La presentación del decálogo en una sola página le permitirá, si lo desea, cortarlo para utilizarlo por separado). Veamos ahora los comentarios sobre cada una de esas diez leyes.

Lo que uno piensa que es verdad lo es, o termina por serlo, al principio dentro de ciertos límites, que debemos descubrir experimentalmente. Dichos límites son, a su vez, creencias que se han de superar y que, ya superados, se abandonan.

John Lilly,
Le Soi profond.

1. Las palabras tienen un poder

Primera ley:
Las palabras tienen un poder.

Toda palabra que utilizamos tiene para nosotros un significado que le atribuimos en función:

- de nuestra historia afectiva y cultural,

- del humor del momento y de las circunstancias en que la palabra es pronunciada mentalmente o en voz alta, por nosotros mismos o por otra persona.

El sentido que atribuye cada uno a una palabra puede ser sensiblemente distinto del que indica el diccionario. A decir verdad, ese sentido particular es lo que hace con frecuencia tan difícil el comprenderse. Sin duda le habrá ocurrido alguna vez estar en desacuerdo con un interlocutor hasta el momento en que se dio cuenta de que, en realidad, no había ninguna discrepancia entre ustedes. Simplemente, el sentido que daban a una palabra era distinto. De hecho, vivimos casi siempre en «nuestro mundo y nuestra verdad». El mundo de mis palabras difiere en cierto modo del mundo de las suyas.

Una palabra tiene también un sentido particular en función del contexto en que es pronunciada. (Ese sentido, como acabamos de ver, puede en muchos casos no ser el mismo para la persona que la dice y para la persona que la oye). Por ejemplo, «¡Qué granuja eres!» puede muy bien ser dicho con una entonación y en un contexto tal que la frase signifique «¡Cuánto te quiero!». Del mismo modo, «¡Pero qué maravillosa putilla!» se puede tomar muy bien por un cumplido. Sin embargo, la significación particular que atribuimos a una palabra en una circunstancia precisa dada coexiste en nuestro inconsciente y en el de nuestro interlocutor con aquellas que el idioma le atribuye desde hace decenas o centenares de años.

a) La carga afectiva de las palabras

Carl Gustav Jung inventó el «test de las asociaciones», que demuestra con toda evidencia que cada palabra tiene una carga afectiva, variable de una persona a otra. Se compone de una lista de unas cincuenta o cien palabras, elegidas, si se quiere, al azar, aunque sea preferible incluir algunas palabras simbólicas clave. La persona que se somete al test no tiene acceso a esa lista. Ignora con anterioridad la totalidad de su desarrollo. El operador enuncia la primera palabra y pone en marcha un cronómetro. El sujeto obedece a la consigna de decir rápidamente la palabra que acude a su mente por asociación. El operador detiene el cronómetro en el instante en que dicha palabra ha sido pronunciada, anota junto a la palabra de sugerencia la palabra asociada y el tiempo de reacción. El test continúa así hasta que se acaba la lista.

El examen de los tiempos de reacción resulta muy revelador. El tiempo medio para una palabra poco cargada afectivamente es de cuatro a seis décimas de segundo, pero, al final de la lista, se observa que ciertas palabras han exigido un tiempo de reacción mucho más largo. Algunas tardan uno, dos o cuatro segundos, incluso treinta segundos, o sea, sesenta veces más que el tiempo medio. Incluso en alguna ocasión, aplicando este test, me ha sucedido no obtener ninguna palabra asociada a la inducción. La carga afectiva era tan fuerte, el inconsciente estaba tan «turbado», que la persona sometida al test se quedaba con la mente «en blanco» (o «en negro»), y no acudía ninguna palabra. Sí, las palabras tienen un poder.

El test se prosigue así: el operador relee la lista de las palabras inductoras, y el sujeto ha de reproducir las que les había asociado en la primera audición, siempre cronometrando los tiempos de respuesta. Esta segunda parte del test es también muy rica en enseñanzas. Las palabras inducidas, de las que el sujeto se acuerda en un tiempo de cuatro a seis décimas de segundo y que habían surgido la primera vez en tiempos semejantes, nos revelan que son para ella relativamente neutras desde el punto de vista afectivo. Pero puede suceder que el sujeto que pronunció ciertas palabras la primera vez en tiempos normales necesite más para repetirlas la segunda vez, incluso que se equivoque.

Si al final del test se le pregunta qué pasó en ese momento preciso, se descubre que, sintiéndose turbado por la palabra inductora, reaccionó con gran rapidez y se liberó de su incomodidad soltando una palabra cualquiera, de la que se acuerda difícilmente cuando le piden que la repita, de la que no se acuerda o incluso de la que creía erróneamente acordarse.

Es posible también que la palabra «falsa» pronunciada en la segunda lectura sea en realidad la que surgió por asociación la primera vez, pero no pudo ser expresada a causa de una inhibición. Fue entonces reemplazada *in extremis* por otra ahora olvidada, oculta por la carga afectiva inconsciente de la primera.

Interrogando a la persona después del test para captar lo que pasó por su mente durante los tiempos de respuesta anormalmente largos de la primera y segunda lectura, es posible acceder rápidamente a su problemática. La simple reagrupación de las palabras que han revelado una fuerte carga afectiva, con frecuencia inconsciente, es muy significativa. Por regla general, el test provoca en el sujeto uno o dos sueños importantes en los días que siguen.

Fue este test de las asociaciones lo que inició la desavenencia entre Jung y Freud. El maestro de Viena aseguraba que sólo las imágenes de los sueños daban lugar a asociaciones reveladoras del inconsciente, mientras que su discípulo demostraba con su test que cualquier palabra tenía el mismo poder.

Por mi parte, retengo de esta demostración que las palabras que empleamos tienen, además de los distintos sentidos que le son atribuidos, una carga afectiva propia a cada persona, tanto en su consciente como en su inconsciente. Además, cada palabra se halla asociada a otras palabras, a sentimientos, emociones y pensamientos. Cada uno de ellos es como el sedal de un pescador lanzado a las aguas profundas del inconsciente. Puede engancharse en el fondo y también sacar a la superficie «cosas» extañas o imprevistas.

b) El poder de las palabras produce efectos múltiples

El poder de las palabras se ejerce en doble sentido: sobre el emisor de la palabra y sobre el receptor. Tal palabra que para mí corresponde a un ambiente positivo puede muy bien evocar algo penoso para otra persona. Por ejemplo, yo había grabado un casete destinado a facilitar el conciliar el sueño. La frase siguiente se repetía con frecuencia: «Suelto presa y me abandono al sueño». Resultó eficaz para muchas personas. Sin embargo, hubo una en quien escuchar el casete provocaba un efecto contrario al deseado. Descubrimos que la palabra «abandono» que formaba parte de la frase evocaba para ella el abandono afectivo en el que había vivido siendo niña y cuyo sufrimiento seguía presente.

Las palabras tienen poder, tanto en lo más profundo de nosotros mismos como en la superficie. Las palabras muy cortas suelen ser muy poderosas. «Fuego» puede desencadenar una batalla; «bestia», una cólera; «sí» puede aportar la felicidad.

El cumplido «¡Pero qué maravillosa putilla!» citado anteriormente, aun dicho con amor, reconocimiento y ternura, transmite simultáneamente otros sentidos, dejando aparte aquellos que las dos personas le dan en un momento determinado. La misma persona que dice «putilla» con amor puede muy bien, en otras circunstancias y frente a la misma interlocutora, utilizar esa palabra en su aceptión más corriente. La palabra «putilla» pone automáticamente el inconsciente de los dos interlocutores en comunicación con una resonancia negativa, despreciativa, que proviene de su sentido normal. Bien mirado, tal «cumplido» esconde, pues, sobreentendidos contrarios, perfectamente captados por el inconsciente. «Eres una amante maravillosa» es, por el contrario, un elogio sencillo, directo y sin ambigüedad.

Examinemos ahora un eslogan publicitario que fue tema de una campaña nacional francesa contra el alcoholismo: «*Un verre ça va; trois verres, bonjour les dégâts!* («Un vaso puede pasar; tres vasos, buenos días a los estragos»).

El término «buenos días» se compone de las palabras «buenos» y «días». Significa literalmente «le deseo que sus días sean felices» y se emplea con frecuencia en el sentido de un saludo.

Las palabras sinónimas de bueno son: concienzudo, serio, diestro, experto, hábil (buen obrero); dotado, agradable, encantador; divertido, gracioso, placentero, espiritual; interesante, notable; avisado, juicioso, prudente, razonable; oportuno, eficaz; favorable, benevolente, caritativo, complaciente, generoso, humano, indulgente; amable, servicial; devoto, fiel, perfecto (buen servidor); bello, elevado; valioso; exacto, justo; verdadero, veraz; ventajoso, fructuoso, lucrativo, provechoso, remunerador, rentable; útil; conveniente, correcto, digno, honorable; ejemplar, alabable, meritorio, virtuoso; grande, importante (un buen número de); completo, entero; feliz (buenos días, buen viaje).

Si existe una palabra que sirva como vehículo a connotaciones múltiples y positivas, no cabe duda de que es ésta. Precisamente eso infunde su fuerza al saludo «buenos días».

Dado que la intención manifiesta del eslogan que estamos estudiando era favorecer la disminución del consumo de alcohol, veamos, por consiguiente, el sentido de «bueno» en el contexto de la alimentación: se habla de un buen pastel, delicioso, exquisito, sabroso, excelente, suculento, magnífico. Un gourmet hablará también de un «buen vino», de un «buen licor».

La palabra «día» está también llena de connotaciones positivas. Al contrario que la noche, que es el reino de las tinieblas, de la oscuridad, del miedo, de la soledad, etc., la palabra día se asocia a la luz, a la claridad, a lo que proporciona luz, a la belleza, a la comprensión, al ser, al nacimiento, al sol portador de vida y de luz, a la apertura, a la esperanza, etc.

Las connotaciones positivas y sumadas de bueno y de día convierten este saludo en un poderoso mensaje de alegría, de acogida y de bienvenida.

He estudiado por separado las dos palabras constitutivas de la expresión buenos días porque el inconsciente reacciona así a las palabras, ya lo vimos hace un momento, al hablar de que la expresión «me abandono» (al sueño) había reactivado un ambiente inconsciente de abandono. También en los sueños, el inconsciente procede de la misma manera, aislando en la multitud de imágenes o de sonidos grabados en estado de vigilia este o aquel detalle particular, o la palabra que hace eco a su problemática.

Nos falta ahora por ver la palabra «estragos», que representa un papel importante en nuestro eslogan: «Buenos días a los estragos». Si interrogase a los transeúntes en la calle, preguntándoles la significación de la palabra estragos, es muy probable que la mayoría respondería dándole su sentido habitual. Tanto en el diccionario como en nuestro inconsciente, esa palabra se asocia a roturas, degradación, destrucción, deterioración, devastación, daños, perjuicios, destrozos, ruinas. Estrago significa daño resultante de una causa violenta. Limitar los estragos quiere decir evitar lo peor.

Las palabras «buenos días a los estragos», independientemente de la moda, seguida por el publicitario, que consiste en decir lo contrario de lo que se pretende expresar, tienen su propio poder. Transmiten al consciente, pero sobre todo al inconsciente, sus sentidos usuales y todo un cortejo de palabras asociadas.

El mensaje, repetido en un tono particular y persuasivo, con el apoyo casi hipnótico de las imágenes televisivas, es un instrumento muy potente. Pero ¿qué efecto ejerce?

Cuando el inconsciente, al que se dirige el mensaje, oye «buenos días a los estragos», ya condicionado como está por la frase anterior: «un vaso puede pasar», se ve invitado a elegir entre sentidos como los siguientes: «acojo los estragos, me abro a los estragos, los estragos están bien».

Existe en casi todos los seres humanos una tendencia, más o menos consciente y latente, a la autodestrucción. Tal es el motivo de que haya tantos adictos al alcohol y al tabaco, por citar sólo las drogas más corrientes. También se debe a ella el que haya tantos enfermos por sobrealimentación o por una vida desordenada, anárquica. Y también por causa de ella hay tantos accidentes de carretera, de trabajo, caseros o incluso en los juegos.

Me parece totalmente evidente que el eslogan «buenos días a los estragos» halaga esta tendencia autodestructora. Incluso ha de ser muy eficaz en este aspecto. Sus malos efectos, aunque difíciles de evaluar, no dejan de ser muy reales, ya que «buenos días a los estragos» no se limita a dar la bienvenida en el inconsciente a los del alcoholismo. De hecho, todo puede dar ocasión para estragos a la persona en quien se halla presente la tendencia a la autodestrucción.

Por eso me interrogo:

1. Sobre la eficacia de esta campaña nacional.

2. Sobre sus resultados. ¿Provocó una disminución o un aumento del consumo de alcohol?

3. Sobre la actitud personal con respecto al alcohol del creador o los creadores del eslogan. ¿Cuál es su propio nivel de consumo?

4. ¿Hay en ese o esos publicitarios distintas manifestaciones de una tendencia autodestructora? De acuerdo con mi experiencia, semejante tendencia se manifiesta, de manera inconsciente, pero clara, en la frase en cuestión.

La moda de decir lo contrario de lo que se quiere decir se extiende cada vez más. Ocurre así con el eslogan que acabamos de ver y con esas personas que, mientras nos están contando su historia, la puntúan de exclamaciones por este estilo: «Para qué te voy a contar». Según esta misma moda, «no se puede aguantar» quiere decir al contrario, que todo está muy bien. A veces, la cosa se complica más aún.

Estoy convencido de que esta manera de expresarse, que pervierte el lenguaje, es perjudicial para quienes la emplean. Dejando aparte el hecho de que expresa una cierta confusión mental, crea, con el uso, una falta evidente de sencillez y supone un disfraz del pensamiento. Entra, además, en el cuadro de la novena ley del decálogo del dominio del pensamiento: «Los pensamientos contrarios a la vida, contrarios a la verdad, contrarios al ser, engendran debilidad y sufrimiento».

En resumen, las palabras tienen un poder, con independencia del sentido particular que yo les dé en un determinado momento.

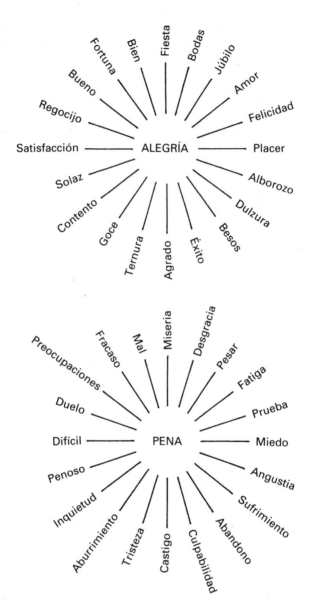

¿Con qué estoy conectado?

Lo mismo que se conecta con una canalización o con una línea
eléctrica, cada palabra, por su poder, nos une a una cierta calidad de energía psíquica y emocional.

Cada vez que utilizo una palabra, entro en contacto con todas las energías mentales, conscientes e inconscientes, para las que sirve de código de acceso. Tal es uno de los sentidos del cuadro titulado: *¿Con qué estoy conectado?*

2. Todo pensamiento produce un efecto

> Segunda ley:
> **Todo pensamiento produce un efecto.**

Es evidente que, si las palabras tienen un poder, han de producir efectos. Dado que las palabras sirven de vehículo a los pensamientos, a los efectos particulares de cada una de ellas se añaden los efectos propios de su situación en el seno del pensamiento. (La suma de las palabras que constituyen un pensamiento produce un efecto propio del pensamiento en sí y que no se ha de confundir con la simple adición del poder de cada una de las palabras que lo forman, algunas de las cuales son, por lo demás, intercambiables).

Hemos visto anteriormente que el pensamiento produce resultados **materiales, emocionales, fisiológicos** y **espirituales**. Importa comprender que el pensamiento produce sus primeros efectos sobre el espíritu y el cuerpo del pensador.

a) Efectos sobre la energía psíquica

Si el pensamiento: «Voy a construir una casa en este lugar» produce con el tiempo un resultado material –la casa–, empieza, en primer lugar, por suscitar mucha energía psíquica. Se necesita, en efecto, para elegir los planos, hacer un presupuesto, gestionar los préstamos, ponerse en contacto con las empresas y comparar sus precios, establecer un calendario, etc.

Todo esto exige mucha energía, como decimos, pero también perseverancia. Y no es más que el comienzo, ya que, a medida que se desarrollen los trabajos, se presentarán, sin duda, un buen número de dificultades. Habrá que hacer nuevas elecciones, cambios, arreglos, compromisos... El primer efecto del pensamiento: «Voy a construir una casa en este lugar» es la puerta en marcha de una potente energía psíquica, mantenida y orientada con perseverancia.

Al poder propio de un pensamiento (idea contenida en las palabras), viene a añadirse el poder particular de las que permiten su expresión. Cada pensamiento, lo mismo que cada palabra, está asociado con un gran número de ideas e imágenes, con sus coloraciones afectivas. Dichas asociaciones comportan también una gran energía psíquica.

Si esta energía fluye en el mismo sentido que las energías de la vida y el mundo (octava ley), se integra en la corriente de la energía universal, se armoniza con él y, sin agitación, con toda fluidez, produce su efecto, necesariamente benéfico. Tal es el poder del pensamiento «verdadero», correcto, justo, adecuado.

Pero si esa energía psíquica va, por error, a contracorriente de la energía de la vida y del universo, se agotará en vano, ya que habrá de luchar contra dos fuerzas energéticas infinitamente más potentes. Por ese motivo, su producto interno será un gran cansancio y una tendencia a la fatigabilidad, una agitación turbulenta del espíritu, la angustia o la ansiedad. La energía psíquica descarriada se manifiesta por pensamientos tan rápidos que son percibidos como «turbulentos» o, en otros casos , como obsesivos. Son entonces fuente de agotamiento mental y físico.

b) Efectos sobre la salud

Todo pensamiento produce un efecto sobre el cuerpo y el espíritu del pensador. Cuando son negativos, el efecto es pernicioso, y cuando los pensamientos negativos se hacen habituales, son la causa fundamental de las enfermedades.

Cuando los pensamientos están en contradicción con la realidad de la vida, si se persiste en esa vía equivocada, la energía psíquica puede producir un efecto sobre el cuerpo físico del pensador. Al no poder expresarse fácilmente en la corriente normal de la vida y del mundo, puesto que son incompatibles con ella, los pensamientos comienzan al principio a «girar en círculo» en la mente del pensador. Al negar la realidad de la vida y, por consiguiente, al oponerse a ella, ejercen forzosamente una influencia perniciosa sobre la vitalidad y la salud y tomarán por blanco al elemento vital más cercano, el cuerpo del pensador.

Si hiciese usted un estudio en serio sobre las constantes mentales de las personas que padecen cáncer, encontraría con frecuencia un resentimiento antiguo, una herida, una queja que obsesiona el espíritu. Otras veces, hay en ellas un profundo secreto. Hace algún tiempo, tuve una conversación con una persona que acababa de descubrir horrorizada que tenía un cáncer. Juntos, pusimos de relieve ciertas características de sus actitudes mentales. Le propuse un trabajo de dominio del pensamiento. Poco tiempo después, en el hospital Curie (París), habló, en dos ocasiones, con dos médicos que se le presentaron como investigadores. Ambos tuvieron con esa persona una conversación con una óptica muy próxima a la mía. Se quedaron muy sorprendidos cuando la paciente les declaró: «Sí, ya lo sé».

En cuanto a mí, me sentí encantado al saber que hay miembros de la institución médica que se preocupan también de cuidar el terreno psicológico. Han descubierto que tratar fisiológicamente los resultados fisiológicos de los pensamientos no era suficiente, puesto que las mismas causas producían los mismos efectos.

Cuando una madre muy amante se inclina sobre su hijo, sus pensamientos de amor la hacen resplandecer de belleza. Tal es el efecto de ciertos pensamientos. Los pensamientos de odio o de celos tienen también un primer efecto sobre las personas que los emiten. Ejercen una acción perniciosa sobre su cuerpo y su mente. ¿Ha conocido alguna vez a una persona celosa o llena de odio que fuera feliz? Independientemente de toda moral o juicio de valor, más vale abstenerse de albergar o cultivar pensamientos de odio o de celos.

Lo mismo que un tren oculta a veces otro, un pensamiento puede ser la consecuencia de otro pensamiento subyacente. En el ejemplo ya citado de los efectos emocionales del pensamiento: «Llueve, me siento decepcionado, desdichado, porque ayer decidí ir a merendar hoy al campo», este pensamiento y estos sentimientos son el resultado de otros pensamientos y sentimientos que se hallan en el fondo de la conciencia: «No acepto verme privado del placer previsto. No acepto tener que cambiar de programa». Es mi manera de reaccionar a los acontecimientos. Soy yo quien ha emitido tales pensamientos y, por lo tanto, soy el único responsable de mi decepción y de mi pena. El pensamiento que ocupa el primer plano de la conciencia produce otro resultado. Por el poder de las palabras «decepcionado» y «desdichado», me conecta con el sufrimiento y me mantiene unido a él.

Si emitimos pensamientos de amor, seremos los primeros en beneficiarnos de ellos. Aunque los pensamientos de amor no tengan un motivo interesado, son benéficos para nosotros mismos. Con frecuencia, expresan incluso un estado de bienestar. Una persona que sufre se siente, en general, poco inclinada a desearle bien a nadie, mientras que una persona muy feliz desea muy a menudo que todos compartan su felicidad.

Las personas a las que llamamos «malas» experimentan generalmente un gran sufrimiento interior, ya sea porque se consideran víctimas de situaciones penosas, ya sea porque el rencor, el resentimiento o la envidia envenenan su vida. El sentimiento de culpabilidad puede ser también una fuente indirecta de maldad cuando el mal que nos deseamos a nosostros mismos se orienta hacia otro, lo que tiene como objetivo inconsciente provocar la reacción agresiva de la persona atacada. De este modo, hay la posibilidad de que otro nos administre el «castigo» que buscamos.

Se articulan así mecanismos más o menos conscientes. Lo sé porque los he encontrado con frecuencia en personas que acudieron a mí para buscar su verdad y liberarse de los obstáculos que se oponían a su felicidad, en grupo o en sesiones individuales, y que tomaron conciencia de ellos.

Supongamos, por ejemplo, que alguien haya concebido un terrible deseo de venganza contra una persona y que dicha persona muere de repente. Si el odio es muy intenso, no se apaciguará con la muerte. Al contrario, porque a la venganza insatisfecha vendrán a añadirse sentimientos de frustración, forzándonos a rumiar rencores y decepciones durante años. ¿Y a quién perjudicarán y envenenarán la vida tales sentimientos? ¿A la persona muerta o a la que emite pensamientos de odio y de venganza?

Más allá de este ejemplo extremo, elegido con vistas a la demostración, diremos que cualquier sentimiento-pensamiento negativo, cualquiera que sea su intensidad, produce resultados perniciosos en el mismo que lo emite. Mediante él, el sujeto se conecta con las fuerzas negativas, las cuales se nutren de la energía psíquica implicada en tales pensamientos y sentimientos. A la larga, pueden producirse perturbaciones funcionales. Nuestro inconsciente atrae así nuestra atención sobre una actitud mental errónea. Si no comprendemos el mensaje, los trastornos se acentúan y evolucionan hacia la enfermedad.

Si padezco de trastornos funcionales o de una enfermedad y los considero como mensajes intensos de mi ser profundo, me ayudarán a descubrir dónde está mi error. ¿En qué aspecto resulta inadecuado mi comportamiento? ¿Cuáles son los pensamientos contrarios a la vida, al ser, a la verdad, que me han aportado este resultado (novena ley)

Los pensamientos, cualquiera que sea su intensidad, tienen efectos sobre el espíritu y el cuerpo del pensador. Cuando son negativos, sus efectos son, simétricamente, negativos; cuando son positivos, sus resultados son positivos.

Los pensamientos producen efectos. ¿Qué resultados han producido los pensamientos que gobiernan su vida?

3. Creo el universo en que vivo mediante mi pensamiento

Tercera ley:
Creo el universo en que vivo mediante mi pensamiento.

Si llueve hoy y pienso: «No me gusta la lluvia, es triste»; creo un mundo impregnado de tristeza en el que no me agradará vivir. En la misma habitación, otra persona puede pensar en el mismo momento: «¡Cuánto me gusta la lluvia! Si no temiese escandalizar, iría a pasearme desnudo bajo la lluvia». Un cultivador vecino acoge la lluvia en sus tierras con alivio y agradecimiento. La cosecha se ha salvado. A partir del mismo fenómeno objetivo, la lluvia, tres tipos de pensamiento han creado simultáneamente tres mundos diferentes.

La persona a la que le gusta la lluvia vive aparentemente en un mundo feliz. No obstante, hay algo en la formulación de su pensamiento que quizá le haya llamado la atención y que se relaciona con el comentario de la primera ley. Me refiero al empleo de la palabra «temer». Al utilizarla, la persona se ha conectado con esta energía psíquica negativa. Aunque le gusta la lluvia, su mundo no es tan bello como podría serlo porque sus miedos potenciales, o latentes, han sido activados por la palabra temer. Para expresar un pensamiento equivalente, pero desprovisto de carga negativa, debió de formular así su pensamiento: «¡Cuánto me gusta la lluvia! Sin embargo, por respeto a las conveniencias, no iré a pasearme desnudo bajo la lluvia, como me hubiese apetecido». Y todavía le sería posible crear un mundo más radiante si suprimiese la negación, que frena la energía vital y mental. Una fórmula satisfactoria sería: «¡Cuánto me gusta la lluvia! Sin embargo, por respeto de las conveniencias, me quedaré aquí, en lugar de irme a pasear desnudo bajo la lluvia, como me hubiese apetecido».

Si no está acostumbrado a estas sutilezas en el aprovechamiento del poder del pensamiento, quizá se sorprenda al ver que achaco tanta importancia a la formulación de los mismos (décima ley). En ese caso, haga suyos los dos pensamientos siguientes y compare su efecto sobre usted:

● «Si no temiese escandalizar, iría a pasearme desnudo bajo la lluvia».

● «Por respeto de las conveniencias, me quedaré aquí, en lugar de irme a pasear desnudo bajo la lluvia».

Observe muy atentamente el efecto de esas frases sobre sí mismo cuando las pronuncie con convicción... Y compare.

a) Nuestro mundo se conforma a nuestras creencias

Supongamos ahora que nos encontramos en una hermosa ciudad de la Costa Azul, al atardecer. En el célebre paseo a orillas del mar, hay cuatro personas de edad sentadas en un banco, dando frente a la puesta de sol.

● La primera piensa: «¡Qué aburrimiento! Desde que estoy aquí, todas las tardes veo esta triste extensión de agua. Y esa bola de fuego que no termina nunca de hundirse en el mar... Cuando pienso que tendré que ver ese mismo paisaje insípido hasta el fin de mis días, me dan náuseas».

● La segunda: «¡Qué bonito! Tengo una suerte inmensa al poder contemplar a diario este esplendor. Jamás me cansaré de tanta belleza. Esta gran extensión de agua me infunde serenidad y me inspira un sentimiento de infinito. El sol que se hunde lentamente en el mar me hace pensar en mi propia muerte como si se tratase de un acontecimiento simple y natural que llega a su tiempo debido».

● La tercera: «Los precios han vuelto a subir. Pero las pensiones no suben. Voy a tener que apretarme de nuevo el cinturón. ¡Qué asco de vida!».

● La cuarta... no piensa en nada. Se limita a estar presente, en perfecta armonía con lo que es.

He aquí, pues, cuatro mundos distintos. Los tres primeros han sido creados por el pensamiento. En el primero, se crean el hastío y el aburrimiento. En el segundo, la serenidad, la paz, la apreciación del instante y la belleza, la aceptación de la muerte próxima. En el tercero, el pensamiento crea un mundo lleno de dificultades, donde se desprecia la vida.

La cuarta persona no crea ningún mundo. Se contenta con integrarse completamente al mundo real, en armonía con lo que es. Representa en nuestra historia la paz de la realización perfecta, el silencio del Ser en toda su plenitud. El estado de ánimo particular simbolizado en nuestro ejemplo por la persona que no piensa, aunque poco corriente, no es excepcinal. Estoy seguro de que algunos de mis lectores recordarán haber vivido, a veces de manera totalmente inesperada, un instante fuera del tiempo, un estado de silencio interior, de paz, de felicidad indecible, de armonía y de adhesión total a todo lo que es. He recibido testimonios en este sentido y, por mi parte, también puedo darlos. Una experiencia semejante embellece la vida, la ilumina como un faro en la oscuridad. Se produce con frecuencia en los seminarios de meditación hacia el estado de Vigilia. Si bien las técnicas que presentamos en este libro no se encaminan directamente a la realización de tal experiencia, favorecen mucho su venida, haciendo que la persona que se ejercita en ellas se vuelva más libre y ligera, abierta al mundo, a la vida y a su propia sabiduría.

Mediante nuestros pensamientos, creamos un mundo que se ajusta a nuestras creencias y a su formulación. ¿Se trata del mundo real? En modo alguno, puesto que cada ser humano crea al pensar su mundo particular. El mundo real es infinitamente más vasto y, esencialmente, de distinta naturaleza que los mundos que nuestros pensamientos son capaces de concebir y de expresar en el marco de nuestros límites, tanto en lo que se refiere a la comprensión intelectual de lo que es como a nuestros condicionamientos.

Los elementos básicos que la mente utiliza para funcionar, para estructurar su relación con el mundo y su comprensión de éste proceden de sus sentidos, que sólo se ejercen sobre una franja ínfima de la realidad. Más aún, incluso en el margen estrecho en que actúan, dan informaciones aproximadas y sin garantía. La mente y sus producciones –los pensamientos, las emociones y los sentimientos– son instrumentos de conocimiento y de relación con el mundo, así como incitadores a la acción, que funcionan en un campo muy limitado, muy circunscrito, en comparación con la infinitud del mundo real. Debido a su misma naturaleza, a su origen, a sus limitaciones y a sus funciones específicas, la mente es incapaz de acceder a él. Sólo nos permite captar un débil reflejo, muy personalizado. Sólo cuando la mente deja –en plena conciencia– de producir pensamientos, puede tener lugar la comunicación directa (o intuitiva) con el mundo real.

Sólo una de las cuatro personas sentadas en el banco en nuestro ejemplo anterior vive en el mundo real. Las demás viven en un mundo creado por sus pensamientos. La que piensa en su dinero no está presente a lo que es, a diferencia de las dos primeras. Una de ellas, al despreciar el momento presente, crea su propio sufrimiento; la otra, al apreciarlo, crea su paz y su serenidad. Este libro le propone los medios de desarrollar progresivamente su atención y su presencia a lo que es, como en el caso de la segunda persona de nuestro ejemplo. Le propone también apreciar, como ella, lo que es, sacar partido de toda situación para crear, gracias a la claridad de sus pensamientos, su felicidad, su paz y su serenidad.

Hubiéramos podido sentar en el banco a muchas más personas y comprobar que cada una de ellas, en la misma situación objetiva, creaba su propio mundo en función de sus pensamientos.

b) Soy responsable de lo que vivo

La imagen de las personas del banco me permite, si pongo atención, comprobar que *soy yo el que crea el mundo en que vivo con mi manera de pensar.* Si he asimilado bien la tercera ley del decálogo, veré que de ella se deduce una cosa muy importante. Puesto que soy yo quien crea, mediante mis pensamientos, el mundo en el que vivo, soy yo –y sólo yo– el responsable de ese mundo, lo cual significa que todo cuanto vivo, todo lo que me sucede lo veo como a través del «filtro» de mi manera de pensar. Traduzco, coloreo e interpreto afectivamente los acontecimientos y las situaciones que vivo. No puedo acusar a nadie ni al mundo de nada. Es falso decir que me siento desdichado «porque llueve». En realidad, me siento así porque no acepto que llueva. La mujer a quien quiero me ha dejado por otro. No acepto su abandono y, por consiguiente, sufro. Una viuda no acepta la muerte de su marido y tiene que soportar su pena. Sólo la aceptación, quizá al cabo de tres años, le traerá la calma. ¿Y por qué esperar tanto tiempo para aceptar lo que es, y lo es de todas maneras? ¿Qué me aporta la negación o el rechazo de lo que es?

Lo que conozco del universo lo conozco a través de mis pensamientos. Este conocimiento es consecutivo a mi representación del mundo, a su vez condicionada por mi modo de relación con lo que me rodea. Mi ambiente está constituido principalmente por pensamientos, creencias, asociadas a sensaciones, emociones y sentimientos. Según sean mis pensamientos sobre el mundo, así será el mundo en que vivo.

4. Vivo en un universo que funciona exactamente de la manera en que lo pienso

Cuarta ley:
Vivo en un universo que funciona exactamente de la manera en que lo pienso.

El mundo del papú de Oceanía funciona exactamente como él lo piensa, pero de distinto modo que el del chino de Pekín, que vive en un mundo conforme a sus propias concepciones. El mundo del presidente de una multinacional funciona exactamente como él lo imagina, lo mismo que le ocurre a un obrero de una fábrica de automóviles, pero no son los mismos mundos. El mundo del creyente no es el mundo del ateo. La significación y el alcance de los acontecimientos que se desarrollan en sus mundos respectivos son diferentes.

Dentro de una familia, cada miembro de la misma vive en su

universo particular. El mundo de un niño de cinco años no se parece demasiado al de su hermana de quince, que difiere también del de su madre. El padre vive a su vez en un mundo a imagen y semejanza de sus pensamientos. Cuando esos mundos se armonizan en el plano de los pensamientos, las emociones y los sentimientos, reina el entendimento dentro de la familia. Cuando se oponen, vienen las disputas, los conflictos.

Cada miembro de la familia, utilizando las informaciones –poco seguras– de sus sentidos, asociándolas a sus creencias y sus recuerdos, elabora de modo permanente una concepción muy personal del mundo, que considera como la realidad. Incluso los recuerdos que conservan de las situaciones vividas en común son distintos para cada uno de ellos, ya que se trata de representaciones mentales de dichas situaciones, creadas por su mente, siguiendo modos de funcionamiento condicionados.

Nuestra creencia en la verdad del mundo de nuestras representaciones es tan fuerte que lo confundimos con el mundo real. El poder de mi pensamiento y mi creencia en él tienen una intensidad tal que el universo que me represento funciona efectivamente para mí de la manera en que lo pienso.

En los ejemplos que acabamos de presentar, los mundos creados por los pensamientos de las diversas personas funcionan exactamente como ellas los piensan. Sin embargo, dado que todas esas personas pueden comunicarse en mayor o menor grado, es evidente que sus mundos se articulan entre sí. La posibilidad de comunicar entre «mundos» tan diferentes pone de manifiesto una unidad entre ellos y el resto de la manifestación. Si insistiéramos siempre sobre aquello que nos une, nos acercaríamos cada vez más al mundo real, que se revela en «filigrana» a traves de esta unidad.

Se podría comparar el poder del pensamiento con el filtro coloreado que el fotógrafo pone ante el objetivo para seleccionar ciertos matices, eliminarlos o modificarlos. El mundo de mis pensamientos corresponde de hecho a una selección, a un cribado. Está formado por lo que he dejado pasar a través del «filtro» de mis creencias, de mis condicionamientos mentales y de los límites de mi percepción del mundo real, del mismo modo que quien lleva unas gafas con cristales verdes vivirá, mientras permanezcan sobre su nariz, en un mundo verde.

Estamos íntimamente persuadidos de que el mundo en que vivimos es real, más aún porque la experiencia que tenemos de él nos lo confirma a cada instante. No obstante, puesto que cada uno tenemos nuestra manera personal de verlo, hay que admitir que vivimos en un mundo particular, creado por nuestros propios pensamientos y creencias.

Desde mis primeros balbuceos, he cambiado muchas veces de manera de pensar, y siempre me es dado cambiar de nuevo, eligiendo entre varias actitudes posibles frente a una situación dada. De ahí resulta que, en todo momento, puedo, o bien dejarme dominar por mis reacciones mentales, o bien, si compruebo que estas no me son beneficiosas (o que perjudican a otros), cambiar mi forma de pensar y adoptar aquella que será útil para mí y buena para los demás.

5. La calidad de mis pensamientos determina la calidad de lo que vivo

Quinta ley:
**La calidad de mis pensamientos
determina la calidad de lo que vivo.**

Dado que mi universo funciona del modo exacto en que lo pienso, está claro que la calidad de lo que vivo depende directamente de la calidad de mis pensamientos. Y puedo apreciar la «justeza» y la calidad de mis pensamientos evaluando la calidad de lo que vivo.

Si mi vida está llena de amor, se debe a que tengo pensamientos que me abren al amor. Hay pocas creencias, por no decir ninguna, que me impidan ser consciente del amor que me inunda.

Al contrario, si no me gusta el mundo en que vivo, si lo encuentro feo o difícil de soportar, se debe a que me complazco en pensamientos con respecto a la fealdad y la dificultad.

Todo, absolutamente todo lo que vivo y pienso, está condicionado por la calidad de mis creencias y de mis pensamientos. En unas circunstancias dadas, puedo elegir entre encontrarlas difíciles, penosas o, cambiando de punto de vista, considerarlas estimulantes, excitantes, entusiasmantes, fecundas, ricas en enseñanzas, dinamizadoras, serias, importantes, exaltantes, divertidas, enriquecedoras, creativas, benéficas, etc.

En cada acontecimiento o situación que la vida me ofrece, puedo acudir a la reserva infinita de mis pensamientos y escoger los que me darán resultado en lo que se refiere a mi alegría interior, a mi paz. Puedo también, con toda deliberación, infundir calidad a los acontecimientos, a las situaciones y a mis experiencias.

Le invito a experimentarlo desde este mismo momento. Elija una cosa o una situación de su vida que, de ordinario, califica de «difícil». Explore diversas maneras de pensar a propósito del objeto de su elección, aplicándole los calificativos que propuse anteriormente. Por ejemplo, si reemplaza el pensamiento «Me cuesta trabajo madrugar» por «Me beneficia levantarme temprano por la mañana», advertirá fácilmente que «la calidad de mis pensamientos determina la calidad de lo que vivo». Piense después en una tarea que debe cumplir y apréciela así: «Es muy difícil de llevar a cabo». Luego, dígase: «Llevarla a cabo es como conseguir una obra de arte». Como puede comprobar, es posible cambiar de punto de vista (de pensamiento). Afortunadamente, pues, en caso contrario, no habría ninguna posibilidad de progresar en la vida.

En la medida en que es posible cambiar de manera de pensar y adoptar pensamientos beneficiosos (con los métodos que propondremos más adelante, la cosa se le hará fácil), es posible también reducir en un grado considerable el sufrimiento moral. Volvamos al ejemplo de la señora desesperada por la muerte de su marido. Al no aceptar esa muerte, el trastorno que ha causado en su vida, la pérdida de costumbres y del objeto de su afecto, sufre terriblemente. Sólo cuando acepte lo que es, y que es de todas formas (con su aceptación o sin ella), el sufrimiento se alejará y la paz retornará a ella. Los ejemplos que veo a mi alrededor me permiten afirmar que, si se deja que las cosas sigan su curso, hacen falta de dos a tres años para aceptar –en cierta medida– la pérdida de un ser querido y para encontrar así una cierta calma. De hecho, es posible decidirse enseguida a la inevitable aceptación. Encontrará en este libro métodos y técnicas precisos y eficaces que se lo permitirán, evitándole así largos años de sufrimiento. «Aceptar lo que es» supone a este respecto un pensamiento de extraordinaria calidad.

Hemos evocado un importante criterio de la calidad de nuestros pensamientos, que se enuncia así: cuanto más estén los pensamientos en armonía con la vida y con el universo, más «verdaderos» y de mayor calidad serán, y más plena, rica, bella y buena será nuestra vida. Otro criterio importante es el Amor. Lo que llamamos «amor» podría muy bien ser una manifestación, en el microcosmos humano, de las fuerzas de cohesión, armonía y equilibrio que intervienen en el macrocosmos. Mediante el amor, estoy unido a lo que amo, lo integro a mi ser. Cuando amo la vida, disfruto de ella plenamente, ya que estoy verdaderamente vivo y manifiesto su poder. Cuando amo el universo, soy amado, sostenido y protegido por su inmenso poder. Inversamente, intento siempre rechazar lejos de mí lo que no amo, y todo lo que rechazo así pone límites a mi ser. Una amiga que ha practicado mucho el dominio del pensamiento me hizo don un día de esta fórmula de pura sabiduría: *«Si rechazo, si digo no, me limito. Si digo sí, plena y totalmente, a todo lo que es, soy ilimitada».*

Desarrollando mi capacidad de amar, diciendo «sí» a lo que es, integro cada vez más lo que me viene de mi ambiente.

«Acepto lo que es, amo la vida, amo el mundo» son pensamientos de una calidad superior, que generan una calidad de vida muy grande. **Al aumentar la calidad de mis pensamientos, aumenta automáticamente la calidad de lo que vivo.**

6. El universo y la vida cooperan siempre conmigo

> Sexta ley:
> **El universo y la vida cooperan conmigo**
> **en el sentido que elijo con mi manera de pensar.**

Mi manera de pensar condiciona los acontecimentos de mi vida. Veamos un ejemplo. Un día, la amiga de una amiga me pide una entrevista. Tiene problemas muy gordos («gordos» es la palabra exacta, ya que pesa cerca de cien kilos). Charlamos durante cuatro horas y simpatizamos. En el momento de separarnos, un impulso afectuoso me empuja hacia ella. Me apetece abrazarla. Mi gesto aborta curiosamente. Siento que mis brazos se detienen en su impulso y vuelven a caer. La distancia física se mantiene entre nosotros. Hubiera podido marcharse en ese momento, después del apretón de manos clásico, a no ser porque presté una cierta atención a lo que sentía en aquel momento y me di cuenta de que mi impulso afectivo había chocado con una invisible, pero espesa «pantalla de hielo», que emanaba de ella. Le comuniqué mi impresión.

—Sí —me confirmó—. Me siento tan avergonzada de mi cuerpo, me encuentro tan fea y tan gruesa que no puedo imaginar que nadie me abrace, a no ser por compasión, por condescendencia o por darme un pretendido gusto. Y como tengo horror de la compasión, no soporto que me toquen, mucho menos que me abracen.

—¿Y te abrazan alguna vez?

—No, nunca. Excepto mi amiga de la infancia —nuestra amiga común—, nadie me abraza, ni siquiera mi madre. No lo permitiría.

—Pues yo te aseguro que he tenido un impulso espontáneo, afectuoso, hacia ti. Un impulso que surgió por sí solo.

—No, no puedo creerlo. Es imposible. Estoy demasiado avergonzada de mi cuerpo. Nadie puede querer abrazarme.

La rodeé entonces con mis brazos y la alcé del suelo. Sentí placer, pero no durante mucho tiempo. ¡Pesaba tanto! Ella se mostraba a la vez confusa y encantada. Porque, **con mucha frecuencia, lo que más tememos es lo que más deseamos.**

Nadie abrazaba a C... porque no soportaba la idea de que la abrazasen. Su pensamiento, su creencia de que «nadie puede querer tomarme en sus brazos» creaba el acontecimiento: nadie la tomaba en sus brazos. Su pensamiento era tan fuerte que emanaba de ella una especie de pantalla psíquica glacial, que rechazaba en todo momento cualquier contacto físico, dejando aparte el protocolario apretón de manos. Sin mi práctica cotidiana de la atención, no hubiera advertido conscientemente el fenómeno. Como todas las personas que la trataban, hubiera sufrido la influencia de su pensamiento, lo aceptaría como propio y pensaría confusamente: «Su cuerpo me repugna. No soporto acercarme a ella. La idea de tomarla en mis brazos me da horror». Hubiera creído que yo mismo era el autor de ese pensamiento, cuando en realidad, mi espíritu había recibido la influencia invisible de una creencia extremadamente fuerte, la suya, que creaba el acontecimiento.

El universo coopera siempre conmigo en el sentido que elijo con mi manera de pensar. Compruébelo por sí mismo. Si piensa que nadie le quiere, todos los acontecimientos de su vida le darán la razón. Quizá alguien le quiera a pesar de su creencia en contra, pero usted no creerá en ese amor y seguirá pensando: «Nadie me quiere». Dado que ve la vida a través de ese filtro particular, de esas «lentes» selectivas, oscurecidas por su esquema de pensamiento, ve cuanto le sucede en conformidad con el programa coaccionante que ha elegido imponerse.

Detrás de su prejuicio: «Nadie me quiere», se oculta otro, del que el primero es consecuencia: «Yo no me quiero». Si yo no me quiero, no me siento querido. Y al contrario, si me quiero, capto el amor de los demás.

Si me avergüenzo de mi cuerpo, si no me gusta, estaré convencido de que los demás tienen la misma opinión. Se supone que se avergüenzan de mi cuerpo, que no les gusta, que no les apetece tocarlo, y en la mayoría de los casos, sucederá así efectivamente, ya que el poder de mi pensamiento es tan intenso que crea los acontecimientos que se relacionan con él. Cuanto más fuerte sean mis creencias conscientes o inconscientes, más se convertirán en realidad. El poder de la vida y del universo parecen precipitarse en la dirección elegida por mi pensamiento. En el flujo infinito del mundo y de la vida, mi pensamiento representa el papel de un guardagujas, no dejando pasar más que aquello que está conforme con su dirección, eliminando todo lo que no está de acuerdo con él y provocando, en consecuencia, los acontecimientos. Así canalizados, orientados por mi pensamiento, el poder creador de la vida y el del universo cooperan conmigo en el sentido que elijo.

La mente posee una fuerza de atracción: lo semejante atrae a lo semejante. Cada uno atrae hacia sí, procedentes de lo visible y de lo invisible, pensamientos emparentados con los suyos.

Swami Sivananda.

7. El universo me devuelve multiplicado lo que emito a través de mis pensamientos

Séptima ley:

El universo, como un espejo de aumento, me devuelve multiplicado lo que emito a través de mis pensamientos.

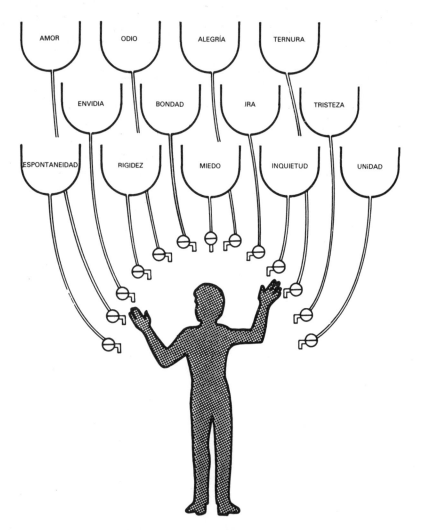

Mis pensamientos me son devueltos multiplicados

Mi mente me sirve de intermediaria con el poder infinito del universo. Mis pensamientos, mis creencias y mis emociones dan una
«forma», un «volar» a esta energía superpotente, que se precipita a
través de mis filtros mentales y me devuelve así multiplicado lo que
elijo pensar.

En esta ilustración, mis pensamientos están representados por las
llaves de paso que, abiertas de acuerdo con mi elección, liberan el
contenido de inmensos depósitos de poder abiertos al poder infinito.

Vivo en un universo seleccionado, orientado, limitado por mis pensamientos y conforme a ellos. Dicho universo me da siempre la razón. Todo ocurre en él como yo lo pienso. Sin embargo, detrás del mundo nacido de mi mente, oculto por él, reside el universo real, que es omnipotencia. Y entro muy especialmente en contacto con su potencia ilimitada por intermedio de mi mente. Mis pensamientos y mis creencias son, en cierto modo, recipientes para la energía ultrapoderosa del universo, recipientes que le dan su «forma». El enorme poder del universo se precipita en el molde de mis ideas, de mis creencias. De ahí resulta que **el universo me devuelve multiplicado lo que emito a través de mis pensamientos.**

Volvamos al ejemplo «Yo no me quiero». A primera vista, este pensamiento no parece concernir más que a mi persona. Pero la fuerza de la vida y del universo, canalizada y formada por mi pensamiento, hace que toda persona que se me acerque sienta, consciente o inconscientemente, que no debe quererme. El pensamiento «Yo no me quiero» repercute, en realidad, sobre los demás, sobre la vida y el universo, que, a su vez, no me querrán y me lo harán conocer a través de muchos inconvenientes, accidentes, decepciones y sufrimientos.

Más aún, si no me quiero, no me quiero tampoco ningún bien. De ahí a quererme algún mal, es fácil dar el paso. El universo y la vida se mostrarán entonces conformes conmigo, devolviéndome el mal multiplicado.

Naturalmente, esa ley, como todas las demás, se aplica con el mismo rigor cuando los pensamientos son positivos, y no sólo como en el ejemplo anterior, que, por desgracia, está muy extendido. Si pienso «Me quiero a mí mismo», la vida y el universo se mostrarán conformes y me devolverá multiplicado el amor que me tengo.

8. Reconozco y cultivo los pensamientos fecundos

Octava ley:

Los pensamientos que van en el mismo sentido que la vida y el orden cósmico favorecen la circulación y la manifestación de mi energía vital, en potencia y en calidad, lo mismo que mi alegría de vivir.

A la luz de las reflexiones anteriores, es fácil comprender que los pensamientos que van en el mismo sentido que la vida y el orden cósmico permiten a la energía vital (expresión particular de la energía cósmica) circular armoniosa y abundantemente. Yendo en el mismo sentido que la manifestación cósmica, esos pensamientos manifiestan su potencia y su verdad. Al estar acordes con la vida y el universo, son «justos», «verdaderos». Los pensamientos en armonía con la vida nos hacen permeables a la alegría de vivir, al poder y la finalidad de la vida. La vida, desde sus orígenes, ha evolucionado siempre hacia mayor complejidad y conciencia. Por consiguiente, es lógico pensar que su finalidad se encuentra, por lo menos en parte, en el incremento de la conciencia (ése es, especialmente, el efecto de las experiencias espirituales).

Si rema en una canoa en medio de un rápido y lo hace en el sentido de la corriente, le será fácil avanzar. Irá deprisa, sin cansancio, con un mínimo de esfuerzo. Incluso tendrá quizá la impresión de dominar la energía que propulsa la canoa hacia adelante. Su dominio consiste, en realidad, en la habilidad que le hace mantener la canoa en el sentido de la corriente para aprovechar al máximo su fuerza.

Al contrario, si intenta remar a contracorriente, remontar el rápido hacia la fuente, se verá obligado a hacer esfuerzos considerables, se fatigará muy pronto y se crispará en intentos poco eficaces. Y si, a pesar de todo, consigue avanzar a contracorriente, llegará, tarde o temprano, a la cascada infranqueable. Vendrá entonces el naufragio, el agotamiento, a menos que la sensatez no le obligue –por la fuerza de las cosas– a tomar la dirección correcta, aprovechando la corriente en lugar de luchar contra ella.

Hay que ver en esta imagen del río el sentido de la corriente propia de la vida. La cascada infranqueable representa el acontecimiento que puede, por ejemplo, provocar una depresión nerviosa. La causa de ésta no es el acontecimiento (que se limita a desempeñar el papel de un revelador), sino el error de dirección, la oposición al fantástico poder del universo y la vida. Cuando nos oponemos a aquello de lo que somos parte integrante, semejante actitud significa que nos negamos a nosotros mismos.

9. Reconozco y elimino los pensamientos nefastos

> Novena ley:
>
> **Los pensamientos contrarios a la vida,
> contrarios a la verdad, contrarios al ser,
> engendran debilidad y sufrimiento.**

La novena ley precisa dos nuevos criterios de la calidad del pensamiento, criterios que son de una importancia extrema: su acuerdo con la Verdad y con el Ser. Hemos visto hace un momento que todo pensamiento o creencia «falsos» –con respecto a la verdad de la vida y del universo– engendra debilidad y sufrimiento. Nos importa ahora comprender que toda mentira (voluntaria o no), toda falsedad (a cualquier nivel que sea) son factores de debilidad física y de sufrimiento moral.

La verdad es una fuerza absoluta. El mundo y la vida son «verdaderos» por el simple hecho de ser. La lengua sánscrita expresa bien estas nociones. La raíz de la palabra *satyam,* que significa verdad, es *sat,* que significa el Ser. Fundamentalmente, la Verdad es lo que es, y lo que es, es la Verdad. Así resulta fácil comprender que todos los pensamientos contrarios al Ser, contrarios a la Verdad, son perniciosos para la persona que los emite. La mentira, de cualquier forma que se presente, consciente o inconsciente, es particularmente nociva en el plano espiritual.

A finales del siglo pasado, murió en la India uno de sus más grandes santos, Ramakrishna. Mientras vivió, uno de sus discípulos acudió a visitarle con regularidad, trayéndole como regalo algunas frutas. Dichas frutas procedían de un huerto perteneciente a un amigo del discípulo, que le había autorizado a ir a buscarlas.

Un día, al ofrecer el discípulo una fruta a Ramakrishna y depositarla en su mano, el santo tuvo un sobresalto instantáneo de repugnancia y la arrojó lejos de sí, exclamando con horror: «¡Caiga la vergüenza sobre ese fruto de un robo!». Lleno de confusión, el discípulo explicó que aquella fruta, como todas las que le había regalado con tanta fecuencia, provenía del huerto de un amigo y que estaba autorizado a traérselas. Pero el santo insistió en declarar: «Es un robo», en vista de lo cual, el discípulo se dirigió a casa de su amigo y le contó lo que había pasado. El hombre se deshizo entonces en excusas, explicando que aquella misma mañana había firmado la venta de su huerto, sin pensar siquiera en informarle.

El santo se hallaba tan bien establecido en la Verdad que captó y rechazó aquella mentira y aquel robo involuntarios. La reacción de Ramakrishna nos enseña que, aun en el caso de que la mentira o el robo sean inconscientes, como ocurrió con el discípulo, tienen consecuencias nefastas. Sólo pueden debilitar el impulso vital y crear una inarmonía con lo que es.

Cuanto más verdaderos seamos, consciente e inconscientemente, más puros, más permeables y transparentes a la Luz divina seremos. Los pensamientos conformes a la Verdad, acordes con el Ser, nos convierten en aspirantes a la Verdad suprema, peregrinos en el camino de lo absoluto.

10. Me mantengo vigilante en la formulación de mis pensamientos

Décima ley:

La utilización positiva del poder creador del pensamiento me exige ser particularmente vigilante en la formulación de mis pensamientos.

El poder creador es positivo (consideremos, si no, sus resultados desde el origen del mundo). Sin embargo, el pensamiento tiene un poder tal que, cuando es erróneo o está formulado en forma negativa, infunde al primero una orientación negativa.

Las fuerzas positivas son siempre más fuertes que las negativas, una verdad que conviene reconocer. De lo contrario, el mundo real habría dejado de existir. El hecho mismo de que esté leyendo estas líneas demuestra indiscutiblemente que también en usted las fuerzas positivas han salido siempre victoriosas. Si las fuerzas negativas hubiesen vencido una sola vez desde su nacimiento, ya no estaría usted aquí. Del mismo modo, desde el comienzo del universo, las fuerzas positivas han ganado siempre, y continuarán haciéndolo hasta prueba de lo contrario, es decir, hasta un eventual aniquilamiento (el retorno a la nada).

Sólo de usted depende el utilizar positivamente el inmenso poder creador del pensamiento, que ha dado lugar a todo el ámbito material, técnico, mecánico, confortable del hombre, todas las obras intelectuales, artísticas y espirituales, todas las alegrías y las penas de la humanidad. Para ello, la condición primera e indispensable es la vigilancia.

● *Puesto que las palabras tienen un poder* (primera ley), *voy a elegir las palabras que forman mis pensamientos.*

● *Todos los pensamientos producen un efecto* (segunda ley). *Por consiguiente, tendré cuidado de elegirlos pensando en sus resultados potenciales.*

● *Creo el universo en el que vivo mediante mis pensamientos* (tercera ley). *En consecuencia, elijo pensar un universo en que me complazca vivir.*

● *Dado que ese universo funciona exactamente de la manera en que lo pienso* (cuarta ley), *decido pensar positivamente. Al desarrollar mi capacidad de pensar positivamente, mejoro el mundo en que vivo.*

● *Sé que soy responsable de la calidad de mi vida, basada en la calidad de mis pensamientos* (quinta ley).

● *Si pienso positivamente, la vida y el universo cooperan conmigo* (sexta ley).

● *Al desarrollar así mi manera de pensar, me abro cada vez más a la abundancia, característica fundamental del universo y de la vida* (séptima ley).

● *Tomo siempre como punto de referencia los criterios benéficos de la elección de mis pensamientos: que vayan en el mismo sentido que la vida y el mundo* (octava ley).

● *Opto por construir mi vida sobre el Ser y la Verdad* (novena ley). *De este modo, estoy en paz y en armonía conmigo mismo y con el mundo.*

● *Para alcanzar este estado, me conviene mostrarme cada vez más vigilante respecto a mis pensamientos, utilizar las palabras justas, cargadas con el poder de la Verdad, el Ser y el Amor* (décima ley).

Segunda parte

Las técnicas de dominio del pensamiento

4. Vigilar nuestros pensamientos

La atención –concentración y fuerza de la mente– constituye el más grande de los poderes del hombre. Alimenta, hace crecer y cristaliza el estado particular hacia el que se orienta, consciente o inconscientemente. Saber prestar y retirar a voluntad la atención de los pensamientos, los objetos, las emociones y los deseos, equivale a dominar a la vez el pensamiento y la voluntad. La vigilancia es la base de esos dos dominios y de toda realización humana.

1. Importancia primordial de la vigilancia

La vigilancia en la formulación de los pensamientos puede –y debería– ejercerse de manera permanente. Al hacernos cada vez más atentos a nuestros pensamientos, nuestros sentimientos, nuestras sensaciones y nuestras emociones, desarrolla la «conciencia de sí, que es el Camino hacia la conciencia del Sí mismo». La vigilancia en la formulación de los pensamientos es realmente «un yoga de la vida práctica», capaz de hacernos progresar a la vez en los planos material, relacional, personal y espiritual, en todos los campos de nuestra vida.

La vigilancia de sí mismo es la cualidad espiritual por excelencia. Todas las grandes tradiciones espirituales de la humanidad presentan el rasgo común de exigir mantenerse vigilante, atento, despierto. Buda ha dicho: «Quienes se mantienen vigilantes conocerán la vida eterna; los negligentes están ya muertos». En su libro *Au-delà du moi* (p. 111, en el capítulo titulado «La vigilancia»), Arnaud Desjardins cita este diálogo entre Swami Prajnanpad y uno de sus discípulos;

- ¿Cuál es la importancia de la vigilancia para el Camino?
- La vigilancia es el Camino. Lo es todo.

2. Ejercitar la vigilancia en la formulación de nuestros pensamientos

La importancia de la vigilancia en la formulación de los pensamientos es capital. Esta primera «técnica» que le propongo tiene, además, la ventaja de poder ser aplicada en cada instante de la vida de vigilia. No exige ningún material especial, ni dedicarle un tiempo determinado. En todo momento, ya esté uno solo o acompañado, hay numerosas ocasiones para ejercitar la vigilancia en la formulación de sus pensamientos. El ejercicio al que le invito ahora le permitirá simultáneamente:

● integrar, asimilar el decálogo;

● desarrollar la vigilancia en la formulación de sus pensamientos.

A continuación, enunciaré una serie de frases, de giros o de opiniones en contradicción flagrante con el decálogo del dominio del pensamiento.

Le aconsejo que escriba en una hoja de papel su interpretación corregida de los ejemplos citados.

Pero cuidado. En el apartado «Formulaciones», conviene expresarse de acuerdo con el decálogo, pero sin afirmar lo contrario de la proposición. Por ejemplo, no se puede cambiar la frase: «Tengo miedo de llegar tarde» por esta otra: «Estoy seguro de llegar a tiempo».

Después de meditar su versión, compárela con la que le propongo y comento más adelante.

a) Afirmaciones negativas que deben corregirse

Opiniones:
1. La salud es un estado precario, que no presagia nada bueno.

2. Es peligroso estar en buena salud, ya que se corre el peligro de enfermar en cada momento.

3. La vida es un asco. Todo está podrido.

4. Después de mí, el diluvio. Que el mundo se las arregle como pueda.

5. La mentira es muy útil, nos hace grandes servicios.

6. El amor no existe.

7. Soy débil, no sirvo para nada.
8. Cambiar es peligroso.
9. El placer va siempre seguido por el sufrimiento.
10. Amar es peligroso.

Formulaciones de pensamientos:
11. Esta primavera, me tocó estar embarazada.
12. La fiesta en casa de Ana no fue nada triste.
13. A ti no te falta humor.
14. Demasiado bello para ser verdad.
15. Me temo que no lo conseguiré.
16. Es difícil perseverar.
17. Cuando uno tiene miedo, se le hace a uno un nudo en el estómago.
18. Tengo miedo de llegar tarde.
19. Soy demasiado viejo para eso.
20. Lo tengo atravesado en el estómago.
21. Estoy harto.
22. No lo puedo soportar.
23. Ya me está cargando.
24. Estoy hasta la coronilla.
25. ¡Chico, es para cagarse!
26. No soy racista, pero no quiero que mi hija se case con un negro.

Expresiones corrientes:
27. No está mal.
28. No es tan malo.
29. No merece la pena... Vale la pena... Levántelo apenas...
30. No hay problema.
31. No es grave.
32. No tiene importancia.
33. No olvides...
34. No dejaré de hacerlo.
35. ¿Le pasa algo malo? ¿No se siente bien?
36. No me he roto nada.
37. No hay nada que temer.
38. No hay peligro.
39. No hay ningún riesgo de que...
40. Gracias, no ha sido nada.

41. No es caro.
42. No hay que darlo por perdido.
43. No se preocupe.
44. ¿No tiene necesidad de nada?
45. ¿No tiene aún...?
46. No me falta de nada.
47. ¿No podrías pasarme la sal?
48. ¿Nadie sabe dónde está la plaza de Colón?
49. ¿Es qué nadie va a decirme lo que ha ocurrido?
50. ¿No recuerda que...?
51. Usted no sabe...
52. ¿Usted nunca ha...?
53. No tenemos prisa.
54. La cosa no va a tardar.
55. No hay que desesperar.
56. ¿No tiene más apetito? ¿No tiene más sed? ¿No tomaría un poco más?
57. Sin duda. No lo dudo.
58. ¿No es verdad?
59. Eso es tu problema.
60. ¿Por qué no?
61. Esto no ha terminado todavía.
62. Todavía no hemos llegado.
63. No hay de qué.
64. Yo no soy débil.

b) Versión positiva de los ejemplos propuestos

Opiniones:

1. Es natural y muy apreciable tener buena salud.
2. Es maravilloso estar en buena salud.
3. La vida es una maravillosa aventura.
4. Si mi paso por la tierra contribuye por poco que sea a que haya en ella más felicidad, me sentiré satisfecho.
5. Yo construyo mi vida sobre la verdad.
6. El universo entero es una manifestación del amor.
7. Estoy vivo, luego tengo en mí el poder de la vida.
8. El cambio es la ley fundamental de la vida y del mundo: «Lo único que no cambia es el cambio» (Buda).

9. Disfruto plenamente del placer cuando se me presenta.
10. Amar es uno de los más bellos estados del ser.

Formulaciones de pensamientos:
11. Esta primavera, me di cuenta de que estaba embarazada. (Aunque, conscientemente, la futura madre se sienta feliz de esperar un hijo, la fórmula «me tocó estar embarazada» la pone en comunicación con una atmósfera de mala suerte).
12. Pasamos una tarde excelente en casa de Ana. La fiesta fue muy alegre y todo salió muy bien.
13. En mi opinión, estás lleno de humor.
14. ¡Es maravilloso! ¡Qué suerte!
15. Haré cuanto esté en mi mano para triunfar.
16. Perseverar es gratificante.
17. Cuando tengo miedo, se me hace un nudo en el estómago. Lo que hay que proscribir en este ejemplo es el «uno». Hay personas que utilizan sistemáticamente «uno» en lugar de «yo». Quizá el origen de este empleo se encuentre en un cierto estilo de educación, según el cual hablar directamente de sí mismo es poco cortés. Pero poco importa de donde venga, el resultado es invariablemente una falta de confianza en sí mismo. Cada vez que una persona se esconde detrás de ese «uno» indefinido cuando es ella la que está directamente implicada, expresa su falta de confianza en sí misma y la cultiva. Además, al emplear el pronombre indefinido, la persona afirma que para «uno», es decir, para todos, el miedo se traduce en el cuerpo por un nudo en el estómago. ¿Y qué sabe ella? ¿Quién la autoriza a decir eso en cuanto a mí se refiere? ¿Qué sabe sobre lo que yo siento cuando tengo miedo? En realidad, cuando tengo miedo, no se me hace un nudo en el estómago, sino que la sangre se retira de mi rostro y me pongo muy pálido. Esa persona habla de su experiencia propia, de modo que la verdad exige que diga «yo».

Hay también personas que emplean el «tú» en lugar del yo. «Llegas a un cruce y, justo en ese momento, una moto se te pone delante bruscamente, y te encuentras atravesado en la carretera...» Aquí el sujeto cuenta un acontecimiento que le ha sucedido, pero emplea una formulación que parece indicar que es su interlocutor el que ha vivido esa situación. En un narrador de cuentos que quiere implicar al auditorio en su historia, la cosa se justifica, pero, en el lenguaje corriente, denota también una falta de confianza en sí mismo.

Aprenda a expresarse de manera sencilla y directa. Emplee la primera persona cuando habla de sí mismo. Con ello aumentará su confianza, y sus auditores se mostrarán más atentos y más interesados por sus palabras. Una formulación como ese «uno», vaga e indefinida, suscita poco interés. Interesa mucho más lo que tiene una connotación personal.

18. Si salgo antes, tendré más oportunidades de llegar a tiempo. (O todavía puedo llegar a tiempo).

19. Eso me gusta y, por lo tanto, lo hago.

20-25. Esas frases no tienen que ser reformuladas. Las he hecho figurar en esta lista sólo para atraer su atención sobre el poder de las palabras y sobre los efectos potenciales del pensamiento.

Es evidente que la repetición frecuente de las frases 20 y 21 orienta el poder del pensamiento hacia el aparato digestivo, con posibles repercusiones sobre éste.

En cuanto a la frase 22, «No lo puedo soportar», aumenta la fatigabilidad y la exasperación.

La frase 23, «Ya me está cargando», puede provocar dolores de espalda, al sugerir que ésta recibe un peso superior a lo que es capaz de sostener.

La frase 24, «Estoy hasta la coronilla», acompañada de un gesto que significa «por encima de la cabeza», facilita la aparición de migrañas.

La frase 25 provoca una alteración de la excreción. El inconsciente puede, o bien ejecutar la orden directamente (con la consiguiente diarrea), o bien, cuando la frase se refiere a algo que moleta al sujeto (el caso más frecuente), impedir a éste, como buen servidor que es, que «cague».

26. Este pensamiento merece una atención particular. Lo mismo que en álgebra, si se suma el + con el −, el resultado es −, la fórmula «sí, pero» equivale con mucha frecuencia a «no». «No soy racista, pero...» significa en realidad: «Soy racista», como demuestra el final de la frase: «... no quiero que mi hija se case con un negro». «Sí, pero» es una frase que implica muchas veces el hecho de afirmar lo contrario de lo que se dice. El «sí» es verdadero cuando no se le opone ninguna condición. Un sí condicional equivale a un no.

Expresiones corrientes:
27. Está bien, o está muy bien.

28. Es bastante bueno.

29. Es inútil... Compensa... Levántelo muy poco...

30. ¿Por qué conectarse con la dificultad, utilizando la palabra «problema», cuando precisamente no lo hay? Esta fórmula se halla muy extendida, incluso entre los presentadores de la televisión. Y sin embargo, es muy negativa. Resulta mucho más sencillo y dinamizante reemplazarla por «todo va bien».

31. Todo irá bien.

32. Carece de importancia. Se trata de suprimir el «no».

33. Acuérdate...

34. Lo haré, puede usted contar conmigo.

35. ¿Qué le pasa? ¿Se siente bien?

36. Estoy bien. Todo va perfecto.

37. Todo va bien, estamos en seguridad.

38. Lo mismo que la 37.

39. Podremos seguramente...

40. Gracias por su atención.

41. Es barato.

42. Ya lo recuperaré.

43. Esté tranquilo.

44. ¿Necesita usted algo?

45. ¿Tiene ya...?

46. Tengo todo lo que necesito.

47. Pásame la sal, por favor.

48. ¿Quién sabe dónde está la plaza de Colón?

49. ¿Alguien puede decirme lo que ha ocurrido?

50. ¿Se acuerda de...?

51. ¿Sabe...?

52. ¿Alguna vez ha...?

53. Tenemos tiempo suficiente.

54. La cosa está a punto de llegar.

55. Siempre se puede esperar.

56. ¿Sigue teniendo apetito? ¿Sed? ¿Tomaría un poco más?

57. Desde luego. Estoy seguro.

58. ¿Verdad?

59. Eso es cosa tuya, es asunto tuyo.

60. Sí. Es posible.

61. La cosa va a prolongarse.

62. Todavía nos falta algún camino por recorrer.

63. A su disposición.

3. Medida de la fuerza del pensamiento

64. La última frase de la lista, «Yo no soy débil» merece una atención muy particular. Antes de proponerle una formulación correcta, le aconsejo vivamente que haga el experimento siguiente. Si tiene en casa una báscula de baño, vaya a buscarla.

Sujétela de tal forma que los pulgares queden a media altura, por encima, con los otros dedos por debajo. En esta posición, ejerza una fuerte presión con los pulgares y mire el número de kilos señalados por el indicador.

Prestando mucha atención a no cambiar los pulgares de lugar —en caso contrario, se falsearía el experimento–, repita una docena de veces, en voz alta: «Yo no soy débil». Mientras continúa repitiéndolo, ejerza de nuevo una intensa presión con los pulgares y observe el peso obtenido. A continuación, pronuncie el mismo número de veces la frase: «Yo soy fuerte» y, mientras continúa pronunciándola, ejerza de nuevo presión sobre la báscula. Tome nota también del peso obtenido. Para quien ignore las leyes que rigen el pensamiento, «Yo no soy débil» y «Yo soy fuerte» tienen ostensiblemente el mismo sentido y el mismo valor. Pero, en la práctica, no ocurre así. Si lleva a cabo el experimento, comprobará que «Yo soy fuerte» le infunde mayor fuerza que «Yo no soy débil» (a condición, claro está, de que haya colocado los pulgares en el mismo lugar; cualquier desplazamiento falsea el resultado). Hay que advertir, sin embargo, que este aumento de fuerza, dentro de las reglas del experimento, no se manifiesta hasta el tercer ensayo. Ahora bien, vistas las cosas lógicamente, la fatiga experimentada al tercer ensayo hubiera debido, al contrario, disminuir la fuerza.

Repita ahora el mismo experimento, pero esta vez pronunciando un número equivalente de «Yo soy...», sin especificar lo que es, y anote el resultado. Después, mida el peso resultante de la presión al pronunciar «Yo no soy...» el mismo número de veces. Anote también el resultado.

Para terminar, haga este tercer experimento. Pronuncie, siempre el mismo número de veces, la frase «No soy fuerte» y la frase «Soy débil», y compare los resultados a cada presión.

Si ha realizado lealmente estos tres ejercicios, habrá descubierto que tenía más fuerza:

- Al decir «Soy fuerte» que al decir «No soy débil».

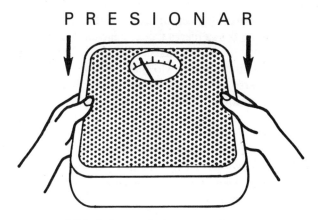

P R E S I O N A R

Mida la fuerza de su pensamiento.

- Al decir «Yo soy...» que al decir «Yo no soy...»
- Al decir «Soy débil» que al decir «No soy fuerte».

¿Qué se deduce de todo esto? En el primer experimento, tuvo más fuerza al decir «Soy fuerte», mientras que, en el tercero, su fuerza fue mayor al decir «Soy débil».

Veamos la explicación. Al pensar «Yo no soy...», profiere usted la mayor mentira que se puede proferir. Su pensamiento se pone en contradicción absoluta con la Verdad. Puede usted ser débil o fuerte, enfermo o sano, alto o bajo..., pero, cualquier adjetivo que emplee, la verdad es que **usted es.**

Cada vez que se ponga en contradicción con la verdad, de la manera que sea –tanto consciente como inconsciente–, creará, en grados diversos, debilidad, desvitalización, sufrimiento. No se trata de ningún sermón, ni es una cuestión de «moral» (en el sentido educativo del término), sino de una simple observación de los hechos. Repita el experimento con la báscula tantas veces como quiera y compruebe por sí mismo los resultados. Estar de acuerdo con la verdad aporta fuerza, ya que la verdad es la fuerza fundamental del universo. Lo que es es cierto, lo que es es la verdad. Visto desde este ángulo el universo entero es una manifestación de la Verdad. Como he dicho anteriormente, la palabra sánscrita *sat* significa ser, y su derivado *satyam,* la verdad.

Cada vez que alguien emplea la fórmula «Yo no soy» se sitúa fuera de la verdad, lo que tiene como consecuencia la debilidad

–como lo ha experimentado en su cuerpo al medir la incidencia de este pensamiento sobre su fuerza física–, pero también el sufrimiento. Lo mismo sucede cuando piensa «Sí, pero». Cuando decimos «Sí» plenamente, sinceramente a lo que es, a la Verdad, nos sostiene el poder del universo, la verdad de lo que es. Al pensar «Yo soy», es usted, en último término, el Universo que se expresa en su Verdad.

Acabamos por ser lo que pensamos. Nos convertimos en lo que decimos, encarnamos el lenguaje que nos anima, el verbo que nos inflama. Por eso importa tanto ser sincero y veraz. Pues el hombre nace a cada instante de su propio estado de ánimo.

Mme. Genton-Sunier,
conferencia pronunciada en Orleans,
4 de mayo de 1976.

Le propongo ahora otro experimento. Relea toda la lista de las fórmulas negativas, de la 1 a la 64, y mida la fuerza de su presión sobre la balanza. Después, relea su versión positiva, la que le he propuesto, y mida de nuevo su fuerza. Comprobará mejor todavía el hecho de que las palabras tienen un poder, que los pensamientos conducen a resultados. No fue usted quien concibió las fórmulas que ha leído. No le pertenecen. Nadie le pidió que creyese en ellas. Por lo demás, tampoco es necesario. Sin embargo, la lectura de la primera lista ha disminuido su fuerza vital, mientras que las frases positivas la han aumentado. (He de confesar que escribir y leer la lista de los ejemplos negativos me resultó desagradable. Estoy tan habituado al pensamiento positivo que una tal acumulación negativa provocó un rechazo por mi parte.)

Gracias al ejercicio de la balanza, ha verificado, en su propio cuerpo, la validez de las leyes 8, 9 y 10 del decálogo, además de la importancia extrema de la formulación de sus pensamientos.

La vigilancia en la formulación de los pensamientos es una técnica fundamental. Con su práctica, desarrollará la atención a sus pensamientos, sus emociones y sus sentimientos. Su voluntad se intensificará, se hará cargo de su propia vida.

Tendrá usted ocasión de practicar esta vigilancia en cada instante de su vida de vigilia. Es como si penetrara en un camino de luz, un camino que se ensanchará a medida que lo recorra. Cada vez se hará más exigente en cuanto a la formulación de sus pensamientos.

Correlativamente, permanecerá también cada vez más atento a la formulación de los pensamientos expresados por las personas de su entorno. Si dichas personas son abiertas, podría indicarles útilmente otras posibilidades de expresión más fecundas. O quizá encuentre en ellas fuertes resistencias al cambio y a lo positivo. Si tal es el caso (aceptando la máxima: «no luchar contra el mal; ir directamente al bien»), lo mejor que puede hacer consiste en perfeccionar aún más la formulación de sus propios pensamientos. Poco a poco, irradiará a su alrededor una fuerza positiva, sin que le sea preciso hablar de la cuestión.

4. Insistir siempre en lo positivo

Esta segunda «técnica» puede ser empleada en todas las situaciones de la vida, como complemento de la vigilancia en la formulación de los pensamientos. Una y otra son como las piernas que nos conducen por la vía de la felicidad. Con ellas, avanzamos ligeros, alegres, libres. La vida supone entonces una aventura maravillosa, un regalo que se nos ofrece para nuestro progreso, nuestro florecimiento, nuestra realización.

Usted conoce seguramente la fábula que presenta a dos personas situadas cada una frente a un vaso lleno a medias. Una se lamenta, declarando: «Este vaso está ya medio vacío». La otra se regocija, diciendo: «Este vaso está todavía medio lleno». La circunstancia es exactamente la misma para las dos personas y, sin embargo, la actitud de la primera engendra la pena, la de la segunda el placer.

En toda situación, hay uno o dos aspectos positivos. Basta con mirar en su dirección, con adoptar un punto de vista positivo para descubrirlos.

a) Una ilustración

Hace unos veinte años, vi una película de un célebre director japonés, *Vivir,* que ya era antigua en aquella época. Cuenta la historia de un pequeño funcionario, empleado de la alcaldía, que se acerca al final de su carrera. Siempre ha permanecido confinado en papeles subalternos, sufriendo la tiranía de sus superiores jerárquicos, respetuosametne inclinado y obediente, y las impertinencias de sus colegas, ya que, dulce y sumiso, está siempre dispuesto a excusarse. En casa, su mujer le tiraniza también, cuando no lo hacen su hijo o su nuera. Su vida puede resumirse así; impertinencias, excusas, sumisión.

Un día, consulta a un médico por lo que cree un simple catarro y descubre que padece un cáncer muy avanzado, hasta tal punto que no le prescriben ningún tratamiento, ningún régimen. No hay nada que hacer. A nuestro hombre no le quedan más que unos meses de vida, quizá solamente unas semanas.

Aterrorizado, su primera reacción le empuja a una relación sexual con una chica muy joven, un poco de cuya insolente energía vital querría absorber. La muchacha se burla de él. A cambio de pequeños favores, le saca dinero y le pone en rídiculo.

En la alcaldía, recibe, como todos los años, a una delegación de mujeres de un barrio pobre que vienen a reclamar trabajos de salubridad, ya que sus hijos, al jugar en los charcos contaminados, contraen enfermedades, con demasiada frecuencia mortales.

Los años anteriores, habían sido enviadas interminablemente de despacho en despacho, ya que cada uno de los jefes de servicio rechazaba toda competencia en el asunto. Pero este año, al recibir la delegación de madres furiosas, desconsoladas y desesperadas, el pequeño funcionario comprende de pronto que aquella tarea le corresponde. Se hace cargo del expediente, tranquiliza a las mujeres y les promete que va a ocuparse personalmente de su caso. Y dicho y hecho. Con una obstinación cortés, con un sinfín de excusas y de reverencias, pero también con una determinación irresistible, consigue poner en marcha la inmensa e inerte máquinaria administrativa. Su esfuerzo encarnizado al servicio de una causa justa acaba por triunfar. Por su parte, él se mantiene más erguido, su rostro se vuelve cada vez más bello, resplandeciente. Está lleno de fuerza interior y de serenidad.

Se emprenden urgentemente los trabajos. Allí donde el barro nauseabundo y deletéreo mataba a los niños, hay ahora un jardín, con hierba, árboles y juegos. La noche que precede a la inauguración, un anciano se introduce en él, se instala en un columpio y se mece suavemente. Tiene la cara radiante. Experimenta una felicidad muy grande, una serenidad perfecta. Y es en ese lugar, en ese estado, cuando muere.

Sí, **cada situación, incluso extrema, conlleva a uno o varios aspectos positivos.** Sabiendo que no le quedaban más que unos meses, el pequeño funcionario encontró un sentido para su vida. Gracias a la evidencia de su próxima muerte, actuó verdaderamente, mientras que antes siempre había reaccionado, descubriendo así la felicidad.

b) Una técnica: «Gracias a...»

Veamos ahora una técnica muy fácil y muy eficaz, que le revelará lo que hay de positivo en cualquier situación.

Pongamos un ejemplo. Supongamos que se encuentra usted actualmente en un estado de soledad difícil de soportar. Para realizar el ejercicio, tome un cuaderno y escriba en él rápidamente, sin reflexionar ni censurar, sin detenerse a pensar lo que viene, una frase que comience por: «Gracias a la soledad...» Déjela terminar espontáneamente bajo su pluma, y vuelva a empezar, con el mismo principio, pero con el final que se le ocurra de manera espontánea. Ejemplos:

- Gracias a la soledad, puedo hacer lo que quiero.
- Gracias a la soledad, estoy en libertad de moverme.
- Gracias a la soledad, puedo hacer lo que me gusta.
- Gracias a la soledad, tengo tiempo para ocuparme de mí mismo.
- Gracias a la soledad, puedo estudiar por placer aquello que me agrada.

Continúe así. Si se presentan repeticiones, acéptelas y prosiga.

Después de dos páginas escritas rápidamente, sin reflexionar, estará en camino de reconciliarse con la soledad, habrá descubierto muchas ventajas en el hecho de estar solo y se le revelarán algunas de sus potencialidades. Se sentirá ya mejor después de un ejercicio de sólo unos minutos. Naturalmente, convendrá que lo repita varias veces, a fin de que el estado de bienestar se afiance. Pero ya desde el primer ensayo de esta técnica, experimentará su extraordinaria eficacia. Si no le gusta su trabajo, escriba: «Gracias a mi trabajo...».

Pruebe esta técnica ahora, inmediatamente, a propósito de todo lo que en su vida sea fuente (aparente) de dificultad. El verdadero origen de sus preocupaciones se encuentra en su actitud interior con respecto a los acontecimientos, no en los acontecimientos en sí. Con la fórmula «Gracias a...», adoptará un punto de vista diametralmente opuesto al de «Por causa de...». Ya no será una víctima perseguida, sino una persona que se sirve de los acontecimientos de su vida –incluso los más traumáticos– como de un trampolín para propulsarse hacia adelante y hacia arriba.

Este libro exige más que una simple lectura. Le propone ejercicios. Puede convertirse en **su amigo,** constituir una formidable apertura a la vida, al mundo y a sí mismo, a condición, claro está, de que haga los ejercicios que se incluyen. Su práctica le dará resultados rápidos, incluso inmediatos. Son fáciles, requieren poco tiempo y no cuestan más que el precio de este libro, de un poco de papel y de un bolígrafo. Cada vez que le propongo uno, hágalo y compruebe por sí mismo el resultado. Los ejercicios se inscriben todos en una progresión lógica, por lo cual es conveniente llevarlos a cabo en el orden en que se presentan.

En lo que a mí respecta, soy más bien perezoso por naturaleza. Eso no impide que mi vida sea extremadamente activa y colmada, ya que, «gracias a la pereza...», he adquirido una gran eficacia. Gracias a la pereza, no tengo que volver a empezar lo que hago, puesto que actúo de tal modo que consiga las cosas a la primera vez para no tener que rehacer. Gracias a la pereza, obtengo un máximo de resultados con un mínimo de esfuerzos. Por medio de las técnicas de este libro, comprobará que han sido seleccionadas y preparadas por una persona que supo hacer de su pereza un utensilio de eficacia.

Sí, hay aspectos positivos en la pereza, doy testimonio de ello. Y será lo mismo para usted. Con un mínimo de esfuerzo, con un gasto mínimo de tiempo y de dinero, logrará un máximo de resultados, unos resultados que no se atrevería siquiera a imaginar.

«Gracias a...» es una técnica tan fácil como efectiva. Le permitirá descubrir un gran número de recursos desconocidos latentes en usted. Suscitará una energía creadora y le proporcionará los medios físicos, intelectuales y morales (la moral para emprender) de acceder a la felicidad.

Una variante de este ejercicio consiste en utilizar la fórmula: «Aprovecho... para...», o también; «Yo... porque...».

Más adelante, le mostraré otras técnicas por escrito. Todas tienen un punto común con la que acaba de probar: la rapidez. Hay que escribir rápidamente, sin reflexionar ni detenerse a pensar en lo que se le ocurra, por los motivos siguientes: si piensa antes de escribir la continuación de «Gracias a...», lo que escriba estará influido por sus esquemas habituales de pensamiento, que, precisamente, no le han dado mucho resultado hasta ahora. Sin embargo, aún en el caso de que escribiese a partir de laboriosas reflexiones, obtendría de todos modos resultados positivos, ya que la técnica orientaría su mirada en esa dirección.

Pero escribiendo rápido y sin pensar, los resultados son todavía más inmediatos y profundos. Así franqueará la barrera de los esquemas negativos y rutinarios de su mente, de manera que los tesoros que hay ocultos en usted se manifiestan con mayor facilidad. El papel en el que queden escritos de su propia mano, fuera de toda influencia, los poderosos y bellos pensamientos positivos suscitados por «Gracias a...» le servirá de testigo.

Todas las técnicas y métodos de este libro son **vías que conducen hacia la autonomía.** Practicándolas, se convertirá en su propio guía, su propio maestro. Seguirá su propio camino, a su propio ritmo. Al aplicarlas, apreciará su extraordinaria eficacia. Obtendrá resultados cada vez más positivos.

5. Saber distinguir un pensamiento verdadero de uno falso

1. Consecuencias de la unidad de los tres poderes

Como dijimos en el capítulo primero, el poder creador del universo, el del pensamiento y el de la vida son en realidad tres aspectos de un poder único, de una misma energía. Esta constatación nos servirá de criterio para permitirnos distinguir un pensamiento «verdadero», justo, de un pensamiento pervertido, «falso».

● Si mi pensamiento está en armonía con el universo y con la vida (los otros dos aspectos del triple poder), es verdadero, justo y fecundo, fuente de felicidad, de bienestar y de alegría de vivir.

● Si mi pensamiento está en oposición o en contradicción, ya sea con la vida, con el universo o con los dos a la vez, es un pensamiento desnaturalizado, pervertido, falso, erróneo, causa de sufrimiento y de debilidad.

Las cosas son así de sencillas. ¿Qué pensaríamos de una persona que se esforzase por hacer vivir un oso blanco en el Sahara? Sin duda, que se obstina en vano en oponerse a lo que la naturaleza ha organizado desde hace miles de años, que sus esfuerzos están de antemano condenados al fracaso y que gasta en vano una enorme energía al servicio de una idea falsa, pervertida e incluso, atrevámonos a decirlo, estúpida.

Ahora bien, si algunas de mis creencias son contrarias a lo que es fundamentalmente el universo, si se oponen de hecho al enorme poder que se expresa en el mundo y en su armonía y si son contrarias al prodigioso poder de la vida, esos pensamientos son todavía muchísimo más falsos.

En el capítulo 2 dijimos que la jerarquía entre los poderes creadores y el universo, el pensamiento y la vida revelaba su unidad fundamental. Conviene ahora comprobarlo de otra manera.

Así se confirmará la validez del criterio que hemos elegido para permitirnos distinguir un pensamiento verdadero de uno falso. ¿Por qué afirmo que los tres poderes citados son en realidad el mismo, con la consecuencia inevitable de que hemos de armonizar sus tres aspectos, si queremos ser felices y sanos de espíritu?

2. Los atributos respectivos del universo, el pensamiento y la vida

Para poner de relieve la unidad fundamental del **universo,** la **vida** y el **pensamiento,** he establecido una lista de los atributos del primero, basándome para ello en lo que nos dicen los científicos. Dichos atributos son: la luz, la infinitud, la expansión, la creatividad, la unidad en la diversidad, la inteligencia organizadora, el orden, el vacío. Busqué después los atributos del pensamiento y de la vida y me di cuenta de que se correspondían con los del universo de una manera muy significativa.

Si estudiamos el cuadro siguiente, veremos que, con muy pocas excepciones, esos atributos figuran en las tres columnas. Considero interesante comentar cada elemento del cuadro, teniendo en cuenta que las lagunas pueden ser tan ricas en enseñanzas como las concordancias.

ATRIBUTOS DE:		
El universo	El pensamiento	La vida
Existencia	Existencia	Existencia
Conciencia	Conciencia	Conciencia
Energía	Energía	Energía
Luz	Luz	...
Infinitud	Infinitud	Infinitud
Expansión	Expansión	Expansión
Creatividad	Creatividad	Creatividad
Unidad en la diversidad	Unidad en la diversidad	Unidad en la diversidad
Inteligencia organizadora	Inteligencia organizadora	Inteligencia organizadora
Equilibrio/Armonía	Equilibrio/Armonía	Equilibrio/Armonía
Orden	Orden	Orden
Vacío	...	...

a) Existencia

Es evidente que el universo, el pensamiento y la vida tienen en común el hecho de su existencia.

b) Conciencia

El pensamiento manifiesta la conciencia. Todos tenemos la experiencia directa de ello. Está claro también que no se puede ejercer el pensamiento independientemente del universo, lo que equivale a decir que es uno de sus elementos. De hecho, cada vez que se emite un pensamiento, es el universo el que «piensa». En último término, cuando hay conciencia, el consciente es el universo. Sólo la orgullosa tendencia antropomórfica nos hace considerar el pensamiento y la conciencia como funciones independientes del universo. Sin embargo, para conformarnos a la lógica, tenemos que convenir en que todo lo que se manifiesta en el seno del universo es un elemento o expresión del mismo. ¿La conciencia constituye una excepción? Espero pacientemente a que me lo demuestren... Si hay conciencia, sólo puede formar parte integrante del universo, del cosmos, ser uno de sus atributos.

Fue en el seno del universo donde se elaboró la vida, y fue en el seno de ésta donde se formaron, a través de una larga evolución, lo órganos de la comunicación consciente, en particular el cerebro humano. Y hablamos sólo de la conciencia «individual», cuya experiencia tenemos en estado de vigilia. Existen otros estados de conciencia, como los sueños, el sueño profundo, etc. En ciertas experiencias de meditación profunda, se produce una expansión de la conciencia, en que se siente ésta como universalmente presente. Su aspecto individual podría no ser otra cosa que una cristalización localizada de la conciencia universal.

Dado que es un organismo viviente el que experimenta la conciencia, se ve con toda evidencia que ésta constituye también un atributo de la vida. Si se suprime la vida del cuerpo que escribe esta frase, ¿podría seguir afirmando que soy consciente?

El universo ha creado la vida, la cual elaboró órganos capaces de ser conscientes de sí mismos. Negar que la conciencia sea un fenómeno universal equivale a decir que es exterior al universo. Si tal fuera el caso, ¿dónde estaríamos cuando somos conscientes? En realidad, la conciencia es intrínseca al universo y a la vida.

c) Energía

Me parece bastante evidente como para no necesitar ningún comentario el hecho de que el universo y la vida son energía, potencia en acto. En cuanto al atributo de energía del pensamiento, este libro no hace más que comentarlo.

d) Luz

El universo emite luz mediante sus estrellas y otros objetos celestes. También el pensamiento es fuente de luz, por lo menos si se cree a lo que afirma el lenguaje corriente: «Es una idea luminosa», «un pensamiento claro», «aclarar las cosas», «el Siglo de las Luces», etc. El parentesco entre conciencia, inteligencia y luz reaparece en numerosas lenguas. Se puede decir también: «a la luz del fenómeno de la vida...» («teniendo en cuenta todo lo que sabemos sobre el fenómeno de la vida»).

e) Infinitud

El universo es infinito, un atributo suficientemente conocido para no requerir ningún comentario.

También el pensamiento es infinito. Hay un número ilimitado de formas de pensamiento, de razonamientos, de sus asociaciones. Y su soporte –las lenguas– son muy numerosas. Captaremos intuitivamente la infinitud del pensamiento si tratamos de concebir el número de pensamientos emitidos desde el origen del ser pensante y el de todos aquellos que lo serán aún en un futuro indeterminado...

La vida, por su parte, parece poseer igualmente este atributo del universo, la infinitud. Es ilógico pensar que un planeta cualquiera de nuestra galaxia tenga la exclusiva de la vida. Muy probablemente, se trata de una fase natural en el desarrollo del universo. Por lo menos, más de la mitad de los científicos actuales especializados en física sostienen esta opinión. Desde hace ya muchos años, aparatos sofisticados sondean el cielo, tratando de captar mensajes inteligentes procedentes de otros sistemas estelares. Los hombres envían sondas espaciales fuera del sistema solar, portadoras de un mensaje destinado a los posibles seres vivientes e inteligentes extraterrestres. Las cantidades importantes invertidas en esta búsqueda demuestran que la comunidad científica se toma muy en serio la hipótesis de la vida como fenómeno universal. Por lo demás, se han encontrado en los meteoritos moléculas cuya composición y estructura son muy próximas a las de la vida. Ciertas teorías científicas (denominadas «panspérmicas») explican el origen de la vida por una siembra venida del espacio intersideral.

Los elementos necesarios para la vida nacieron de la «vida» y la «muerte» de varias generaciones de estrellas. Las condiciones engendradas por el desarrollo del universo permitieron que la vida apareciese sobre la tierra. Y aún en el caso de que la vida fuese un «accidente» totalmente improbable, como pretenden algunos, su evolución se integraría en el flujo del universo, utilizando las combinaciones químicas que él elaboró, obedeciendo sus leyes.

Desde su origen, el universo ha evolucionado siempre hacia una complejidad y una organización más grandes de la materia. A su vez, la vida (desde su aparición) evoluciona de la misma manera, con cada vez más complejidad y organización. Esta simetría en la evolución recíproca del universo y de la vida pone también de relieve su unidad fundamental. Por consiguiente, es lógico pensar que la vida, que nació del universo infinito, es infinita como él. Hay que esperar descubrirla en todas las galaxias, aunque quizá bajo formas muy diferentes a las de la vida terrestre. Sólo en nuestro planeta ha creado tantas especies, formas y dimensiones distintas, ha dado pruebas de un poder tal de adaptación... La fantástica creatividad de la vida se ejerce muy probablemente a la escala infinita del universo.

f) Expansión

Desde su origen, hace unos quince mil millones de años (el Big Bang), el·universo se halla en expansión. Es fácil encontrar este atributo en el pensamiento y en la vida.

El pensamiento explora cada vez nuevas vías y acumula sin cesar nuevos saberes. Cada vez hay más publicaciones científicas, sobre temas cada vez más numerosos. Hubo un tiempo en el que se decía de ciertos pensadores que tenían un saber enciclopédico. Hoy, la masa en expansión acelerada de los conocimientos no lo permite. Pero el pensamiento ha creado ya los intrumentos necesarios para su prodigioso desarrollo: la informática y sus bancos de datos, que permiten y permitirán a un número cada vez mayor de personas tener acceso a tales o cuales elementos del saber en expansión permanente.

Para hacer evidente la facultad de expansión de la vida, basta con observar el desarrollo del embrión humano. Sólo nueve meses después de la concepción, la única célula original se ha multiplicado, convirtiéndose en un número impresionante de miles de millones de células diversificadas, especializadas, constituyendo los órganos, los músculos, la sangre, los huesos y el sistema nervioso, en el que se manifiesta la conciencia a través del pensamiento. El embrión reproduce en un proceso acelerado, durante la gestación, la historia de la vida y de su expansión desde la primera célula viviente hasta el hombre (en un momento del desarrollo del feto, le nacen «branquias», como a los peces; más tarde, se inicia un apéndice caudal, que luego desaparece, etc.).

El mismo movimiento de expansión se percibe con toda claridad si se recuerda el número y la variedad de las especies creadas por la vida y la complejidad prodigiosa de su organización, mientras que, en el origen, los seres vivientes, unicelulares, debían de ser muy raros. Quizá incluso no hubo más que una sola célula viviente primordial.

g) Creatividad

La creatividad del universo resulta obvia si se considera la elaboración de los noventa y dos elementos atómicos y sus combinaciones. Todos los objetos celestes proceden y dan testimonio de ella.

En el enjambre galáctico del que forma parte nuestra galaxia, se pueden distinguir dos espirales gigantes (M 33 y la Vía Láctea), una espiral barrada (la gran nube de Magallanes), una espiral media, ocho «pequeñas» galaxias irregulares, once galaxias elípticas enanas, cuatro objetos intermedios entre galaxia y enjambre globular, dos enjambres globulares aislados... Ciertos enjambres galácticos muy alejados de la Vía Láctea, como el de Coma, están formados por mil galaxias, en una esfera con un diámetro de diez millones de años luz. Esta extraordinaria creatividad es igualmente un atributo evidente del pensamiento y de la vida (lo hemos visto especialmente en el capítulo 2).

h) Unidad en la diversidad

La unidad en la diversidad es claramente una característica del universo. En todas sus múltiples manifestaciones «físicas», reaparecen los noventa y dos elementos atómicos y sus combinaciones. En todas partes reinan las mismas leyes de interacción de las partículas.

La unidad del pensamiento en su diversidad aparece expresada a través de su propia definición: actividad psíquica, facultad de combinar, de asociar los elementos de conocimiento, como las sensaciones, los estados afectivos y las ideas, para sacar deducciones, formular juicios, nuevos pensamientos. (Esta facultad que tiene el pensamiento de combinar los elementos psíquicos, ¿no es simétrica de la que tiene el universo en el plano «físico»? ¿Tal simetría se debe al «azar» o revela una unidad?)

En fin, la vida manifiesta también la unidad en la diversidad. Cualesquiera que sean su forma, su dimensión, su lugar de elección (mar, río, subsuelo, en el interior de otro organismo viviente), se reconoce por ciertas características específicas, que son el sello de su unidad fundamental. Citaremos entre ellas:

● Una facultad relativa de automovimiento. Una amiba, organismo unicelular, se aleja mediante los movimientos de su protoplasma de la gota de ácido que se ha dejado caer en el líquido en que vive. El árbol enraizado en el suelo manifiesta este automovimiento en su crecimiento.

● Un intercambio permanente e indispensable con el medio (alimentación y respiración).

● Una facultad de reproducción, acompañada en las especies evolucionadas por un nacimiento y una muerte orgánicos.

● Un poder de adaptación y de evolución.

● Una transmisión genética de los caracteres innatos y de los adquiridos por mutaciones.

Gracias a estos dos últimos elementos específicos, la vida se caracteriza por unos lazos determinantes entre su pasado más lejano, su presente y su porvenir. El embrión humano da testimonio de ello. En el curso de su desarrollo, se ven aparecer, y luego desaparecer, branquias análogas a las de los peces. Más tarde, se esboza una cola, que desaparece también... Estos lazos y esta evolución hacia una complejidad cada vez mayor, hacia más organización y conciencia, sólo pueden comprenderse en la perspectiva de una finalidad de la vida.

Percibimos directa e intuitivamente la unidad de la vida en su diversidad. Soy un ser viviente, luego conozco la vida. Al reconocer la vida, cualquiera que sea la forma que tome, me refiero implícitamente a lo que le confiere su unidad fundamental.

i) Inteligencia organizadora

Desde su origen, el universo no ha cesado de manifestar una inteligencia organizadora. La energía creadora del cosmos impone leyes, en el marco de las cuales reúne los átomos en nubes de partículas, en estrellas, en galaxias, en enjambres galácticos, en vidas, en conciencias individuales. ¡Qué inteligencia y qué organización! Parece seguir un plan prodigioso. La vida, al aparecer en un momento dado del desarrollo del universo, añade a las fuerzas de unión (electromagnéticas) de la materia una relación determinante –exclusiva suya– entre su pasado, su presente y su porvenir: la transmisión genética. El carácter estabilizador de ésta va acompañado por una posibilidad de mutación que, por el contrario, le permite «explorar» otras maneras de adaptarse al medio y crear y organizar una variedad infinita de especies y de sistemas. Toma así el relevo de la evolución de la materia e invierte la tendencia de ésta a la entropía, gracias a su modo particular de evolución y de organización. El pensamiento, cuando aparece con el hombre, releva a su vez a la evolución de la vida. Las civilizaciones humanas se basan en una organización y un intercambio de ideas forzosamente proporcionales a la importancia de las masas humanas que reúnen. Son un factor de evolución muy potente.

El universo no es un caos de energía y de objetos celestes. En el *Quid* de 1981, puede leerse: «Las galaxias no están sembradas al azar en el universo. Forman una especie de estructura celular, distribuyéndose sobre las aristas, las caras y los ángulos de poliedros que tienen una dimensión media de doscientos millones de años luz. Su disposición parece semejante a la de las moléculas de celulosa en el tejido vegetal».

Ahora que los hombres intentan elaborar la inteligencia artificial mediante los ordenadores y, sobre todo, los chips, nos vemos inducidos cada vez más, por comparación, a medir las formidables posibilidades del instrumento que se ha concedido el universo: el cerebro humano. Sin embargo, sirviéndose de esta misma inteligencia «natural» (nacida de la naturaleza), algunos afirman que el cosmos, la vida y el pensamiento no son más que el fruto del azar, una acumulación de acontecimientos altamente improbables y de coincidencias sin significación. Veo en esto el ejemplo de un pensamiento erróneo y aconsejo a esos pensadores que hagan la experiencia de la meditación profunda.

Por mi parte, me parece absolutamente evidente que todo lo que hay en el universo constituye uno de esos elementos. Incluso se trata, en mi opinión, de una perogrullada. Compruebo que la inteligencia organizadora no es una exclusiva del cerebro humano, sino, por el contrario, una característica fundamental del universo, que se manifiesta desde el origen en la prodigiosa organización de la materia inanimada y en la organización, todavía más maravillosa, de la vida. Si contemplamos el funcionamiento de una sola célula viviente, con sus funciones múltiples combinadas armoniosamente para obtener con un gasto mínimo de energía un máximo de eficacia, no nos queda más remedio que inclinarnos con respeto ante tanta inteligencia y organización.

El murciélago nos da otro ejemplo de esa prodigiosa inteligencia organizadora de la vida. Sólo puede cazar al crepúsculo, el único momento del día en que los insectos de los que vive, arrastrados por las columnas de aire caliente que se alzan del suelo, se encuentran en su zona de caza. Dichos insectos no permanecerán allí más que veinte minutos. Después, al enfriarse el aire, volverán a descender hacia el suelo, donde el murciélago no puede alcanzarlos. Ahora bien, el murciélago tiene que comer mucho, puesto que está obligado a constituirse una provisión de grasa para el invierno, que pasará durmiendo, sin alimentarse.

Para responder a esta situación, «inventó» un aparato de detección por ultrasonidos muy perfeccionado. Cada especie de murciélago tiene sus propias técnicas. La variedad *Myosis lucifugis* emite durante cada segundo una decena de señales de tres milésimas de segundo cada una. En tan corto espacio de tiempo, la señal recorre cincuenta centímetros de ida y vuelta. Choca contra un mosquito y vuelve a las grandes orejas del murciélago, que captan el eco y lo transmiten al cerebro, el cual, como una máquina electrónica, lo analiza y distingue la señal refleja que llega a la oreja izquierda de la que llega a la oreja derecha. El mosquito queda así localizado, y el murciélago se lanza inmediatamente en la dirección indicada. Tan pronto como se acerca al mosquito, en menos de un segundo, acelera la cadencia de sus señales (cien a doscientas por segundo), que son entonces de una milésima de segundo. Así localiza la presa con una precisión todavía mayor. Cuando la tiene a su alcance, se la traga. Pero al mismo tiempo, las señales emitidas por el murciélago han encontrado ya otros blancos, han vuelto, han sido analizadas, lo que le permite lanzarse sin la menor pérdida de tiempo sobre la presa más próxima. Hay que precisar que cada murciélago posee su propia «longitud de onda», lo que les permite cazar en grupo en la misma nube de insectos, sin estorbarse unos a otros.

Estas hazañas suponen una serie de órganos de una complejidad y una precisión pasmosa, desde oídos extraordinariamente eficientes hasta células especializadas del cerebro, capaces de analizar los ultrasonidos con mucha mayor eficacia que nuestros mejores radares (que los han copiado). Las señales del murciélago recorren treinta milímetros en el mismo tiempo en que las nuestras recorren 3,4 milímetros. La miniaturización de su aparato de análisis no tiene comparación posible con la de nuestros radares.

Pero todavía hay algo más asombroso. Los mosquitos poseen un aparato de detección del radar de los murciélagos, constituido por dos membranas situadas a ambos lados del tórax. Cuando las señales del murciélago alcanzan al mosquito, esas membranas vibran, «las oyen» en cierto modo. El insecto «sabe» que ha sido descubierto antes incluso de que el eco haya vuelto hasta el murciélago. Así informado, se lanza hacia el suelo, ya que «sabe» asimismo que su enemigo no puede atraparle por debajo de una cierta altura. ¿Cómo lo sabe? ¿Su memoria funciona como la de un ordenador? En ese caso, ¿a qué grado de miniaturización ha llegado el sistema que permite esta memoria? Piense en las dimensiones ínfimas del cerebro de un mosquito... Sin embargo, cuando el murciélago se lanza sobre su presa, el mosquito lo «sabe» porque las señales se han hecho más rápidas, más breves. Su sistema de detección es capaz de distinguir entre tres milésimas y una milésima de segundo, y sus membranas son capaces de vibrar a tales frecuencias. En el último microinstante que le resta de vida, da saltos desordenados para evitar el ataque. Pero el murciélago, todavía mejor equipado, lo devora.

Ciertas mosquitas, que disponen de un sistema de interferencias, pueden hacer fracasar el maravilloso dispositivo del murciélago. En el último momento, frotando una contra otra dos laminillas de su abdomen, emiten ondas que perturban las que lanza el murciélago. Al perder su sistema automático de guía, no recibiendo ya los ecos de sus señales, falla su blanco y, atraído por otros ecos positivos, se lanza hacia una nueva presa. Lo más extraño es que esas ondas de interferencia parecen tener un sentido que puede traducirse así: «No soy comestible», ya que la observación demuestra que, si el murciélago caza a la mosca a pesar de las interferencias, la escupe enseguida.

Lo que se ha de retener de esta descripción, tomada de un artículo de Jean Montorsier, publicado en la revista *Planète* (febrero de 1969), y de una exposición sobre la biónica en el Museo de Historia Natural de París (1986), es la increíble rapidez de las diversas operaciones y la prodigiosa miniaturización y eficacia de los órganos que las ejecutan. ¡Qué inteligencia organizadora en esas manifestaciones de la vida! ¡Y qué burdas parecen en comparación, a pesar de toda nuestra inteligencia, nuestras copias de esos procedimientos!

La vida recorre –en un proceso acelerado– un camino simétrico al que siguió el universo desde su origen, orientado hacia una complejidad y una organización cada vez mayores. El pensamiento manifiesta igualmente una orientación acelerada hacia la complejidad y la organización crecientes. Consideremos, por ejemplo, sus resultados materiales en la evolución de los modos del desplazamiento del ser humano hasta nuestros días. (A principios de siglo, un gran número de desplazamientos se efectuaban todavía a caballo, enganchado o no. Hoy, el hombre utiliza aviones, cohetes o aviones espaciales.)

Nosotros, que tan orgullosos nos sentimos de nuestro cerebro (cuyas posibilidades están todavía lejos de ser explotadas a fondo), nosotros, que nos concedemos una inteligencia y una facultad de organización indiscutibles, ¿podemos ignorar que, con ellas, no hacemos más que manifestar las características del universo y de la vida?

j) Equilibrio/Armonía

El desarrollo del proceso de creación del universo está orientado indiscutiblemente hacia una complejidad y una organización cada vez mayores y, según parece, hacia una mayor conciencia, como tan bien ha demostrado Teilhard de Chardin en *El fenómeno humano*. El equilibrio y la armonía son intrínsecos a este proceso, que no podría desarrollarse sin estas condiciones.

La Luna, que gira alrededor de la Tierra a una distancia y una velocidad determinadas, nos da un ejemplo del equilibrio existente en el universo. El equilibrio entre su velocidad (que tiende a alejarla de la Tierra por la fuerza centrífuga) y la atracción terrestre (condicionada por su masa y su distancia) la mantiene desde hace millones de años en nuestro cielo. Es también el equilibrio entre la velocidad, la masa y la distancia de atracción lo que hace que el Sol retenga en su órbita a su cortejo de planetas y asteroides. Ese equilibrio se ejerce del mismo modo a nivel estelar, galáctico, etc. Se trata, pues, de una constante del universo, manifestada en lo infinitamente grande.

En lo infinitamente pequeño, la imagen que tenemos de los átomos, con sus electrones gravitando alrededor del núcleo, evoca el mismo equilibrio entre las distintas fuerzas que presiden su organización.

En el seno de una célula viviente, existe un equilibrio y una armonía entre sus numerosas funciones vitales. Los miles de millones de células de un ser viviente evolucionando, como el hombre, actúan de manera concertada, lo que manifiesta un equilibrio y una armonía extraordinarios, por lo menos mientras está en buena salud. El equilibrio de los seres vivientes con su medio es una condición indispensable para la vida. Y así fue desde los orígenes de ésta. Desgraciadamente, el hombre lo demuestra por reducción al absurdo cuando destruye este equilibrio, creando, por ejemplo, desiertos por haber talado demasiados árboles, lo que tiene como consecuencia que la lluvia arrastre el humus de las pendientes –elaborado durante miles de años– y que el clima, la fauna y la flora se modifiquen.

Los barcos-fábrica para la caza de la ballena son tan eficaces (con sus sonares de localización, sus helicópteros de exploración y sus armas) que esos desdichados animales –los de mayor tamaño y mayor fuerza de la tierra, inofensivos y bonachones– están amenazados de extinción.

¿Cuántas especies han desaparecido ya a causa de la acción pervertida del hombre? ¿Y cuántas desaparecerán todavía hasta el día en que por fin ocupe el lugar que le corresponde en el seno de lo viviente?

Puesto que el equilibrio y la armonía son elementos constitutivos del universo y de la vida y puesto que el pensamiento se manifiesta en su seno, es de esperar que aparezcan en él esos elementos. Los ejemplos anteriores demuestran que el hombre no respeta siempre (ni en sus pensamientos, ni en los actos que derivan de ellos) el equilibrio y la armonía indispensables con sus semejantes y con el medio. Uno de los objetivos de este libro consiste en proporcionarle elementos de reflexión y de acción que van en ese sentido, ya que *un pensamiento en armonía con el universo y con la vida es un pensamiento justo, correcto y adecuado, cuyos productos son benéficos.*

k) El orden

El universo no es un caos. Reina en él un orden que se manifiesta por leyes, las cuales se aplican en el universo entero. Por ejemplo, las cuatro fuerzas (nuclear, electromagnética, de atracción y gravitacional) mediante las cuales explican los físicos las interacciones de las partículas rigen la organización de los átomos en todo el universo. La misma ley de gravitación se ejerce tanto en lo infinitamente pequeño (los átomos) como en lo infinitamente grande (galaxias, enjambres galácticos, superenjambres galácticos, es decir, enjambres de enjambres) y como a nuestra escala.

Gracias a que las mismas leyes se aplican en todo el universo, los astrofísicos pueden describirnos con certeza, tras observar el espectro de la luz procedente de estrellas distantes varios miles de millones de años luz, su composición atómica (cada atómo irradia en una longitud ....u que le es propia y da una combinación particular de colores en el espectro de la luz).

Por su parte, la vida es orden igualmente. Tiene sus propias leyes, que todos estamos obligados a respetar..., bajo pena de muerte. Compruébelo intentando dejar de respirar durante unos minutos.

En cuanto al pensamiento, se ajusta también a un orden. Cada idioma, instrumento del pensamiento, se basa en una gramática, un conjunto de leyes. Todas las sociedades humanas funcionan de acuerdo con códigos de leyes (jurídicas o consuetudinarias). Dentro de cada familia, las costumbres de la misma... tienen fuerza de ley. Cada individuo sigue sus propias leyes de existencia, que se forja en función de condicionamientos educativos y culturales y de sus reacciones y juicios frente a ellos. Por consiguiente, también aquí encontramos un mismo atributo, el orden, en el universo, el pensamiento y la vida.

l) El vacío

En el cuadro que estoy comentando, no he hecho figurar el vacío más que en la columna de los atributos del universo. En efecto, aunque muy abstracta en comparación con los mensajes de nuestros sentidos, son muchas las personas que admiten la noción de que el universo es esencialmente vacío. Se trata de una verdad científica que ya no se discute. Espero que, después de las explicaciones que siguen, sea capaz de devolver al vacío su lugar en las columnas de pensamiento y la vida. El universo se compone principalmente de vacío. La cantidad de materia que hay en él es ínfima. Se calcula que, antes del Big Bang, la totalidad de la «materia» de este universo infinito se hallaba reunida, en estado de pura radiación, en una esfera de sólo unos minutos luz.

La materia está formada por átomos. Lo que hay en un átomo supone también una parte ínfima. «Un átomo es cien mil veces más grande que un núcleo, es decir, se necesitarían cien mil núcleos para atravesar un átomo. Y si pensamos en el átomo como una esfera, se necesitarían para llenarla 10^{15} o mil millones de billones de núcleos» (Isaac Asimov, *Agujeros negros*).

¿Por qué el vacío, característica muy evidente del universo, parece ausente, a primera vista, del pensamiento y de la vida?

Veamos las cosas más de cerca. En relación con el volumen total de la tierra, la biosfera representa poco. De acuerdo con el estado actual de nuestros conocimientos, es muy problable que, dentro del sistema solar, sólo haya vida en la biosfera terrestre, lo que, a tal escala, resulta verdaderamente infinitesimal. Y hay muchas probabilidades de que la masa de los seres vivientes en los demás sistemas estelares de la Vía Láctea sea también insignificante, lo mismo que en las otras galaxias.

Recordemos además que la materia viva está constituida por átomos, con todo el vacío que esto comporta. Si pudiéramos eliminar el vacío entre los atómos del cuerpo, cabrían todos en un dedal. Y si eliminásemos el vacío entre los núcleos y los electrones, ¿qué quedaría?

En realidad, son las posibilidades muy limitadas de nuestros sentidos las que hacen parecer falsa esta afirmación: «La materia y la vida están constituidas sobre todo de vacío». Tal es, no obstante, la verdad científica.

Hay que aceptar asimismo que, en comparación con las fuerzas que actúan en el universo y aquellas que tuvieron como resultado el desarrollo de la vida tal como la vemos hoy, el pensamiento no representó, ni representa, más que un papel extraordinariamente pequeño, al menos en el plano cuantitativo. El universo está prácticamente vacío de pensamiento humano.

Si la materia existe en cantidad ínfima con respecto al vacío del universo, lo mismo ocurre en lo que concierne a la vida con respecto a la materia inanimada, y al pensamiento humano con respecto a la vida. Por consiguiente, podemos ya incluir el atributo de «vacío» en las columnas de la vida y el pensamiento, aunque, claro está, el vacío no es absoluto ni en el universo, ni en la vida, ni en el pensamiento.

El vacío del pensamiento nos devuelve así a la famosa definición del Yoga de Patanjali citada en el capítulo primero: *Yogash-citta-vritti-nirodah*. (El yoga es el control y la supresión de los modos de funcionamiento del espíritu. El yoga es, en plena conciencia, el vacío del pensamiento y de toda manifestación psíquica).

En sus últimas realizaciones, el yoga nos propone alcanzar (con plena conciencia) el vacío del pensamiento racional y desembarazarnos así radicalmente (hasta la raíz) de todos los condicionamientos y de todas las ilusiones. El pensamiento se encuentra entonces plenamente en su modo intuitivo, en el corazón de la experiencia espiritual. Allí, el vacío del pensamiento racional se revela como la quinta esencia del Pensamiento, en la medida en que éste se pretende instrumento de conocimiento. En efecto, en esta experiencia paradójica, estamos en un estado de Conocimiento pleno, de Vigilia total, somos Uno con el universo, con todo lo que es.

3. El Todo se refleja en cada uno de sus elementos

En el cuerpo humano, cada célula contiene el conjunto de las informaciones (los genes) susceptibles de reproducir un individuo idéntico. Esta posibilidad se explota ya en la agricultura moderna, donde una planta, elegida por sus cualidades, se reproduce, idéntica, en un número importante de individuos (los clones). Se ha llegado incluso a crear clones de mamíferos superiores.

Se puede leer el carácter de una persona en la forma de las manos, de los dedos, y en las líneas de la palma.

La morfopsicología distingue en el rostro tres niveles, correspondientes cada uno a las características instintivas, afectivas e intelectuales de la persona. Esas tres zonas reaparecen en el conjunto de la mano, en la palma y también en cada dedo. Los tres niveles intervienen igualmente en la escritura, analizada por la grafología.

Se puede llevar a cabo un chequeo de salud con el simple examen del iris de los ojos, incluso establecer un historial del estado fisiológico del sujeto. Los métodos de reflexología plantar se basan en el hecho de que todos los órganos corporales tienen su proyección en las plantas de los pies.

Esa misma proyección de los órganos y las funciones corporales se encuentra en los pabellones y los lóbulos de las orejas, conocimiento que ha servido de base a la auriculoterapia.

«Lo que está abajo es como lo que está arriba», dice el aforismo hermético. Puesto que el todo se encuentra en cada uno de sus elementos, está claro para mí que el pensamiento y la vida –en tanto que elementos del universo– deben reflejar fundamentalmente lo que éste es, y recíprocamente.

Cosa curiosa, una invención reciente, el holograma, nos proporciona una ilustración del aforismo del que venimos hablando. Se trata de una imagen análoga a la fotografía, pero que presenta características muy distintas.

● Cuando se desplaza un holograma con respecto al que lo mira –o inversamente–, el ángulo de visión cambia.

● Cuando se vuelve a exponer al rayo láser que sirvió para obtener la holografía cualquier fragmento de la placa sensible (su soporte), se reproduce la totalidad de la imagen.

4. Los criterios de un pensamiento justo y benéfico

Hemos podido percibir y comprobar, por la concordancia entre los atributos del universo, el pensamiento y la vida, que, bajo sus tres aspectos, el poder creador es efectivamente una trinidad (tri-unidad), un solo y mismo poder que se ejerce en tres niveles de aplicación. Por consiguiente, para ser justo, «verdadero», adecuado, un pensamiento debe estar en armonía, en acuerdo con el mundo y con la vida. Si nos oponemos, por error o ignorancia, al inmenso poder creador del universo y de la vida, nuestros pensamientos son falsos, pervertidos, de modo que sólo pueden aportarnos cansancio, debilidad, desesperanza, fracaso y sufrimiento.

Armonizando su pensamiento con lo que es el universo, con lo que es la vida, su punto de vista será justo, verdadero, fuente de alegría, de dinamismo, de felicidad.

Ahora ya sabe distinguir un pensamiento verdadero de uno falso.

Como dice muy bien Arnaud Desjardins: *Las palabras piensan por ti. Las frases piensan por ti. Pensar es vivir en su mundo. Vivir es estar en el mundo. Hay el mundo y hay tu mundo. Cuanto más difiere tu mundo del mundo, más sufres. Tu mundo está constituido por pensamientos. El mundo es; no piensa.*

Ajustando tus pensamientos a lo que es el mundo, a lo que es la vida, encontrarás la armonía.

6. Ir directamente al bien

1. La escala de la verdad

Existe una jerarquía entre las verdades que nos permite orientar de manera eficaz nuestra vida hacia la felicidad, yendo directamente al bien. Le he dado el nombre de *escala de la verdad* y la presento a continuación (página siguiente).

El primer peldaño de la escala, empezando por abajo, se titula:

A cada uno su mundo, a cada uno su verdad. El mundo (subjetivo) en el que vivo de ordinario no es el mundo real, sino el mundo tal como yo lo pienso. Hay tantos mundos diferentes como individuos. La tortuga y el caracol transportan siempre su casa sobre la espalda, mientras que nosotros transportamos nuestro mundo en nuestra mente. La dificultad de comunicar, la incomprensión y los malentendidos existen porque cada uno vive en *su* mundo, en *su* verdad. Dentro de una misma familia, el mundo de cada uno de sus miembros es, prácticamente siempre, distinto del mundo de los otros. A uno puede gustarle la música de Mozart, mientras que otro no la soportará, prefiriendo con mucho el estilo hard rock o el funk. En el mundo de uno, la televisión será la principal fuente cultural; en el mundo de otro, será la lectura...

Gobernar un país donde hay tantos «mundos» diferentes es una cuestión delicada. Por eso, muchos gobernantes intentan por todos los medios uniformizar los mundos que gobiernan, como en el caso de los regímenes totalitarios, donde se invita a todos a pensar del mismo modo. No hay más que un partido político y se fuerza a todos los ciudadanos a sostener la misma opinión, la de sus dirigentes.

Sin embargo, por muy diferentes que sean los mundos individuales, están todos sometidos a una verdad más alta, la del segundo peldaño de la escala;

LA VERDAD

La verdad en tanto que
Ser-Conciencia-Felicidad

La verdad en tanto que universo

La verdad en tanto que vida

A cada uno su mundo,
a cada uno su verdad

Ir directamente al bien

La escala de la verdad

La verdad en tanto que vida. Esta verdad es más alta que la primera porque todos sus mundos individuales dependen de ella y sólo puede existir en su seno. Si un mundo subjetivo se opone diametralmente a la verdad en tanto que vida, no es viable, y sucede así tanto individual como colectivamente. Estoy convencido de que la aventura hitleriana, con sus crímenes monstruosos como medios de gobierno y dominación, tenía que conducir a la ruina.

Nuestro «mundo» no puede negar impunemente la verdad de la vida, salvo por un breve período. Todos los mundos interiores deben tenerla en cuenta, ya sea de manera consciente o inconsciente.

Recuerdo una comida en que uno de los asistentes, un muchacho, comía con gran apetito. Mientras se deleitaba con gula, emitía observaciones como las siguientes: «La vida es un asco, todo está podrido, esto no vale nada». Yo percibía una formidable contradicción entre esas frases desencantadas y su comportamiento, que, por el contrario, denotaba un gran aprecio por la existencia. Lo que demuestra que puede darse un «mundo» entre lo que uno dice y piensa en voz alta y lo que revela su comportamiento. Por suerte para aquel chico, una parte de su mundo interior aceptaba con alegría la vida, ya que, si de verdad todo su ser hubiera estado de acuerdo con sus palabras, no habría sobrevivido mucho tiempo.

Pero hay una verdad todavía más alta que la de la vida:

La verdad en tanto que universo. Si desapareciese el universo, desaparecería también la vida. En cambio, ésta puede desaparecer de la Tierra sin afectar demasiado al universo. Por consiguiente, la verdad en tanto que universo es más alta, más grande que la verdad en tanto que vida.

Nuestro mundo interior está, pues, obligado a incluir, consciente o inconscientemente, dejando aparte nuestras fantasías mentales, elementos de verdad relativos a la vida y el universo.

Y así alcanzamos el cuarto peldaño de la escala:

La verdad en tanto que Ser-Conciencia-Felicidad. Los sabios de numerosas tradiciones nos dicen que hay una verdad inmanente al universo físico, pero que sin embargo lo trasciende. Los hindúes la designan con los términos *Sat-Chit-Ananda,* Ser-Conciencia-Felicidad. Otros lo llaman Dios o Conciencia universal. Un grupo de científicos de la universidad norteamericana de

Princeton expresó su convicción, basada en los descubrimientos recientes de la ciencia, de que la Conciencia es un fenómeno universal *(la Gnosis de Princeton).*

Por último, en la parte superior de la escala encontramos:

La Verdad Absoluta. La tradición hindú, lo mismo que otras tradiciones, afirma que hay una verdad todavía más alta que la Conciencia divina: el Absoluto trascendente, más allá de toda definición. Algunos sabios alcanzan muy probablemente este último grado de verdad. Puede leerse, a este propósito, la publicación de las entrevistas de Sri Nisargadatta en un libro titulado *Yo soy.*

Podríamos aplicar esta jerarquía de verdades al destino de los átomos. Cada uno de ellos tiene sus propias leyes de existencia, su vida particular. Está, a su manera, en *su* mundo, en *su* verdad. Pero tan pronto como se encuentra incluido en una molécula (con otros átomos), participa simultáneamente en otra ley de existencia, el destino particular de esa molécula. Ésta, a su vez, puede formar parte de una célula, con lo que el átomo de la parte inferior de la escala se ve sometido a una ley de existencia suplementaria. Sucede luego que la célula participe en la constitución de un tejido, que se convertiría entonces para nuestro átomo en una ley de existencia más alta todavía. El tejido, elemento de un órgano, actúa para servirle. Y quizá el órgano perteneciese al cuerpo de un hombre. A través de él, nuestro átomo participaría entonces en la aventura humana. Por su parte, el hombre está sometido a los imperativos de la vida, la cual obedece a las leyes del universo. Y así queda cerrado el círculo. El universo está a la vez en el punto de partida, en la «simplicidad», muy relativa, pero original, del átomo, y en el resultado actual de la evolución de la vida sobre la tierra, el hombre, integrado en el proceso cósmico. El átomo de nuestro ejemplo actúa (se podría decir «existe») simultáneamente en varios planos, en los que es posible ver una escala de verdades.

Todo, absolutamente todo en el universo es una expresión particular de su evolución hacia una finalidad que está fuera de nuestro entendimiento racional. Trascendiendo el universo, «más allá del más allá de todo», como dice una meditación búdica, totalmente libre, no afectada por el fantástico juego de la creación, reside la más alta de las verdades, al Absoluto.

Las verdades que hemos descrito en nuestro recorrido son todas «verdaderas», cada una a su nivel. El hecho de que cada verdad esté implicada en una o varias verdades más altas no anula sus propias leyes de existencia. Sería absurdo imaginar que una de esas verdades particulares puede negarse a jugar el juego de la creación, en el punto en que el universo ha elegido que esté. De lo contrario, el universo no sería más que desorden y caos, cuando en realidad se despliega creando, combinando y organizando cada vez más elementos.

Ir conscientemente en el sentido del universo significa participar en su potencia, su alegría y su poder de ser. Alzarse contra su formidable poder, pretender oponerse a ese fantástico movimiento de creación, continuado con éxito desde hace quince mil millones de años, es una locura condenada al fracaso, al sufrimiento y a la muerte.

2. El interés de ir directamente al bien

El interés de esta visión reside en que nos permite dirigirnos en línea recta al objetivo, ahorrándonos así tanteos inseguros y arriesgados. Podemos elegir, con toda conciencia, entrar en la vía del universo, que, de todas maneras y en último término, es también la nuestra. Al hacerlo, nos evitaremos muchos sufrimientos, resultado de una orientación errónea de nuestro pensamiento y, por lo tanto, de nuestra vida.

Un comentario del *I Ching,* el célebre libro chino de sabiduría y adivinación, dice así: «No luchar contra el mal, ya que el mal es la lucha contra el mal. **Ir directamente al bien**».

Esta máxima encierra una inmensa sabiduría. Al luchar contra el mal (lo que no nos gusta en nosotros), nuestra atención se polariza sobre él, lo que, inevitablemente, le dará cada vez más fuerza. Esta lucha moviliza nuestras energías (de las que se nutre el mal en esas condiciones) y, en la práctica, nos ata a él. Cuanto más pensamos en el mal, más lo reforzamos.

Además, toda la energía invertida en la lucha contra el mal queda indisponible, y así nos falta la necesaria para dirigirnos al bien.

Ir directamente al bien es el eje preconizado en todo el itinerario expuesto en este libro. La escala de la verdad supone un «atajo» que nos permite orientar directamente nuestra vida hacia la felicidad y la plenitud. Si elegimos ponernos al servicio de la verdad en tanto que Vida, considerando ésta como un valor más alto que nuestra verdad individual, manifestaremos forzosamente cada vez más atención y más respeto tanto por la nuestra como por la de los demás. Todo lo que puede perjudicar la vida, como fumar, tomar alcohol de manera regular, comer con exceso o demasiado poco, dormir más o menos de lo debido, son expresiones, entre otras, de una falta de respeto por la vida en nosotros. Si no respetamos la vida en nosotros mismos, ¿cómo vamos a respetarla a nuestro alrededor?

Si yendo directamente al bien, ascendemos la escala de la verdad, si volvemos nuestra mirada interior hacia la verdad en tanto que universo, nuestro ser crecerá, nuestra visión del mundo, de nosotros mismos y de los seres se ensanchará hasta el infinito. Nuestra relación con nosotros mismos y con los demás se relativizará en una gran medida. Una tal perspectiva constituye ya en sí una forma de sabiduría.

Cuando elegimos servir a la verdad en tanto que *Sat-Chit-Ananda*, el Ser, la Conciencia y la Alegría perfecta resplandecen a nuestro alrededor.

3. En la práctica ¿cómo orientarnos hacia el bien?

> *Lo que hay de mayor importancia en mi vida no es mi herencia, que no me ofrece más que ocasiones u obstáculos, material bueno o malo, y no está demostrado en absoluto que lo tome todo de esta fuente. Lo que es supremamente importante es lo que hago de mi herencia, no lo que mi herencia hace de mí.*

Sri Aurobindo.

Aurobindo rechaza en esta frase, al mismo tiempo que la noción de fatalidad hereditaria, toda excusa y toda coartada que pudiéramos buscar para tranquilizarnos, continuando apegados a una condición de ser o de vida poco satisfactoria. Nos invita a asumir y a «crear» nuestra vida.

Cualquiera que sea mi punto de partida, mi situación actual, puedo elegir lo que me parece más a mi alcance (o lo mejor) y encaminarme directamente al bien. «¿Y cómo debo actuar en la práctica?», me preguntará tal vez. Ha llegado el momento de que se plantee algunas preguntas:

● ¿Cón qué pensamientos he creado el mundo (subjetivo) en que vivo en la actualidad?

● ¿En qué universo me gustaría vivir y con qué pensamientos podría crearlo?

a) Ejercicio para descubrir los esquemas de pensamiento negativos

El ejercicio siguiente pondrá de manifiesto los esquemas de pensamiento negativos que han regido su vida hasta este momento. Para reemplazarlos por esquemas positivos, dispone desde ahora de dos técnicas fundamentales, ya enseñadas («Vigilancia en la formulación de nuestros pensamientos» e «Insistir siempre en lo positivo»). A medida que avance en la lectura del libro tendrá a su disposición algunas otras, muy precisas.

Tome un cuaderno nuevo y ábralo de manera que queden visibles dos páginas a la vez. En la página de la izquierda, anote como mínimo quince objetivos realizables en el plazo de un año. Una precisión importante: no me refiero a ensueños sin consistencia o a utopías del tipo «ir al planeta Marte el próximo fin de semana». Los quince objetivos podrían distribuirse así:

● cinco objetivos de orden material;
● cinco objetivos de orden relacional;
● cinco objetivos del orden personal.

Doy estas rúbricas a título indicativo, pues lo esencial es que figuren en la lista distintos sectores de la vida. Los objetivos relacionales y personales son con frecuencia más importantes que los otros en el plano del descubrimiento de los esquemas negativos más dominantes (o sea, si estas dos rúbricas contienen más objetivos que la primera, mejor).

● Los objetivos materiales pueden consistir en la adquisición de objetos deseados, trabajos que se quiere ejecutar, viajes...

● Los objetivos relacionales se refieren a las relaciones con los padres, hijos, cónyuge, compañeros de trabajo, subordinados, iguales o superiores jerárquicos...

● Los objetivos personales se refieren a los deseos, en cuanto a su bienestar, su desarrollo, su realización...

Le aconsejo que deje ahora el libro a un lado y redacte su lista de objetivos.

....

Una vez terminada la lista (en la página de la izquierda), escriba en la de la derecha, frente a cada objetivo, lo que hay en usted que podría constituir un obstáculo para su realización en el plazo de un año.

Supongamos, por ejemplo, que he anotado el objetivo siguiente: «Pintar mi apartamento antes de las vacaciones de verano». Quizá no haya ningún obstáculo aparente. Por lo tanto, como, en lo que a mí concierne, ese objetivo resulta realizable, escribiré «Ninguno» frente a él, en la página de la derecha. Según otra hipótesis, mi tendencia a la negligencia podría dar como resultado que deje el apartamento tal como está. Otro obstáculo podría consistir en una falta de organización de mi tiempo, etc.

Continúe así de objetivo en objetivo, anotando bien en cada caso el obstáculo interior, aquello que, *en su manera de ser* o de comportarse, podría impedirle cumplir sus objetivos en un año.

Cuando el eventual obstáculo interior a cada objetivo previsto ha quedado revelado, pase a la tercera fase del ejercicio. Lea atentamente la lista de los obstáculos. Señale después con un lápiz de color los distintos impedimentos de orden interior que pertenezcan a la misma «familia». Se trata de descubrir el o los denominadores comunes, es decir, el obstáculo mayor que se opondría a la realización tanto de su fines materiales como de los relacionales o personales.

Preste atención, ya que las palabras que expresan ese *leitmotiv* pueden ser diferentes. Por ejemplo:

Objetivos	Obstáculos
Conquistar amigos	Nunca doy el primer paso; espero a que lo den los demás.
Estudiar pintura	Mis primeros garabatos serían demasiado malos; no me atrevería a enseñárselos ni al profesor ni a los demás alumnos.
Entrar a formar parte de una compañía teatral de aficionados	Tendría demasiado miedo para hablar en escena, delante de un público.

De hecho, el denominador común de estos obstáculos, aunque en ningún momento se expresa de manera directa, se encuentra en la falta de confianza en sí mismo. Las palabras que lo describen en las diferentes situaciones varían, pero el obstáculo es siempre fundamentalmente el mismo. Puede poner así en evidencia uno o varios *leitmotivs*. Para «ir directamente al bien», busque un pensamiento que afirme todo lo contrario del esquema negativo. En el ejemplo anterior, sería, claro está: **«Tengo confianza en mí mismo»**.

Haga lo mismo con los demás denominadores comunes, en el caso de que hubieran aparecido varios.

Cuando aprenda las demás técnicas de dominio del pensamiento al continuar la lectura del libro, eligirá una o varias de ellas para desarrollar y comprobar el poder de esos nuevos esquemas benéficos, que le corresponden de manera muy especial.

b) Otro modo de descubrir los esquemas de pensamiento negativos

Otro modo de descubrir sus esquemas negativos consiste en observar atentamente sus reacciones al leer frases elegidas por su adecuación al mundo, a la vida y a la verdad (según los criterios de justeza de los pensamientos). Encontrará más adelante un gran número de esos pensamientos positivos. Repitiéndolos, acompañados por su nombre propio (para implicarse mejor), observe bien su efecto sobre usted. Si comprueba que uno de ellos «no pasa», que provoca en usted resistencias, será que un esquema de pensamiento opuesto gobierna en parte su vida.

Admitamos que ha elegido como pensamiento positivo «Yo, X. , me aprecio a mí mismo». Si está de acuerdo con él, le inspirará un sentimiento armonioso de evidencia y quizá le provoque una agradable sensación de calor. A la inversa, si, después de pronunciarlo varias veces, siente una reticencia, un malestar, es seguro que está regido en parte por el pensamiento contrario: «No me aprecio», que queda así desenmascarado.

Este método presenta la ventaja de revelar con mucha rapidez los esquemas de pensamiento negativos que obstaculizan su vida y, al mismo tiempo, definir la nueva orientación que le conviene dar a su pensamiento y, en consecuencia, a su mundo.

Si «Yo, X., me aprecio a mí mismo» le causa reticencias, yendo directamente al bien, hará que el pensamiento «Me aprecio» se convierta cada vez en más verdadero para usted (con ayuda de las técnicas que enseñaremos más adelante). Y gracias a ello, su mundo cambiará y se hará mucho más agradable.

c) Evalúe la fuerza de su resistencia a los pensamientos positivos

Hay que mostrarse muy atento en esta búsqueda. Conviene repetir varias veces, en voz alta, la frase que le inspire duda, observando cada vez con atención el efecto que le produce. A veces, las resistencias serán fuertes, evidentes, y las percibirá en el acto. Ocurrirá incluso que sean tan potentes que le sea imposible pronunciar una determinada frase. Razón de más para «trabajarla», hasta que se convierta en absolutamente cierta para usted. En otros casos, las resistencias estarán disfrazadas. La frase le dejará indiferente, no se sentirá concernido o las palabras le parecerán sin sentido y la frase le «sonará a hueco».

Pregúntese entonces: «¿Este pensamiento es cierto para mí? ¿En qué proporción? Si le asignase una nota de cero a diez en función de su grado de veracidad, ¿cual sería esa nota?». La noción de proporción es justa y particularmente importante.

Interesa comprender bien que incluso un pensamiento positivo que suscita una resistencia muy fuerte coexiste, sin embargo, en usted con su opuesto, aunque este último lo domine o lo aplaste (en el estado actual de su evolución hacia el pleno desarrollo). Volviendo al ejemplo de «Yo me aprecio a mí mismo», aunque le resulte imposible pronunciar esas palabras, tan fuerte es su resistencia, sigue siendo verdad, no obstante, que todavía siente un poco de amor por sí mismo. Sin él, no subsistiría. Los métodos aquí expuestos son tan poderosos que, apoyándose en el poco de amor existente en el fondo, lo traerán poco a poco al primer plano de la escena de sus pensamientos y sus sentimientos. Al atribuir una nota a un pensamiento que suscita en usted resistencias, tomará conciencia de manera evidente de los pensamientos positivos que permanecen aún relegados a un segundo plano. Así, la nota que le haya asignado tendrá el interés de hacerle entrever las posibilidades que dormitan en usted. Demostrará además que los métodos no tienen ningún carácter mágico, a pesar del poder de sus efectos, sino que su eficacia proviene de un conocimiento y de una utilización juiciosa de los mecanismos de la mente.

Este libro encierra numerosos pensamientos positivos, elegidos por su adecuación a la vida y al mundo, cosa que, como sabe ahora, es el criterio de un pensamiento justo, verdadero, fuente de felicidad. Ofrecen vías muy eficaces hacia el bienestar. He podido comprobar que un número restringido de pensamientos positivos –«Me aprecio a mí mismo», «Me acepto», «Tengo confianza en mí», «Soy inocente», «Digo sí a lo que es»– bastaba para resolver las dificultades de un gran número de personas, causadas principalmente por uno o varios de los esquemas de pensamiento siguientes: no apreciarse a sí mismo, no aceptarse, carecer de confianza en sí mismo, sentirse culpable, decir no a lo que es. Eliminando las cinco causas del sufrimiento moral que acabamos de exponer, la felicidad sería mucho más accesible a los humanos de lo que es actualmente.

4. Decir inmediatamente sí a lo que es

Antes de utilizar en forma metódica las dos maneras de descubrir los esquemas de pensamiento negativos que acabo de indicar, necesitaba varias entrevistas con la persona que venía a consultarme para situar las causas profundas de sus dificultades. Con el método de los quince objetivos, o con la repetición atenta por parte de dicha persona de frases opuestas a sus hábitos mentales negativos (que detecto durante la entrevista), basta a menudo con una sola. Un día, una persona me telefoneó para pedirme una cita. No la había visto más que una vez con anterioridad, durante una hora, y tenía un recuerdo muy vago de ella. Cuando volví a verla el día de la cita, la situé mejor. Me contó que había practicado asiduamente los pensamientos positivos con los métodos que le había propuesto durante nuestra primera conversación.

–Mi vida –me dijo– ha cambiado por completo. Todo aquello por lo que vine a verle hace un año y que me hacía la vida imposible está ahora resuelto. He venido a la vez para decírselo y para puntualizar las cosas con usted y ver si es posible llegar todavía más lejos y más profundamente.

a) Dos máximas de sabiduría

Lo que causa el sufrimiento moral en un número muy grande de personas se resume en unas líneas. Durante uno de los seminarios intensivos de meditación que yo animo, una participante, que se aproxima al estado de vigilia, se yergue de pronto. Su rostro resplandece de alegría, de fuerza, de plenitud. Se ha vuelto verdaderamente luminosa. Con una voz imbuida de una certidumbre evidente, pronuncia estas palabras de sabiduría absoluta:

> **Cuando siento pena, es porque estoy en el error, porque me equivoco en algún punto.**
>
> **Cuando siento alegría, es porque estoy en posesión de la verdad, porque me llena la realidad.**

Las palabras de sabiduría que he enmarcado me invitan, cuando sufro, a formularme esta pregunta; «¿Dónde está mi error?». La verdadera respuesta será, por así decirlo, siempre la misma: sufro porque me niego a ver y aceptar las cosas tal como son, porque rechazo que la vida, los acontecimientos y las personas sean lo que son. Si digo sí a lo que es, ya no hay sufrimiento. La causa del sufrimiento moral es el no que opongo a lo que es, el rechazo de la verdad.

He aquí, pues, otra máxima de sabiduría. Una vez que la haya grabado en su mente, adoptará siempre la actitud justa:

> **La pena, la tensión, la fatiga, la desesperanza, provienen del esfuerzo que hago por aferrarme a un pensamiento negativo, a un punto de vista erróneo.**
>
> **La felicidad, la libertad, la sabiduría me serán dadas si digo inmediatamente sí a lo que la vida me ofrece y decide que es bueno para mí.**

Si sufro, significa que me equivoco en alguna parte. Mi sufrimiento moral no es más que el resultado de un error en mi manera de pensar. Rectificándola, poniéndola de acuerdo con la vida, el mundo y la verdad, me sentiré bien.

Puedo también preguntarme: «¿A qué me aferro? ¿Qué me niego a ver y a aceptar como es?».

Si digo inmediatamente sí a lo que es, veo con claridad todo el partido que se puede sacar de la situación. Elijo utilizarlo en mi propio provecho, servirme de ello como de un trampolín. Entonces me siento libre, dueño de mi vida y mi destino. Entonces **todo cuanto me sucede me es dado por la vida para mi realización.**

En esta máxima, la palabra «inmediatamente» tiene una gran importancia. En la mayoría de los casos, aunque a veces sólo después de largos años de sufrimiento moral, acabamos por aceptar lo que habíamos rechazado antes con obstinación. Nuestros pasos por el camino de la vida se hacen entonces más ligeros y más libres. Diciendo *inmediatamente* sí, economizamos un largo sufrimiento o un malestar prolongado.

Podemos elegir en cada instante, inmediatamente, la levedad y la libertad. Basta con decir sí a lo que es.

b) La importancia capital de la aceptación de sí mismo

Para progresar hacia el bienestar y la realización, es capital que diga sí a lo que soy en la actualidad:

● Me acepto tal como soy, ya que sólo me será posible un cambio positivo a través de esta aceptación. Constituye «mi punto de partida» en la vía del progreso. En efecto, para todo cambio o desplazamiento, hay que partir de un punto determinado. Por consiguiente, si no me aceptase tal como soy, no tendría de donde partir y no podría progresar.

● Negar lo que soy equivale a negar la verdad, a mentir en cierto modo. Ahora bien, la mentira carece de realidad, no es más que una construcción mental falsa. Por consiguiente, negar lo que soy en la actualidad equivaldría a querer edificar mi vida sobre lo que no tiene ninguna realidad, sobre una mentira, lo que sería vano, ilusorio, y no me aportaría más que sufrimiento y desilusión.

● Aceptarme tal como soy en este momento significa edificar mi vida sobre lo que es, sobre la verdad (y su inmenso poder). Es la condición indispensable del cambio, del progreso. Aceptarme como soy me permite también disponer –para mejorarme– de toda la energía que antes movilizaba en mi rechazo y mi lucha contra la verdad.

7. El método del «nuevo punto de vista»

1. La relatividad del punto de vista

Si contemplo París desde el sur de la ciudad, puedo afirmar que la torre Eiffel se encuentra más acá del Sena. Si la miro desde el norte, afirmo –y es verdad– que la torre Eiffel está más allá del río. Desde el este de la ciudad, la veo a la izquierda del Sena, pero si la miro desde las colinas de Saint-Cloud, al oeste, la veo a la derecha del río.

Estas cuatro afirmaciones son todas verdaderas, aunque contradictorias en su enunciado. Dan cuenta del mismo lugar. Las diferencias provienen de los puntos de vista del observador.

Nuestros físicos afirman también que las observaciones científicas están condicionadas por el punto de vista del observador, e incluso por la subjetividad de éste, de modo que una misma observación científica da lugar a veces a interpretaciones diversas. A partir de los trabajos de Niels Bohr y Albert Einstein, las nociones de relatividad y punto de vista, que condicionan los resultados, están ampliamente admitidas en el mundo científico. Sin embargo, se hallan aún lejos de resultar evidentes para todos.

Lo que yo considero la realidad es, como hemos visto con anterioridad, el resultado de *mi* representación mental de ésta, condicionada y limitada, de una parte, por el punto de vista en que me sitúo y, de otra parte, por las posibilidades limitadas de mi instrumento de conocimiento, la mente. Tendemos a representarnos el mundo desde un punto de vista dictado por la costumbre, lo que nos impide apreciar las otras formas de ver, tan «verdaderas» como las nuestras.

2. Abrirse a nuevos puntos de vista

Eligiendo pensar: *Todas las afirmaciones son ciertas en función de su punto de vista,* me abro a nuevas posibilidades de visión. Puedo descubrir y aprender si reconozco la validez de los puntos de vista de los demás. Sin embargo, hay que admitir que ciertos puntos de vista conducen al éxito, hacen feliz, mientras que otros perjudican.

El universo creado por mis pensamientos, en función de mi punto de vista, se compone esencialmente de un número limitado de pensamientos que me son habituales. Podríamos comparar esos pensamientos, que seleccionan en el universo real (incluso inventan) un mundo particular –el mío–, con puertas y ventanas abiertas en una sola de las paredes de mi casa. Por esas aberturas veo un paisaje, siempre el mismo, que corresponde a mi concepción del mundo. Cada vez que integro en mi stock de pensamientos una nueva idea, un nuevo concepto, practico una nueva abertura. Ahora bien, como mis hábitos mentales son dominantes, siempre se trata de aberturas en la misma pared, de acuerdo con la dirección general de mis pensamientos. Cierto que mi paisaje se ensancha, pero sigue siendo fundamentalmente el mismo, puesto que mi mirada no deja de estar orientada en una sola dirección.

Mediante el método del nuevo punto de vista, practicaremos aberturas en las demás paredes de nuestra casa interior, hasta ahora ciegas, a fin de descubrir paisajes nuevos, tan bellos que nos maravillarán. Con la práctica perseverante de este método, las aberturas pasarán pronto del estadio de pequeños tragaluces al de ventanas y luego al de un amplio ventanal. Pronto incluso se convertirá en una gran puerta ventana por la que salir de la casa y recorrer el espléndido paisaje recién descubierto.

El método del nuevo punto de vista es muy poderoso, eficaz y gratificante. En la mayoría de los casos, da resultados rápidos, incluso inmediatos. Por eso lo recomiendo con frecuencia a las personas muy abatidas que vienen a verme. Suscita enseguida en ellas una nueva energía, les hace percibir otra manera de vivir, mucho más agradable que la que tuvieron hasta ahora. Revela en ellas tesoros desconocidos, un poder de ser insospechado.

3. La práctica por escrito. Su eficacia

El método del nuevo punto de vista se practica sobre todo por escrito. En mis entrevistas, lo utilizo muchas veces oralmente para permitir la experiencia inmediata de su eficacia extraordinaria, pero también para asegurarme de que se ha escogido bien el nuevo punto de vista. Cuando la persona regresa a su casa, ya sin el apoyo de la mirada y la atención del consultante, conviene que lo practique por escrito. La hoja de papel le servirá entonces de testigo y como prenda de disciplina. Después de un cierto número de páginas, la relectura permite apreciar la evidencia de la evolución positiva.

De manera general, se puede decir que los métodos por escrito son particularmente eficaces y los recomiendo de una manera muy especial por varios motivos:

● Dado que la escritura es un proceso mucho más lento que el pensamiento, cuando se escribe, se produce forzosamente una disminución de la velocidad de éste. El pensamiento permanece pues, más tiempo en el campo de la conciencia y puede imprimirse con mayor fuerza y rapidez en la mente. Esa disminución de la velocidad del pensamiento permite a su vez un aumento de la concentración.

● «Las palabras vuelan, se las lleva el viento, lo escrito queda.» Este proverbio expresa la fuerza particular de la palabra escrita. Un método por escrito permite, gracias a la relectura, comprobar por sí mismo la evolución positiva, cosa muy alentadora.

● La mano representó un papel determinante en el desarrollo de la inteligencia humana. El hecho de andar sobre los miembros posteriores (convertidos entonces en miembros inferiores) liberó los brazos y las manos del hombre de las funciones de la marcha, que tienen todavía entre los primates. La mano se convirtió en el instrumento fundamental del hombre, en unión estrecha con el cerebro. Las zonas sensitivas y motrices de la mano derecha (en la persona diestra) se encuentran en el hemisferio izquierdo del cerebro, cerca de la zona que rige especialmente el lenguaje. ¿Se debe a esta proximidad el que la mano tenga una relación estrecha con el lenguaje y el pensamiento? Existe el lenguaje de los sordomudos, mediante gestos de las manos y mímicas, pero hay también el que representa un papel importante en las danzas sagradas de la India y de Asia en general (en que los bailarines cuentan, mediante gestos de las manos denominados *mudras,* el relato mítico, expresado también por las mímicas y la danza propiamente dicha). Mucho de lo que expresamos en la comunicación pasa por nuestros gestos –en particular de las manos– y por nuestras actitudes y miradas, que acompañan, sirven, precisan y completan la expresión verbal, mucho más reciente en la evolución que la comunicación por gestos y mímicas (que desempeña un papel importante en los animales).

Al llevarse los alimentos a la boca después de haberlos preparado con las manos, el hombre (a través de una larga evolución) vió disminuir la importancia y la fuerza de los músculos de su mandíbula. Su cara se aplanó. Esto, sumado a los efectos de la posición vertical del cuerpo, permitió que su cabeza se equilibrase y que su cerebro creciese, aumentando así sus posibilidades.

A medida que el instrumento mano se perfeccionaba, las células del cerebro en relación directa con ella crecían en número y en complejidad de relación. Forman ahora una parte muy importante de las células nerviosas del cerebro, en comparación con las correspondientes a otras partes del cuerpo. En el cerebro humano, la masa de las células nerviosas sensitivas (cutáneas o musculares) o motrices afectada a la mano es diez veces más importante que la que asume las mismas funciones con respecto al brazo y al tronco juntos. Esta muy importante masa de células nerviosas especializadas apareció gracias a la complementariedad particular entre la mano (cada vez más sensible y eficaz), que explora y ejecuta, y el cerebro, que dirige, analiza y reacciona. Así se desarrollaron conjuntamente el cerebro, la inteligencia y las técnicas del ser humano, lo mismo que su habilidad manual.

● En el aspecto físico, escribir es un gesto. Todo gesto expresa y compromete a la totalidad de la persona. Todavía es más cierto cuando se trata del gesto escritural. En la vida corriente, la firma de una persona al pie de un cheque o de un documento la compromete social y moralmente. La relación mano-inteligencia-personalidad-gesto escritural es tan fuerte que permite percibir en la escritura de una persona los rasgos de su carácter, su comportamiento y su estado de salud física y moral (el arte de la grafología).

● Tres sentidos son movilizados, unidos, reunidos y concentrados en el gesto escritural: la vista, el tacto y el sentido del movimiento particular y finalmente controlado.

● La relación entre la mano y la personalidad es tan estrecha que el estudio de la primera (su forma, su color, la forma y el grosor respectivo de los dedos, de cada falange, de las líneas de la palma y de los dedos) permite, más que cualquier otra parte del cuerpo, conocer el carácter, el temperamento y, en parte, la historia de la persona.

● La invención de la escritura, relativamente reciente, comparada con la aparición del hombre, supone el desenlace de una larga y lenta evolución hacia la abstracción, la generalización y la conceptualización. Fue una invención decisiva para la evolución de las civilizaciones. Favoreció la acumulación del saber, el comercio, los intercambios de todo tipo, la circulación y el almacenamiento de las informaciones.

● Mediante la escritura, el pensamiento se puede fijar, precisar, discutir, comentar, profundizar.

● La escritura apela a las facultades más evolucionadas del ser humano.

Por todos estos motivos, al escribir pensamientos positivos, actuará directamente sobre el conjunto de su personalidad, y los efectos se dejarán sentir muy pronto. El hecho de escribir pensamientos positivos no sólo los inscribe en el papel, sino que los imprime en el cerebro (por la conjunción de la concentración, del gesto escritural, del lenguaje y del pensamiento). Como hemos visto más arriba a propósito del lenguaje de los sordomudos, es probable que la proximidad en el cerebro de las zonas que rigen el lenguaje y los gestos de la mano representen también un papel positivo en este aspecto. Eso explica en parte la eficacia excepcional de los métodos por escrito de dominio del pensamiento. Al aplicarlos, tomará en sus manos las riendas de su propia vida.

Hay personas que no se sienten a gusto en la escritura. Expondremos más adelante para ellas métodos no escritos, que les convendrán mejor.

4. El nuevo punto de vista o método del «como si»

El método del nuevo punto de vista se puede llamar igualmente el método del como si. Supongamos que, con el ejercicio de los quince objetivos, ha descubierto que la falta de confianza en sí mismo era el principal denominador común de sus dificultades. Por consiguiente, vive todavía bajo la influencia del pensamiento: «No tengo confianza en mí mismo». El nuevo punto de vista consistirá en mirar y descubrir lo que es el mundo desde el ángulo que él implica. Va usted a hacer «como si» tuviese una confianza absoluta en sí mismo.

a) Ya está practicando el «como si»

En numerosas circunstancias de su vida, practica usted, aunque no se dé cuenta, el como si. Los niños –usted lo ha sido también– juegan así: «Tú eres el policía y yo el ladrón. Esta alfombra es la cárcel. Cuando uno está en la cárcel, no puede salir solo». Así planteadas las reglas del juego, todo ocurre como si la alfombra fuese efectivamente la cárcel, etc. Cuando va conduciendo un coche y se detiene ante un semáforo en rojo, acepta la convención, la regla del juego que dice que hay que pararse ante las luces rojas. Cuando juega a las cartas o al ajedrez, o a cualquier otro juego o deporte, acepta las reglas del juego, que son otros tantos «como sí». Sólo gracias a ellas se pueden practicar el juego o el deporte.

b) Exposición del método

Tome un cuaderno y escriba una serie de frases que comiencen todas por: *Tengo confianza en mí...* y complételas dejando que su mano se mueva espontáneamente. No reflexione, no juzgue, no censure. Escriba rápidamente, a fin de cortocircuitar los condicionamientos y las inhibiciones. Por ejemplo: *Tengo confianza en mí... y hago lo que me gusta.* Terminada la primera frase, escriba enseguida la segunda, que empezará imperativamente por *Tengo confianza en mí* (escrito con todas sus letras, no debe nunca reemplazar las palabras por comillas), etc. Tiene que hacer, «como si» tuviese confianza en sí mismo. Escriba así rápidamente, con un comienzo de frase que le convenga, dos páginas enteras. Sea cual sea el final de frase que se le ocurra, no se detenga. Encadene de inmediato con la siguiente. No lo deje hasta haber llenado dos páginas. Es posible que se produzcan repeticiones. Acéptelas y continúe. Puede suceder también que no surja nada a continuación de *Tengo confianza en mí*.... En ese caso, empiece en la línea siguiente y, esta vez, terminará la frase. Quizá la rapidez de la escritura le conduzca a una especie de escritura automática. Al final del ejercicio, reserve las dos últimas líneas para anotar sus impresiones. Aprecie el breve tiempo que habrá necesitado para obtener este resultado. Para muchos, será de una eficacia asombrosa.

Puede también –incluso se lo recomiendo– empezar las frases por: *Yo,* (su nombre propio), *tengo confianza en mí*.... El nombre propio implica más y provoca resultados todavía más potentes. A veces, el nuevo punto de vista suscitará en usted tal resistencia que le será imposible escribir la frase (y decirla en voz alta). En ese caso, comience las frases así: *Si yo, X., tuviese confianza en mí...* Con una práctica muy breve de esta formulación, le será posible suprimir el «si» provisional y comprobar su rápido progreso en cuanto a la confianza en sí mismo.

Evidentemente, conviene continuar llenando así dos páginas (o más) diarias, hasta que se haga evidente un resultado duradero, manifestado en su vida cotidiana.

c) El mejor momento para la práctica

El mejor momento para este ejercicio es por la mañana, al despertarse, o por la noche, antes de apagar la luz y entregarse al sueño (hacerlo por la noche y por la mañana será todavía mejor).

Los momentos de despertarse y adormecerse son instantes privilegiados, en que el consciente y el inconsciente se hallan en contacto de modo natural. En efecto, mientras permanece despierto, está consciente; una vez que se duerme, está inconsciente. En cambio, en el momento de despertarse y en el que precede al sueño, se encuentra en un estado intermedio, que favorece las relaciones entre consciente e inconsciente. Quizá le haya ocurrido alguna vez que tuviera que levantarse excepcionalmente temprano por la mañana, por ejemplo para un viaje. La víspera, por la noche, pone el despertador para las cuatro, diciéndose: «Tengo que despertarme mañana a las cuatro». Mientras duerme tranquilo, su inconsciente cuenta las horas y los minutos y le despierta justamente antes de que suene el despertador.

Si el inconsciente le despierta a tiempo, se debe al poder del pensamiento emitido en ese sentido antes del sueño. Del mismo modo, muchos estudiantes que repasan o estudian sus lecciones antes de dormirse tienen la impresión de no haberlas aprendido..., pero se den cuenta con sorpresa al día siguiente de que las han asimilado. La comprensión o la solución de un problema se le escapa por la noche mientras medita sobre ella. Y al día siguiente, todo se aclara. «Lo ha consultado con la almohada». En realidad, es el inconsciente quien ha logrado esas cosas durante el sueño, porque ha utilizado y orientado su poder proporcionándole por la noche directivas antes de dormirse, durante el instante intermedio y privilegiado del adormecimiento.

En cuanto al otro instante intermedio, el del despertar, recuerde aquella primera noche pasada en una habitación desconocida, durante un viaje o una estancia ocasional en casa de otras personas. Al despertarse, sin el apoyo del ambiente familiar, quizá haya pasado un instante de perplejidad y desorientación. «¿Quién soy?» «¿Dónde estoy?», piensa. Ése es el instante intermedio entre el consciente y el inconsciente. Todos lo vivimos a cada despertar y a cada adormecimiento. Le invito a aprovecharlo deliberadamente. La fórmula popular «levantarse con buen pie (o con el pie derecho)» significa que es posible poner toda una jornada bajo buenos auspicios. Basta con aprovechar ese momento tan particular del despertar para orientar en sentido positivo las energías del inconsciente. Puede hacerlo, sobre todo emitiendo un pensamiento positivo tan pronto como se despierte. Influirá sobre el desarrollo de toda su jornada (lo mismo que, a la inversa, y de modo tan eficaz, algunos «se levantan con el pie izquierdo»).

Una manera especialmente eficaz de situar una jornada bajo buenos auspicios consiste en escribir rápidamente una serie de frases comenzando por (según sus necesidades): *Tengo confianza en mí y...,* o bien: *Me aprecio y, por lo tanto...,* conforme al método del nuevo punto de vista. El uso más útil de este método consiste, pues, en escribir dos páginas, tanto por la mañana al despertarse (en la cama), como por la tarde al acostarse (justo antes de apagar la luz). Prolongue esta práctica durante un mes como mínimo. (Más tarde, al hacerse el método cada vez más eficaz, podrá reducir esta duración inicial cuando trabaje sobre otros objetivos).

Al escribir al acostarse pensamientos positivos, su inconsciente permanecerá orientado en esa dirección durante el sueño y progresará mientras duerme, lo que –supongo que convendrá en ello– es una manera de progresar muy descansada, fácil y agradable. Al escribir por la mañana, pondrá, como ya he dicho, todo el resto del día bajo una influencia benéfica. De todos modos, aunque practique los métodos de este libro a cualquier otra hora, sepa que aun así serán muy eficaces.

5. Sugestión y autosugestión

Quiero exponerle ahora una de las muy importantes razones de la eficacia del método del nuevo punto de vista, que comparte con otras técnicas que le enseñaré más adelante. Al escribir, por ejemplo, una serie de frases que empiecen todas por: *Yo, X., tengo confianza en mí,* estará empleando el principio de la autosugestión. Algunos, por ignorancia, se refieren a él con desprecio denominándolo «el método Coué». Me veo, por lo tanto, en la obligación de restablecer un poco la verdad sobre la autosugestión.

A finales del siglo pasado, dos escuelas médicas célebres y rivales, la de Charcot en la Salpêtrière (París) y la de Bernheim en Nancy, se interesaron particularmente por la hipnosis y la sugestión. La frecuentación de estas escuelas por parte de Freud representó, por lo demás, un papel importante en su descubrimiento del psicoanálisis y de la gran importancia del inconsciente. La escuela de Charcot (muerto en 1893) insistía sobre los estados hipnóticos; la de Bernheim, sobre la sugestionabilidad.

Veamos algunas citas del profesor Bernheim: «Toda idea aceptada por el cerebro es sugestión. Tanto si esta idea llega a través del oído, expresada por otra persona, por los ojos, formulada por escrito o consecutiva a una impresión visual, como si nace de manera en apariencia espontánea, despertada por una impresión interna o desarrollada por las circunstancias del mundo exterior, cualquiera que sea el origen de la idea, constituye una sugestión (...). La sugestión está en todo (...). La sugestionabilidad es una propiedad fisiológica del cerebro humano (...). La sugestionabilidad es la aptitud del cerebro para recibir una idea y transformarla en acto (...). Así enfocada, la doctrina de la sugestión se amplía singularmente. Abarca a la humanidad entera, ya que la sugestión es la idea, venga de donde venga, con todas sus consecuencias, que se impone al cerebro y se transforma en acto, es el determinismo que nos fuerza a actuar.

»La sugestionabilidad interviene en las ideas corrientes de que nos penetramos, en la imitación, en los instintos que imponen sus opiniones preconcebidas, en la educación filosófica, religiosa, política, social, en la lectura, en las excitaciones de la prensa, en los anuncios (...). La sugestión es la dinamogenia y la inhibición psíquica; la sugestión es la acción, es la lucha, es el hombre y la humanidad entera».

Emile Coué, por su parte, insistía sobre la autosugestión. De hecho, si una sugestión da resultado con nosotros, se debe a que la hemos aceptado. Se ha convertido en una autosugestión, de ahí su fuerza. Uno de los motivos por los que el método de autosugestión de Coué ha sido desvalorizado en Francia (otros países lo acogen muy bien) consiste en que su autor era farmacéutico. Como no llevaba la estampilla de la medicina oficial, los médicos rechazaron su método. Otro motivo reside en el fanatismo de sus partidarios. En la actualidad, la sofrología ha rehabilitado las aportaciones de la hipnosis, la autohipnosis y la autosugestión.

Resulta curioso comprobar que muchas de las personas que rechazan con desprecio el método Coué, sin conocerlo por lo demás, se repiten mentalmente, con obstinación, pensamientos como los siguientes: «Estoy harto... Es difícil... Es una lata... Estoy hasta la coronilla...», etc. Al hacerlo, aplican los principios sobre los que se basa precisamente el método Coué, aunque de manera inconsciente y negativa. Más les valdría repetirse la famosa y perfecta fórmula de Emile Coué: *Todos los días, desde todos los puntos de vista, me siento cada vez mejor.* Así practicarían la autosugestión consciente y positivamente y se sentirían en efecto, mucho mejor.

En realidad, todo –absolutamente todo– lo que creemos es autosugestión. Nuestra vida entera, el mundo de nuestros pensamientos y nuestras creencias se apoyan en la autosugestión.

Cada pensamiento es una reserva de potencia, un germen de acción que tiene poder de realización. Sin embargo, un pensamiento puede ser, o bien dinamizado por otro que le está asociado, o bien inhibido por un pensamiento contrario. En este último caso, permanece en estado de potencialidad, con su poder frenado. Pero todo pensamiento aceptado por el cerebro, es decir, toda autosugestión, tiende a realizarse en acto. Por lo tanto, en lugar de ser el juguete inconsciente de mecanismos naturales, será preferible utilizarlos consciente e inteligentemente. En nuestra época las empresas industriales dedican centenares de millones a sus presupuestos de publicidad. No creo que lo hagan con objeto de ayudar financieramente a las agencias de publicidad... Invierten esas cantidades colosales porque les da resultado. La publicidad utiliza un principio del funcionameinto del cerebro –la sugestionabilidad– para incitar al consumo, hacer comprar productos o dar a conocer marcas. Y permite la realización de grandes beneficios.

Me parece natural, sano y fecundo utilizar para la realización de sí mismo los mecanismos mentales en que se basan la sugestión y la autosugestión. Tienen la misma eficacia en este campo que en el del marketing o el de la propaganda política. El benefico de estos métodos, que armonizan en forma tan eficaz la vida, el pensamiento y el mundo, radica en la apertura a la felicidad, a la alegría de vivir y de ser. Una participante en un seminario de dominio del pensamiento declaró un día: «Ya lo he entendido. A partir de ahora, voy a hacerme mi propia publicidad».

Por consiguiente, al escribir de manera repetida el pensamiento *Yo, X., tengo confianza en mí,* revelará y liberará progresivamente su fuerza particular, al convertirse cada vez en más verdadero para usted.

El esquema de pensamiento que va a desarrollar mediante una técnica del pensamiento es «nuevo» para usted, insisto en ese punto. Hasta ahora, estaba relegado en el segundo plano de su conciencia. La práctica de la técnica lo hará venir al primero y liberará su fuerza benéfica. Incluso una persona que padezca una terrible falta de confianza en sí misma no está totalmente desprovista de ella. Observándose bien, descubrirá que manifiesta una cierta confianza en sí en varios aspectos de su vida. El *buen uso* de la autosugestión consiste en **desarrollar, cultivar, hacer crecer un pensamiento justo** que permanecía antes relegado en el segundo plano de la conciencia por otros pensamientos opuestos. No se trata de decir cualquier cosa, de imponerse un pensamiento «falso» o totalmente extraño (lo que podría sentirse como una negación de sí mismo y dar lugar a resistencias muy normales y muy sanas).

121

La repetición escrita de los pensamientos positivos hace particularmente eficaz la autosugestión. No obstante, no es éste el único motivo del asombroso éxito del método del nuevo punto de vista (y de otros métodos por escrito de este libro). Hay que tener en cuenta también las palabras que siguen al comienzo repetitivo de las frases. La idea inducida, puesta en marcha por el nuevo punto de vista, viene de usted mismo. Nadie se la dicta ni se la sugiere. Y si ha salido de usted, es porque estaba ya en usted. El método habrá añadido a los efectos de la autosugestión el poder de revelar sus potencialidades y de desarrollarlas.

Volviendo a la imagen de la casa a que aludimos al principio del capítulo, los paisajes que se le revelan después de haber practicado aberturas en una pared ciega existían ya, pero invisibles. Gracias al nuevo punto de vista, los descubrirá y los apreciará.

El método actúa, por lo tanto, como un revelador de los tesoros que dormitan en usted. Desarrollará elementos ocultos de su personalidad, a menudo los mejores, que no gozaban de derecho de ciudadanía. De ahí resultará el valor, la energía, la alegría de vivir, un ensanchamiento de su vida y de su ser.

6. La formulación directa. Algunos ejemplos

He aquí, por ejemplo, algunos pensamientos que pueden ser utilizados como nuevos puntos de vista. Repita cada una de las frases, precedidas por su nombre propio, observando con atención el efecto que producen en usted. Las que «pasan» menos revelan, por ello mismo, que están bloqueadas por la impronta demasiado fuerte de pensamientos contrarios. La lista de pensamientos ha sido elegida en función de mi experiencia. Se propone responder a la gran mayoría de las necesidades de apertura con que he tropezado en el camino del desarrollo de sí mismo. Los pensamientos de esta lista permiten orientarse hacia la armonía consigo mismo, con la vida y el universo.

Ciertas palabras que encadenan el principio de la frase y su final, que sólo le incumbe a usted, pueden favorecer su inspiración *(por lo tanto, luego, y...),* como en los tres primeros ejemplos en que la frase está completa:

- *Yo, X., me aprecio, **luego** me deseo lo mejor.*
- *Yo, X., me aprecio, **por lo tanto** me siento bien.*
- *Yo, X., me aprecio **y** los demás me aprecian también.*

- *Yo, (nombre), me gusto tal como soy...*
- *Yo, (nombre), me acepto tal como soy...*
- *Yo, (nombre), tengo confianza en mí...*
- *Yo, (nombre), estoy en seguridad...*
- *Yo, (nombre), soy yo mismo...*
- *Yo, (nombre), estoy vivo...*
- *Yo, (nombre), soy inocente...*
- *Yo, (nombre), estoy gozosamente libre del pasado...*
- *Yo, (nombre), perdono...*
- *Yo, (nombre), me perdono...*
- *Yo, (nombre), aprecio mi cuerpo...*
- *Yo, (nombre), soy libre...*
- *Yo, (nombre), cambio...*
- *Yo, (nombre), me expreso libremente...*
- *Yo, (nombre), estoy libre de la opinión de los demás...*
- *Yo, (nombre), estoy plenamente abierto a la vida...*
- *Yo, (nombre), doy y recibo amor libremente...*
- *Yo, (nombre), estoy plenamente abierto al amor...*

Después de haber observado con atención lo que todos estos pensamientos provocan en usted y anotado aquellos que le van mejor, compare el resultado obtenido con el ejercicio de los quince objetivos del capítulo 6. Luego, elija el pensamiento cuyo poder le conviene más desarrollar. Para ello, escriba en dos páginas, de acuerdo con el método del nuevo punto de vista, es decir, rápidamente, etc., reservando las dos últimas líneas para anotar el estado en el que se encuentre. Haga lo mismo a diario, por la mañana y por la noche, durante un mes. Entonces dispondrá de todos los elementos necesarios para apreciar el poder del método, su eficacia y sus resultados. De acuerdo con sus necesidades, después podrá continuar con el mismo pensamiento (para afianzar los resultados obtenidos), o con otro punto de vista positivo.

Con el método del nuevo punto de vista dispondrá, para el resto de su vida y con toda autonomía, de un extraordinario instrumento de desarrollo personal.

7. Progresión en la formulación

A veces, los pensamientos negativos están anclados con tanta fuerza que resulta imposible empezar por la formulación directa, ni siquiera con el «si» provisional. En consecuencia, he aquí una serie de expresiones en gradación, que indica cómo practicar un método a pesar de todo. No obstante, conviene emprender la formulación directa tan pronto como sea posible, ya que es la más potente.

Generalidad	... con implicación	Formulación directa
El aprecio es...	Apreciarse es...	Me aprecio, luego...
La aceptación de sí mismo es...	Aceptarse es...	Me acepto y...
La confianza en sí mismo es...	Tener confianza en sí es...	Tengo confianza...
La seguridad es...	Estar en seguridad es...	Estoy en seguridad...
La vida es...	Estar vivo es...	Estoy vivo...
La inocencia es...	Ser inocente es...	Soy inocente...
La gozosa libertad del pasado	Estar gozosamente libre del pasado.	Estoy gozosamente libre del pasado.
El perdón es...	Perdonar es...	Perdono, luego...
El perdón de sí mismo es...	Perdonarse es...	Me perdono...
El aprecio del propio cuerpo es...	Apreciar el propio cuerpo es...	Aprecio mi cuerpo...
La libertad es...	Ser libre es...	Soy libre...
La libre expresión es...	Expresarse libremente es...	Me expreso libremente...
La decisión es...	Decidir fácilmente es...	Decido fácilmente...

8. El método de «exploración»

1. Nuestras potencialidades reveladas

El método de exploración está bastante próximo al del nuevo punto de vista. Incluso pueden confundirse según el comienzo de frase que se elija. Ambos se aplican sobre todo por escrito, terminando las frases rápidamente, sin reflexionar.

El método del nuevo punto de vista consiste en descubrir otros mundos mediante una mirada nueva; el de exploración examina más bien las consecuencias y los resultados de nuevas actitudes, pero permite también –y sobre todo– ponerse en contacto con la sabiduría interior, recibir sus dones y sus aclaraciones.

Por ejemplo, la fórmula: *Ahora yo, X., me permito...* conviene a una persona llena de inhibiciones. Al terminar esta frase de diversas maneras, una y otra vez, explorará y descubrirá todo lo que podría permitirse, lo que, claro está, representará un papel positivo en la desaparición de sus inhibiciones. Las frases siguientes corresponden al mismo orden de ideas: *Ahora puedo...* o *Tengo el derecho y la capacidad de...*

En los ejemplos siguientes, apreciará mejor en qué se diferencian el método del nuevo punto de vista y el denominado método de exploración:

- *Escucho mi voz interior y...*
- *Yo,* (nombre), *edifico ahora mi vida sobre...*
- *Yo,* (nombre), *me abro a...*
- *Yo,* (nombre), *me invito a...*
- *Yo,* (nombre), *digo sí a...*
- *Yo,* (nombre), *decido...*
- *Yo,* (nombre), *acabo con...*
- *Yo,* (nombre), *nazco ahora a...*
- *Yo,* (nombre), *soy libre de...*

- *Yo,* (nombre), *dejo de aferrarme y...*
- *Yo,* (nombre), *acojo sintiéndome feliz...*

Pruebe uno de estos ejemplos de exploración, o cualquier otro que haya encontrado por sí mismo. Comprobará que trae a la luz de la conciencia posibilidades ocultas, aspiraciones antes vagas e inciertas. El método de exploración es como una caza de los tesoros escondidos de nuestras potencialidades. Permite también afirmar o precisar una dirección, una actitud positiva en particular.

El método del nuevo punto de vista hay que practicarlo asiduamente, a diario hasta su realización. Con el método de exploración, bastarán de una a cinco sesiones, a razón de una o dos páginas por sesión. A continuación, se elige una de las potencialidades reveladas, formulándola clara y positivamente, y se desarrolla con ayuda de otras técnicas o métodos.

Vemos otros ejemplos;

- *El mejor medio para liberarme es...*
- *Hacer lo que es bueno para mí es...*
- *Avanzo hacia...*
- *Con tal persona, la actitud justa es...*
- *Mi secreto es...*
- *Mi verdadero lugar es...*
- *Mi vocación es...*
- *Ser un hombre es...*
- *Ser una mujer es...*
- *Me abro a la vida cuando...*
- *Me abro a la muerte y...*

Quizá este último ejemplo le haya sorprendido. No obstante, la muerte es un fenómeno tan natural como el nacimiento. «Todo lo que tuvo un comienzo tendrá necesariamente un fin.» «Lo contrario de la muerte es el nacimiento. La vida no tiene contrario.»

Muchas personas se impiden a sí mismas vivir plenamente por no haber integrado el hecho ineluctable de la muerte física. En ese caso, el pensamiento *Me abro a la muerte...,* utilizado con el método de exploración, será benéfico, aunque, evidentemente, tal fórmula está contraindicada para una persona con tendencias suicidas.

2. Sutileza del método

El ejemplo anterior muestra la sutileza del método de exploración. En consecuencia, hay que saber emplearlo con discernimiento. Lo propongo con mucha frecuencia en mis entrevistas porque permite que afloren rápidamente a la conciencia datos poco o nada conscientes. Unos cuantos ensayos bastan. Muy pronto surgen elementos de los que saco partido para orientar una reestructuración positiva.

Un día, vino a consultarme una persona que se sentía frenada en todas sus actividades, sin llegar a captar el motivo de ese freno. Yo hubiera podido proponerle, yendo directametne al bien: *Libero mi acción, Avanzo libremente,* o *Soy libre de actuar.* Pero el hecho de ignorar la naturaleza de su freno la atormentaba. Le propuse entonces terminar frases que empezaban así: *Estoy frenada por...* Esta exploración le permitió ver claro enseguida y pudimos trabajar directamente sobre la orientación positiva de su vida.

Cuando la frase de inducción tiene una coloración negativa –como en el caso de *Estoy frenada*–, es imperativo contentarse con una breve exploración. De otro modo, se reforzarían los obstáculos (aquí, el hecho de sentirse frenada).

En otra ocasión, una persona me manifestó el terror que le inspiraba su madre. Le propuse un diálogo imaginario con ella, representada por un cojín. Gracias a ese juego, el diálogo tuvo realmente lugar, no con la verdadera madre, sino con su imagen interiorizada. Recordemos que, aun estando nuestra madre físicamente presente, dialogamos en realidad con una imagen de ella. El mundo que conocemos se conforma a nuestros pensamientos, y lo mismo ocurre con las personas con las cuales nos relacionamos. Dialogamos con la imagen de ellas creada por nuestra mente.

Sin duda le ha sucedido alguna vez conocer a una persona por la cual no sentía ninguna simpatía. Pero luego resultó ser una persona encantadora, incluso una amiga. También puede producirse lo contrario. Lo que usted apreciaba o no apreciaba en ella era en realidad imputable a la imagen que se había creado, en función de sí mismo. Tal es el motivo de que una misma persona sea apreciada positivamente por uno y negativamente por otro.

En el diálogo con su madre, representada por un cojín, la persona que había venido a consultarme empezaba muy a menudo sus frases por «Tengo miedo de ti porque tú...» Comprendí intuitivamente que tal actitud la había encerrado en un hábito relacional que la situaba como víctima irresponsable. En consecuencia, le propuse *explorar su relación* con su madre en la dirección siguiente: «Mamá, tengo miedo de ti porque yo...» La experiencia fue determinante. Tomó conciencia de su propio comportamiento, del papel y de la importancia de éste en su relación. Desde entonces, adquirió seguridad y cambió de actitud frente a su madre, de suerte que su relación mejoró claramente.

3. Método de exploración y vidas anteriores

Otra persona tenía la sensación de que sus piernas estaban como excluidas de su vida. Su cuerpo le parecía muy vivo desde la cabeza hasta las ingles, pero las piernas le eran extrañas. Le hubiera gustado prescindir de ellas. Nadie podía tocarlas, ni siquiera ella misma, sin que experimentase malestar, casi una angustia. En un primer tiempo, le propuse la fórmula: *Gracias a mis piernas...* Su estado mejoró, pero no era suficiente. La invité entonces a intentar el método de exploración por medio de esta otra fórmula; *Mis piernas me dicen...* Enseguida pareció perturbada. Todos sus miembros temblaban. Se le aparecieron imágenes que me fue describiendo. La perseguían soldados que lo quemaban todo a su paso y mataban a cuantos encontraban, salvo a las mujeres y las niñas. Se veía corriendo difícilmente sobre grandes adoquines irregulares, calzada con zuecos. La escena ocurría al parecer en la Edad Media. Describió las fachadas de las casas, las armaduras y los cascos de los soldados y su propia ropa. Sus perseguidores acabaron por atraparla, la violaron y la mataron. Durante esos horrores, nació en ella el rechazo de sus piernas. Las maldijo por no haberle permitido correr más deprisa y escapar. Ese rechazo seguía existiendo en ella. Aparentemente, revivía recuerdos de una vida anterior.

Fue la frase de exploración, *Mis piernas me dicen,* la que provocó la experiencia. Hay que decir que, inmediatamente antes, yo había practicado sobre sus piernas una sesión de masaje tipo shiatsu, a fin de exacerbar su sensibilidad particular, y que la había acompañado ya varias veces en sesiones de *rebirth,* durante las cuales había tenido experiencias análogas. Todas esas experiencias eran innegablemente reviviscencias de vidas anteriores (hablaremos del *rebirth* con más detalle en el capítulo 13).

Habrá muchos que se extrañen ante la interpretación «vida anterior». De todas formas, después de esta última experiencia, las piernas de esa persona forman de nuevo parte integrante de su ser físico, luego representó sin lugar a dudas un papel terapéutico.

Cada uno puede buscar la justificación racional que le convenga para explicar esta experiencia y su efecto terapéutico. Por mi parte, estoy convencido de que hay mucho de cierto en la creencia en vidas anteriores, evidente para los orientales, pero a veces negada ferozmente en Occidente. Mi convicción se apoya en mi propia experiencia de «reviviscencias» de este tipo. Por ejemplo, mi segunda experiencia de *rebirth* consistió en un flujo continuo de imágenes y situaciones que parecían proceder de vidas anteriores. No citaré más que un ejemplo.

La persona que me acompañaba en mi experiencia era una muchacha de unos treinta años. Al final del *rebirth,* cuando lo creí terminado, me senté, sintiéndome muy bien, y en un impulso espontáneo de afecto y agradecimiento, abracé a mi compañera. Se trata de una cosa frecuente. El *rebirth* abre a la persona que lo practica al amor y la ternura y suscita entre los compañeros una relación de excelente calidad.

De pronto, ya no fue una joven de unos treinta años a quien tenía en mis brazos, sino a una niña de alrededor de siete, mi hija. Había muerto, y un dolor atroz me roía el corazón. Era el ser al que más quería en el mundo. De pronto, identifiqué aquel sufrimiento desgarrador. En esta vida, donde soy el padre de tres varones, he expresado con frecuencia mi pesar por no haber tenido ninguna hija, aunque no tuviese conciencia en absoluto de un dolor tan profundo y punzante. Al revivirlo plenamente, tomé conciencia de su presencia en los instantes en que evocaba mi añoranza de una hija. Sin embargo, no alcancé a distinguir en aquella imagen venida de lejos si había sido el padre o la madre de la niña. La experiencia fue breve, aunque intensa. Han pasado años desde entonces, pero aun así, cada vez que me refiero a ella, me siento trastornado. En cuanto a mi pesar, se ha borrado ya, ha perdido su carácter doloroso.

La intensidad de su experiencia y su carácter evidente de verdad hace que la interpretación «vida anterior» se imponga a las personas que «reviven» tales acontecimientos. Su carácter terapéutico o liberador la justifica también. Ese tipo de experiencia no es asimilable a una visión, a un sueño, un ensueño o un fantasma. Para quien la vive, no tiene nada de todo eso. Lo único en que hace pensar es en una reviviscencia de una vida anterior. He sido testigo con frecuencia de esta clase de experiencias, ya fuese acompañando a alguien durante los *rebirth,* ya fuese practicando ciertos masajes profundos, del tipo integración postural.

El método de exploración puede, pues, contribuir a que surjan recuerdos muy antiguos, como fue el caso de *Mis piernas me dicen...*

4. El inconsciente es la morada de una profunda sabiduría

Nuestro inconsciente constituye una formidable reserva de energía. Infinitamente más poderoso y más competente que el consciente, asume a cada instante una multitud de tareas, liberando así el consciente, dejándole disponible para sus funciones específicas de creatividad e improvisación. Por ejemplo, mientras ando, no pienso: «Levanto la pierna derecha, la proyecto hacia adelante, apoyo el talón en el suelo, transfiero progresivamente el peso del cuerpo al pie derecho, mientras que lo despego del suelo, desde el talón hasta la punta de los dedos. Simultáneamente, aligero la pierna izquierda, la doblo por la rodilla cuando está libre por completo del peso del cuerpo y la proyecto a su vez hacia adelante, empezando por el talón...». Todo esto, como muchas otras cosas todavía más maravillosas, lo realiza con facilidad y precisión ese maravilloso servidor que es nuestro inconsciente. Si camina por una acera muy llena de gente y le pregunto al cabo de cien metros con cuántas personas se ha cruzado, no sabría responderme con exactitud. Sin embargo, su subconsciente las ha visto una por una, evitándole que chocase con ellas, al mismo tiempo que guiaba su avance entre la muchedumbre, que dirigía su respiración, etc.

Ese maravilloso y poderoso servidor ejecuta sin cesar para nosotros un trabajo considerable y perfecto. A veces –y aun así, en cuanto a una parte muy pequeña de sus actividades–, puede jugarnos una mala pasada, obligarnos a hacer cosas que no queremos ni apreciamos. «Es superior a mis fuerzas», decimos entonces. En realidad, nuestro inconsciente es un amigo magnífico, ya que, incluso en aquellos casos en que nos impone comportamientos, en que nos incita a actos fallidos o a cosas estúpidas, lo hace siempre para atraer nuestra atención. La mayor parte del tiempo intenta decirnos: «Cuidado, hay algo en lo que te equivocas, revisa tu punto de vista». Actúa verdaderamente como un «ángel de la guarda». Por desgracia, muchas veces nos negamos a tomar en consideración sus mensajes, hasta tal punto que ha de recurrir a medios más drásticos (como los sueños intensos, las pesadillas, las obsesiones, las fobias) para obligarnos a aceptar por fin sus advertencias.

Lo que el inconsciente quiere decirnos se puede resumir así: «Te has puesto en contradicción con la verdad de la vida. Te has metido por un camino lleno de abrojos, de sufrimientos. Corrige tu punto de vista sobre ti mismo, sobre la vida y el mundo».

El inconsciente está en contacto directo y permanente con la verdad del universo y de la vida. En sus niveles más profundos –en los que es colectivo–, constituye un receptáculo universal de sabiduría y conocimiento.

Cuando nuestra historia nos ha puesto en situaciones físicas, afectivas y morales tales que dedujimos de ellas esquemas de pensamiento contrarios al sentido de la vida y el universo, resulta de ellos sufrimiento, puntos de vista negativos y erróneos (sobre sí mismo, la vida y el universo). Los esquemas negativos están profundamente anclados, tanto en el inconsciente personal como en el consciente. En nuestras profundidades, chocan con la sabiduría del inconsciente colectivo, universal.

Restableciendo por sí mismo la verdad de la vida y del mundo, el consciente da directivas orientadas correctamente al inconsciente personal, de acuerdo con el inconsciente colectivo. Así se instaurará la gran reconciliación entre las profundidades y la superficie del ser. El camino hacia la realización está entonces de nuevo bajo nuestros pasos, en la alegría serena. Al practicar los métodos de dominio del pensamiento, cada mañana al despertarse y cada noche al acostarse, entablará un diálogo con su inconsciente. Si le da directivas que vayan en el mismo sentido que la vida y el mundo, su ser entero se armonizará, tanto en la superficie como en las zonas profundas. Tal es uno de los motivos de la extraordinaria eficacia de estos métodos cuando se aplican basándose en la unidad fundamental de la vida, el pensamiento y el universo.

Me ha sucedido con mucha frecuencia, con ayuda de métodos tomados de la terapia de la Gestalt, hacer dialogar a una persona con una de sus manifestaciones obsesivas. Por ejemplo, hace algún tiempo, vino a consultarme una joven.

«Veo un ojo que me mira, que me juzga –dijo–. Eso me causa una angustia terrible.»

Le aconsejé que dialogase con su alucinación. Muy pronto, el inconsciente, simbolizado por el ojo, le transmitió su mensaje descifrado. Lo oyó, lo comprendió y lo tuvo en cuenta. Era ella misma quien se juzgaba, quien se condenaba. El diálogo no duró más allá de una veintena de minutos. Desde entonces, ningún ojo ha vuelto a asustarla. Basta comprender el mensaje del inconsciente y tomarlo en consideración. A partir de ahí, el inconsciente, que está a nuestro servicio, ya no tiene necesidad de decir o de gritar en su propio lenguaje: «¡Cuidado! Te equivocas».

Cada vez que se encuentre en una situación que le embarace, cuando vacile sobre lo que debe o puede hacer, utilice el método de exploración. Un día, una mujer se quejaba de las relaciones, muy conflictivas, que sostenía con su hijo adolescente. La invité a terminar la frase siguiente: *La actitud justa con B.* (su hijo) *es...* En el acto, se le ocurrieron pensamientos que la sorprendieron, ya que no estaban conformes con su actitud habitual frente a su hijo. Sin embargo, eran justos y, con toda evidencia, capaces de mejorar sus relaciones. Lo comprendió así y decidió inspirarse en ellos. **El inconsciente es la morada de una prodigiosa sabiduría.** Lo sabe todo, lo conoce todo. Dialogando con los métodos de dominio del pensamiento, al levantarse y al acostarse, yendo directamente al bien, tendrá cada vez en mayor medida acceso a esa sabiduría.

Aprenda a reconocer los mensajes de su sabiduría todavía inconsciente. Descífrelos gracias al método de exploración, tan sencillo y eficaz. Cuanto más dialogue con su sabiduría profunda, más se manifestará y se revelará como lo que es, una amiga.

Al escribir sin pararse a pensar (un poco como en la escritura automática), accederá, bastante fácilmente, al inconsciente, mina inagotable de sabiduría y conocimiento.

Considerar el inconsciente como un amigo benévolo (y lo es realmente, en mi opinión) supone una actitud muy positiva. Sus manifestaciones curiosas o intempestivas, incluso las enfermedades, pueden ser consideradas a justo título como mensajes enviados por una entidad plena de sabiduría, en acuerdo profundo con la vida y el mundo. Cada vez que, con ayuda de ciertas técnicas, he propuesto a una persona dialogar con su inconsciente, comprobé con gran sorpresa que los síntomas que antes la afligían eran en realidad un mensaje amistoso de su inconsciente, que atraía así su atención para permitirle recobrarse y tomar una mejor dirección. Cuando nos aislamos por error o ignorancia de nuestras fuentes, que son el mundo y la vida, los esquemas de pensamientos falsos que arrastra el consciente pueden conducirnos a un callejón sin salida, a la dificultad y el sufrimiento, a la depresión.

Son muchas las personas que no iniciaron conscientemente el camino de la autorrealización, a pesar de ser tan natural, más que empujados imperiosamente por los mensajes reiterados de su inconsciente. Sin esta necesidad, la de que son deudoras a la profunda sabiduría oculta en ellas, se habrían contentado con sobrevivir en lugar de vivir plenamente la maravillosa aventura de su vida.

9. El método de «las tres personas»

El método de las tres personas se inscribe en la misma línea que los del nuevo punto de vista y de exploración. Los he reagrupado en el plan de este libro para evitar repeticiones, ya que presentan puntos comunes.

De acuerdo con mi experiencia, el método de las tres personas resulta particularmente eficaz.

1. Un ejemplo concreto

Un día, una de mis mejores alumnas me confesó: «Antes de hacer yoga, estaba siempre furiosa. Creo que no había ni cinco minutos siquiera durante el día en que no me sintiera así. Después de dos años de practicar yoga, la proporción se ha invertido. Todavía me enfado algunas veces, pero durante no más de cinco minutos al día. Sin embargo, la práctica del yoga no parece haber tenido ningún efecto sobre mi angustia. Cuando estoy en la cocina o cuando estalla una disputa, incluso una simple discusión entre mis hijos, o entre ellos y mi marido, me angustio sin saber por qué. Lo cual, además, me hace sentir también horriblemente culpable; tengo la impresión de que todo es culpa mía. Eso me hace muy desdichada, ya que mi mayor deseo sería, por el contrario, crear para mi familia el deseable ambiente de paz y armonía.

Convinimos en sostener una entrevista particular. Durante nuestra conversación, le recomendé el método de las tres personas, sirviéndose del pensamiento: *Gracias a mí, Anne-Marie, mi casa es un lugar de plenitud*. Reconoció que tal era, en efecto, su mayor deseo, pero que, desgraciadamente, la realidad no se le parecía en nada.

Anne-Marie es profesora de instituto. Nuestra entrevista tiene lugar a mediados de junio. Espera al comienzo de las vacaciones

134

escolares antes de aplicar el método. Bajo su pluma, puestas en marcha por el pensamiento positivo inductor, brotan frases, de las cuales, con frecuencia, no comprende nada. Continúa, sin embargo, aplicando el método como yo le he indicado, escribiendo lo que se le pasa por la cabeza, sin pensar, sin censurar, sin detenerse en una expresión determinada.

Su inconsciente le dicta frases como las siguientes;

- Necesito tranquilidad y que no me acosen durante todo el tiempo.
- Quiero estar tranquila y que dejen de atropellarme.
- ¿Y por qué todo el mundo me regaña y me empuja?
- Yo no les he hecho nada, aunque no me quieran.
- Quiero que me dejen el tiempo y el espacio que necesito.
- No quiero molestar a los demás, pero sí que acepten que existo.
- Yo existo y ellos existen, y a cada uno le corresponde su lugar.
- Quisiera que me hablasen cariñosamente y sin gritar.
- Si no me gritan, ¿por qué, cómo queréis que yo empiece?
- Estoy empujando una piedra enorme.
- No puedo empujar esta piedra enorme y la golpeo de rabia.
- Golpeo, y grito, y lloro, porque nadie viene a ayudarme y me miran riendo.
- Estoy vacía, ya no quiero nada.
- Quiero la tranquilidad, que todo esto deje de existir. No quiero nada de esa gente que se burla de mí.
- Me gusta ocuparme de cosas tranquilas y que no me molesten.
- Si hago lo que quiero, ignoro la tormenta.
- No quiero participar en el tumulto. Me escondo.
- Estoy en calma, pero recuerdo que la tempestad existe a causa de ellos.
- Les he rechazado fuera de mí. Sé cómo son.
- Estoy sola y tengo miedo de estas personas hostiles.

Todas estas frases acuden espontáneamente, sin vacilación. No corresponden en nada a lo que Anne-Marie vive en estos momentos ni a sus recuerdos. Sin embargo, poco a poco, se le impone una pregunta: «¿Quién es esa gente que me regaña y me empuja?».

No son sus padres. La vida familiar era tranquila, con los re-

135

gaños «normales». Los padres aceptaban a sus hijos, que habían sido deseados, eran queridos y la alegría del hogar.

¿Quiénes eran entonces esas personas? De pronto, viene la iluminación. Anne-Marie se ve a la edad de dos años. Es en 1940. Su padre está en la guerra. Su madre padece una flebitis, lo que, en aquella época, exigía varios meses de inmovilización en la cama. Su hermana, de cuatro años, es enviada a casa de sus abuelos maternos, que tienen una granja a cientos de kilómetros. En cuanto a Anne-Marie, se encuentra en casa de sus abuelos paternos, que poseen también una granja, aunque a poca distancia de su casa.

¿Qué atmósfera reina en esa granja? El abuelo ha participado en la guerra del 14. Durante ese tiempo, la abuela tuvo que asumir, con la ayuda de algunos viejos, las tareas masculinas durante el día y las suyas propias durante la noche, cuando todo el mundo estaba ya acostado. La guerra, la granja, el trabajo incesante, los niños... Y ahora todo recomienza. Sus tres hijos acaban de partir para la guerra. Se ha retrasado el matrimonio de una de sus hijas a causa de la movilización del novio. Su yerno ha sido también movilizado. La abuela es ya mayor y se siente desamparada. Y para colmo, le llega una pequeña de dos años, que llora porque la han separado de su madre.

Gracias a la iluminación en que revive de pronto aquella estancia a los dos años en casa de sus abuelos, Anne-Marie comprende las frases que ha escrito aplicando el método de las tres personas:

● «Apártate y deja de llorar.» (¿Y por qué todo el mundo me regaña y me atropella?)

● «Pero esta chiquilla está siempre metida entre mis piernas... ¿No ves que estoy ocupada?» (Quiero que me dejen el tiempo y el lugar que necesito.)

● «Si sigues llorando, las pagarás. Te encerraré.» (Estoy empujando una piedra enorme.)

Anne-Marrie recuerda a sus abuelos, que discuten sin cesar en la mesa, en la cocina. La chiquilla nunca ha visto nada semejante. Se siente verdaderamente rechazada por «esa gente». Tiene el sentimiento de *ser la causa* del desconcierto, de la angustia y la animosidad que se manifiesta a su alrededor. Es ese sentimiento de angustia y de culpabilidad el que la acosa siempre en la cocina, durante la preparación de las comidas.

Ahora se da cuenta de hasta qué punto sus abuelos se negaron a aceptarla. La habían recogido contra su voluntad durante los meses de la guerra. Después, nunca escribieron para pedir noticias suyas, ni nunca le enviaron un regalo de Navidad, como si no existiera para ellos.

Anne-Marie aplicó el método de las tres personas durante unos diez días, pero ese corto tiempo bastó para hacer remontar a su conciencia los recuerdos dolorosos reprimidos durante cuarenta años. Todos aquellos años, en la cocina, la angustia la invadía sin motivo aparente... Y sólo diez días de una práctica cotidiana y autónoma de alrededor de veinte minutos trajo consigo la «reviviscencia». A partir de entonces, ni angustia ni culpabilidad. Guardó su cuaderno, se fue de vacaciones y se siente bien.

Patricia se curó de su hipertensión arterial gracias a este mismo método. Ahora tiene una relación satisfactoria con su madre y goza, además, de la alegría de vivir (hemos contado su experiencia en la introducción).

2. Exposición del método

Tome un cuaderno y ábralo. En la página de la izquierda, escriba el pensamiento positivo elegido, de acuerdo con sus necesidades, en primera persona de indicativo, por ejemplo: *Yo, Julieta, me aprecio.*

Al escribirla, permanezca atento a lo que provoca en usted esta frase. Puede tratarse de una reacción física: «Siento algo que me oprime el pecho», o una emoción: «Tengo ganas de llorar», o un pensamiento, un recuerdo, un suspiro, etc. Lo importante es observar bien lo que suscita en usted el hecho de escribir una frase elegida, que, en cierto modo, tiene una función provocativa.

Una vez escrita en la página de la izquierda la frase destinada a poner en marcha el proceso, anote en la página de la derecha la reacción que ha tenido. Escriba de nuevo en la página de la izquierda el pensamiento positivo elegido, con todas sus letras, sin abreviaturas, y encadene en la página de la derecha con su nueva reacción. (Ya he explicado anteriormente hasta qué punto el hecho de escribir de manera repetitiva, con todas sus letras, un pensamiento positivo, supone un medio eficaz para obligar a la mente a acostumbrarse a él y a acoger el nuevo punto de vista benéfico que transmite).

Si brotan de su pluma repeticiones, escríbalas de todos modos, sin censurarlas ni juzgarlas. Si no se le ocurre nada después del comienzo inductor, escriba en la página de la derecha: «No se me ocurre nada», y continúe el procedimiento. Acabará por surgir alguna reacción.

Cuanto menos reflexione, cuanto más rápidamente escriba (como ya expliqué a propósito del método del nuevo punto de vista), más eficaz resultará el método. Conviene que no se detenga en ninguna reacción determinada, aunque le parezca absurda, horrible o suntuosamente bella. Al contrario, importa continuar el método al mismo ritmo. Eso le permitirá llegar más lejos y más profundamente en la purificación de su mente.

Como en la historia de Anne-Marie, puede suceder que surjan bajo su pluma reacciones que no comprende. Anótelas y prosiga. Quizá, como las piezas de un rompecabezas, acabarán por encajar, revelando su significación.

Al final de la primera doble página (izquierda-derecha) escrita rápidamente, sin censura ni juicio, con el pensamiento inductor formulado en primera persona de indicativo, vuelva la página. Escriba a la izquierda el pensamiento positivo inductor, pero formulado ahora en la segunda persona de indicativo. En nuestro ejemplo, sería: *Tú, Julieta, te aprecias.* Esta nueva formulación desencadenará reacciones de otra clase que la primera. Aplique el método hasta el final de la segunda doble página. Empiece entonces la tercera parte del método, escribiendo en la nueva doble página que habrá vuelto el pensamiento inductor elegido, expresado ahora en la tercera persona de indicativo: *Julieta se aprecia.*

Para apreciar plenamente la sutileza del método de las tres personas, es necesario ponerlo en práctica sin leer las explicaciones complementarias que daré más adelante. Así comprobará su validez a la luz de su propia experiencia. He aquí un ejemplo (con la formulación en primera persona):

Página de la izquierda	**Página de la derecha**
Yo, Julieta, me aprecio.	¡No es verdad!
Yo, Julieta, me aprecio.	Eso no me interesa en absoluto.
Yo, Julieta, me aprecio.	¡Vaya guasa!
Yo, Julieta, me aprecio.	Siento una sensación extraña en el pecho.

Yo, Julieta, me aprecio.	Nunca hubiera pensado en esto.
Yo, Julieta, me aprecio.	Y al fin y al cabo, ¿por qué no?
Yo, Julieta, me aprecio.	Por lo menos, me gustaría.
Yo, Julieta, me aprecio.	Sería estupendo.
Yo, Julieta, me aprecio.	Por lo tanto, los demás me aprecian también.
Yo, Julieta, me aprecio.	Por lo tanto, soy apreciada.
Yo, Julieta, me aprecio.	Y si yo no me aprecio ¿quién va a apreciarme?
Yo, Julieta, me aprecio.	Sí, me aprecio.
Yo, Julieta, me aprecio.	Sí, me aprecio. ¡Qué bien me siento!
Yo, Julieta, me aprecio.	¡La vida es bella! Todo es posible. ¡Me aprecio, me aprecio! ¡Me aprecio!

El ejemplo anterior es un resumen de lo que pueden dar varias páginas de ejercicio. Y eso que sólo incluyo la parte dedicada a la primera persona. Pero se han obtenido resultados tan rápidos como en este ejemplo en sólo unas cuantas frases...

Le ha llegado ahora el turno. Elija el pensamiento adecuado y llene como mínimo una doble página para cada persona.

3. Elementos de análisis transaccional

Acaba de practicar el método de las tres personas. ¿Cómo se siente después de este ejercicio? ¿Qué ha pasado en su interior? Relea las tres páginas de la derecha, donde figuran las reacciones. Compruebe en qué reside la diferencia, según que la inducción esté formulada en primera persona, en segunda o en tercera. Observe en particular la palabra que introduce la frase de reacción en la página de la derecha.

● En la primera persona, ¿encuentra una mayoría de reacciones que empiezan por «yo» o por el verbo en primera persona?

● En la segunda persona, ¿las reacciones empiezan sobre todo por «tú» o por el verbo en segunda persona?

● En la tercera persona, ¿empiezan con frecuencia por «él» o «ella» o por el verbo en tercera persona?

De no ser así, le recomiendo que explore después, con la misma espontaneidad, sus reacciones a la misma persona que la formulada en la página de la izquierda. Por ejemplo:

Tú, Julieta, te aprecias.	No estás segura.
Julieta se aprecia.	Se siente satisfecha de sí misma.

Practicando así, el método pondrá de manifiesto al máximo su poder de armonización y de resolución de las dificultades.

Ahora que ya ha ensayado el método, comprenderá mejor las informaciones siguientes.

La **primera formulación,** *Yo, X.,* se dirige al niño que hay en usted. Es el niño que hay en usted el que reclama el amor, los cuidados y los objetos a que tiene derecho. Es el niño el que dice siempre:«¿Y yo? ¿Y yo?», el que se expresa así:

- ¿Y yo? ¿No me das más tarta?
- ¿Y yo? Mi trozo es más pequeño que el de...

Al releer sus reacciones a la primera fomulación, descubrirá que provienen del niño existente en usted.

La **segunda formulación** se dirige al padre que hay en usted. Cada vez que sus reacciones comienzan por «tú» o el verbo en segunda persona, es efectivamente él quien responde. El padre que hay en usted es la parte de su persona que porta y expresa el sentido de los valores, de acuerdo con su educación y su medio sociocultural. Por ejemplo, un niño pequeño al que su madre lleva de la mano pasa, en la calle, junto a un puesto de frutas y se apodera de un plátano. Se trata para él de un gesto simple, natural y espontáneo. Su madre le da plátanos con amor, y a él le gustan mucho. Sin embargo, la madre interviene, vuelve a dejar el plátano en su sitio y le explica que esa fruta no le pertenece a él, sino al comerciante. Antes de poder comerlo, hay que comprarlo. De este modo, el niño va aprendiendo lo que se puede hacer y lo que no se puede hacer, lo que está (culturalmente) bien y lo que está mal. Una parte de él, a la que denominamos el padre, integra y asimila esos valores, los asume. Por ejemplo, cuando se empereza en la cama, llega un momento en que se dice: «¡Vamos! Ya es hora de que te levantes. ¡Levántate!». Es el padre que hay en usted el que se expresa así, en la segunda persona de indicativo.

140

La **tercera persona** expresa al adulto, a la parte de nosotros mismos que comprueba lo que es con un máximo de objetividad y de neutralidad afectiva.

Relea ahora sus tres páginas de reacciones. Comprenderá mejor sus diferencias.

- La primera persona provoca reacciones que tienen sus raíces en la infancia. Son muy implicadas, emocionales, apasionadas.

- La segunda, cuando hace reaccionar con un «tú», es más distanciada y porta los condicionamientos educativos (que no hay por qué rechazar en su conjunto).

- La tercera, cuando se expresa por «él» o «ella», desencadena reacciones mucho más distanciadas y libres.

Cabe en lo posible que haya reaccionado a la segunda formulación con un «yo». En ese caso, es el niño existente en usted quien ha respondido a un padre, representado por el pensamiento inductor en segunda persona. Puede dar reacciones como las siguientes: «¡Déjame en paz! ¡Estoy indignado! ¿Y a ti que te importa? Eso no me interesa, Déjame tranquilo», etc.

El niño ha respondido rebelándose contra la autoridad parental. El método permite expresar esas rebeliones reprimidas y no resueltas, mediante las que se lleva a cabo una purificación de las zonas arcaicas del psiquismo. Después, el padre podrá ser integrado y representar normalmente su papel en el equilibrio y la armonía de la persona. Así, al cabo de cierto tiempo, las reacciones a la segunda formulación tenderán de modo natural a formularse en segunda persona. Le he aconsejado, desde el principio, explorar las reacciones que empiezan por «tú» para ir directamente al bien. Si sus reacciones a la tercera fomulación empiezan por «yo», también en este caso se trata de una respuesta del niño que hay en usted. Revela que es dominante en usted y que se impone (por el momento) al padre y al adulto. Una personalidad equilibrada debe integrar y armonizar los tres «estados del yo».

El muy eficaz método de las tres personas (inspirado por el psicólogo norteamericano Eric Berne) permite que se expresen los tres estados del yo (fundamento del análisis transaccional). Tiene como efecto armonizarlos y equilibrarlos.

El método, que utiliza asimismo la autosugestión por la repetición del pensamiento positivo elegido, hará surgir en un primer tiempo las resistencias al pensamiento inductor, que ha sido escogido para oponerse a los pensamientos nefastos, pero bien anclados, que dominan la personalidad. Por lo tanto, no hay que extrañarse de ver aparecer tales resistencias. Las negatividades, los pensamientos falsos que no nos han dado resultado hasta ahora se revelarán así claramente. Una vez expresados, dejarán de ocupar el primer plano de la escena de nuestra mente, permitiendo que se presenten los pensamientos valiosos (ocultos detrás de ellos. Al ir avanzando en su práctica, estos últimos acudirán cada vez con mayor espontanieidad a su pluma.

Podrá comprobar por sí mismo la evolución rápida y positiva de su manera de pensar y, en consecuencia, de su manera de ser releyendo sus reacciones después de unos días de práctica. A veces, una decena basta para la obtención de un resultado determinante, como en el caso de Anne-Marie. Interesa, sin embargo, continuar, a fin de que el progreso realizado arraigue sólidamente y profundice. ¡Qué dicha permitir a las potencialidades de felicidad y autorrealización acudir a la conciencia, revelarse en todo su poder y su calidad!

Sabrá que el trabajo ha terminado cuando la página de la izquierda (nueva dirección de vida) y la de la derecha (las reacciones al pensamiento orientado hacia el bien) estén en perfecto acuerdo.

En el plano práctico, las formulaciones de la página de la izquierda deben **escribirse con todas sus letras y renovarse después de cada reacción.**

Debido a su potencia y a que revela en un primer tiempo las resistencias a la felicidad, el método de las tres personas resulta a veces agotador. Por eso sólo se lo aconsejo a las personas que siento lo bastante fuertes, lo bastante animosas y determinadas para afrontar sus seudomonstruos interiores. Cuando me parece que alguien no responde a estos criterios, le aconsejo más bien el método del nuevo punto de vista. Después de algún tiempo de practicar este último, será capaz, en caso necesario, de proceder al de las tres personas.

4. Algunos pensamientos positivos comentados

Los pensamientos positivos que figuran en la lista del capítulo 7 sirven también para el método de las tres personas. De todos modos, daré a continuación algunos más, que son otras tantas aperturas a las posibilidades de desarrollo. Como ya sabe ahora, cuanta más dificultad encuentre en aceptar un pensamiento propuesto cuando intenta asumirlo, más capaz será de hacerle progresar. Debe, pues, considerarlo como un objetivo eminentemente deseable.

No hay que confundir el método del nuevo punto de vista con el de las tres personas. En el primero, se da el comienzo de una frase, que es preciso completar en la misma página del cuaderno. En el segundo, la frase inductora está completa y se anotan en la página de la derecha del cuaderno las reacciones que provoca cuando se escribe en la página de la izquierda.

Yo, X., soy un chico maravilloso, lleno de fuerza, amor, salud y alegría. Naturalmente, este pensamiento es válido también en femenino: *Soy una chica o una mujer maravillosa...*

La imagen de sí mismo es extraordinariamente importante. En su libro *Psycho-cybernétique*, en que relata su experiencia profesional, el cirujano estético Maxwell Matz dice que ciertas operaciones dan, en efecto, el resultado buscado: borrar la imagen negativa de una persona, asociada, para ella, a su apariencia física. Sin embargo, sucede a veces que una operación estética que ha sido un éxito en el plano clínico no modifica en absoluto la imagen negativa interiorizada, la cual dependía mucho más del psiquismo que de la apariencia física. Sin duda conoce –o por lo menos ha conocido– a chicas o mujeres encantadoras que se consideran «horribles».

El pensamiento que acabamos de enunciar es, en el plano de la imagen de sí mismo, muy potente, muy completo (con su referencia a la salud y el amor) y muy eficaz.

Yo, X., soy sencillo y directo, y mis relaciones con los demás son armoniosas. ¿Cuántas personas van por la vida enmascaradas, representando papeles o personajes? ¿Cuántas personas enmascaran su miedo a los demás con relaciones complicadas y poco armoniosas? Aquí tienen un pensamiento intensamente benéfico.

Yo, X., soy realmente lo que parezco ser.

Yo, X., estoy vivo. Mi instinto de vida es el más fuerte. Este pensamiento se dirige de modo más particular a las personas acosadas por ideas suicidas. Hay un número asombroso de personas que no aceptan la afirmación «Estoy vivo», lo que pone muy de relieve el carácter subjetivo e irracional de ciertas reacciones.

Soy mi propio padre, soy mi propia madre, y me doy nacimiento con amor. He aquí un pensamiento con un gran poder reparador para aquellos que no se sintieron queridos por sus padres. Crea también un sentimiento de autonomía afectiva, favoreciendo la autonomía en general.

Soy el único responsable de mi vida y mi destino. Acojo lleno de felicidad a los seres, las cosas y las situaciones que me agradan y estoy libre de las otras situaciones. La idea fuerza contenida en este pensamiento consiste en lo siguiente: si hay seres, cosas o situaciones que me desagradan, me causan pena o me encolerizan, es porque, en cierta medida, acepto que influyan sobre mí, porque admito su impacto sobre mi equilibrio y sobre mi alegría de vivir. Si retiro mi adhesión, quedaré en libertad.

Yo, X., soy un foco de fuerza, de luz, de conciencia y de amor. Pensamiento espiritual.

Yo, X., tengo poder, la inteligencia, el conocimiento y la voluntad para emprenderlo todo y realizar mi vida. Se trata de un pensamiento dinamizante, que elimina todos los obstáculos interiores, que libera del complejo de fracaso.

Estoy vivo. Por consiguiente, la luz, la armonía, la verdad, la belleza, la seguridad, la potencia y la abundancia de la vida fluyen a través de mí libre y alegremente. La alegría de vivir, la fiesta de la vida están en nosotros. Lo veremos claro desarrollando el poder de este pensamiento.

El universo entero me ama, me sostiene, me protege. Cada vez que una persona experimenta una fuerte resistencia a este pensamiento, he podido comprobar que tuvo el triste privilegio de no ser amada por su madre. He encontrado algunas a quienes sus respectivas madres detestaron incluso antes de que nacieran. Hay madres que intentan en vano abortar y que, durante toda su vida, continúan deseando más o menos conscientemente la muerte de su hijo. Recuerdo en particular el testimonio de G., cuya madre negaba siempre su existencia. Le repetía con frecuencia pensamientos como éstos: «No deberías estar aquí, no deberías existir». Otra persona a quien su madre no quería fue enviada a un orfelinato mientras que su padre estaba en la guerra. Su madre no podía alegar ninguna razón objetiva y se vio obligada a pedir el apoyo del párroco para conseguirlo. Además, la pequeña tenía abuelos que la hubieran acogido con gusto, y había también amigos de la familia dispuestos a hacerse cargo de ella.

El no haber sido querido por su madre es una de las más grandes fuentes de sufrimientos moral, por no decir la mayor. La persona se siene como si el suelo fallase permanentemente bajos sus pies. No hay nada sobre lo que apoyarse, y el horror se renueva día tras día. La vida carece de sentido, el amor es sacricificado sin cesar. Para esos seres tan desdichados, el pensamiento *El universo entero me ama, me sostiene, me protege* significa una rehabilitación. Les permite integrar el hecho de que fue el universo quien los trajo al mundo. Fue él quien eligió que cada uno de ellos viviese. La madre biológica (la madre indigna) sólo actuó como medio. Practicando los métodos de dominio del pensamiento con la frase que estamos comentando, alguien no querido por su madre puede experimentar el sentimiento de ser un hijo adorado del universo. Fue la «Madre Divina», la matriz universal, quien le deseó, concibió, dio a luz, quien le ama, le sostiene y le protege.

Este pensamiento, repetido interiormente, resulta muy eficaz en toda situación de peligro. Libera del miedo, relaja, permite los actos adecuados, puede modificar la actitud agresiva de los demás. Como sin duda sabe, si tiene usted miedo de un perro, él lo percibe y ladra ferozmente. Si no se deja usted impresionar por sus ladridos, si tiene pensamientos benévolos a su respecto, dejará de ladrar y vendrá a reclamar sus caricias (salvo si se trata de un perro adiestrado, cuya actitud agresiva es condicionada). En una situación peligrosa, por ejemplo si se encuentra bajo la amenaza de una agresión, repita obstinadamente para sí mismo: *El universo entero, me ama, me sostiene, me protege*. Es muy probable que la solución evolucione en un sentido favorable.

Me caliento con la luz y el amor infinito que irradian a través de mí. Dejar pasar a través de sí mismo la luz y el amor infinitos supone una actitud espiritual. Ya no soy yo –mi ego limitado– el que actúa, sino que la luz y el amor infinitos actúan a través de mí. Yo soy el primer beneficiario. Este flujo de amor y de luz que me atraviesa, me calienta y me nutre.

Mi cuerpo es un vehículo maravilloso y placentero, que me permite expresarme plena y libremente. La opinión que tenemos de nuestro cuerpo es uno de los elementos de la imagen de sí mismo, en la medida en que existe una cierta identificación de sí mismo con su cuerpo. Esta identificación es falsa. Si fuera así, «conocer a una persona» significaría conocer su cuerpo. Sin embargo, aunque nunca haya visto usted el cuerpo de un autor, la lectura de un libro suyo le permite conocerle mejor que un comerciante, por ejemplo, que tuvo una vez la ocasión de ver, incluso de tocar su cuerpo durante una compra. Puedo decir, con toda propiedad, que «me gusta» Montaigne, aunque su cuerpo físico haya desaparecido varios siglos atrás. Lo que capto de él a través de sus obras hace que experimente realmente un sentimiento de amistad por él. El pensamiento comentado en este párrafo tiene la ventaja de rehabilitar en su primera parte la imagen del cuerpo: *Mi cuerpo es un vehículo maravilloso y placentero,* pero precisando al mismo tiempo que lo que anima ese cuerpo se expresa en y a través de ese vehículo. La reconciliación con el propio cuerpo constituye una etapa muy importante en el camino de la felicidad. La imagen negativa que quizá tengamos de él se remonta, por regla general, a la primera infancia. Nuestro espíritu tenía entonces una necesidad infinita de amor. En las primeras edades de la vida, el cuerpo es el instrumento fundamental de conocimiento, de amor y de relación con los demás. Un bebé capta el amor a través de los contactos físicos, en el sonido de una voz acariciadora, en los cuidados prodigados a su cuerpo, que son, cuando provienen de una madre amante, dados (y recibidos) como caricias. Si en esta época, el cuerpo del bebé no fue reconocido como un polo de atracción amoroso, la imagen que se forjará de su cuerpo será negativa. (Volveremos a hablar más adelante de la importancia del amor en los primeros momentos de la vida).

Acojo el placer sensual y me abandono a él. Son numerosas las personas que padecen una carencia de satisfacción sensual. La frustración que de ahí se deriva absorbe numerosas energías psíquicas que, si la satisfacción sensual estuviese presente, podrían ser utilizadas con alegría para la autorrealización. La frustración sensual o sexual es causa de tensión, de desacuerdo entre una pareja. Mediante las técnicas de dominio del pensamiento, quedarán eliminados los obstáculos al placer sensual.

Tengo confianza en el prodigioso poder de la vida en mí y me abandono a él. Me abro a las fuerzas de la vida en mí. Propongo con frecuencias estos dos últimos pensamientos a las mujeres embarazadas a las que recibo con vistas a una preparación física y mental para el parto. La mujer que trae al mundo a un hijo puede sentirse verdaderamente como un instrumento de la vida. Fue la vida quien provocó el encuentro de un espermatozoide y un óvulo. Fue ella quien permitió la fecundación, la multiplicación de la célula inicial, la especialización de los grupos de células en órganos, etc. La madre es el «nido» elegido por la vida para su obra. La gestación y el nacimiento son actos de la vida. Si la futura madre acepta «abrirse a las fuerzas de la vida» que actúan en ella, el prodigioso poder creador de la vida llevará a cabo el nacimiento de la mejor manera posible. La vida infunde a la madre una potencia excepcional para el momento del parto. Basta con dejarla actuar, confiar en ella, abrirse a su poder creador, evitando oponerle interferencias, obstáculos psíquicos, como el miedo, el temor al dolor, etc.

Evidentemente, los dos pensamientos que acabamos de comentar son también válidos para toda persona que advierta reticencias al pronunciarlos.

Insisto siempre sobre todo en lo positivo. En el capítulo 4, propuse este pensamiento como una técnica básica, asociada a la vigilancia en la formulación. Si queremos afianzar en nosotros esta actitud fundamental, el método de las tres personas permite remontar hasta la raíz del comportamiento negativo y liberarnos de él.

La vida me ofrece todo cuanto necesito para mi realización.

Todo lo que me sucede me es dado por la vida (o por Dios) para mi realización. Este pensamiento es extremadamente fecundo. Dado el punto de vista que implica, todo, absolutamente todo lo que me sucede puede y debe ser una ocasión de progreso hacia una expansión del ser. En el *Kulanarva Tantra,* texto sagrado de la India, está escrito: «Lo que puede perder al hombre, puede y debe salvarlo». Es decir, hay que sacar partido de todo cuanto nos da la vida, aunque sea catastrófico, para servirnos de ello como de un trampolín, a fin de ascender más alto. Vivir así es exaltante. La vida se convierte entonces en un desafío estimulante, que nos orienta directamente hacia nuestra realización.

Permito que la vida sea divertida. Acabadas las jeremiadas y las racionalizaciones. Si permito a la vida que sea divertida, me revelará el amor y la alegría.

Estoy colmado de amor. Este pensamiento «no pasará» de primera intención en muchas personas. Si existe una necesidad fundamental en el ser humano, es la de ser amado, colmado de amor. Dicha necesidad viene del bebé que hay en nosotros y de sus carencias. Quienes tienen hijos habrán podido darse cuenta –por lo menos así lo espero– de hasta qué punto el niño está sediento de amor. Colmarle de amor es una aventura sin fin. El método de las tres personas aplicado con este pensamiento le hará descubrir que la vida y el mundo le han colmado de amor. Los seres humanos de su entorno reaccionarán muy pronto positivamente a su amor.

Muerdo la vida con ganas. Propuse este pensamiento por primera vez durante una entrevista con un muchacho muy delgado. Las comidas en la mesa familiar, durante su infancia, se habían desarrollado en un ambiente espantoso, con amenazas de muerte y blandir de cuchillos. Desde entonces, la comida le provocaba náuseas. Con frecuencia tenía que vomitar la poca que lograba absorber. Mientras que esperaba en la cola, en el restaurante de la empresa en que trabajaba, debía esforzarse para no perder el conocimiento. Y como se avergonzaba de este trastorno, hacía esfuerzos desesperados para que nadie se diese cuenta.

Después de dos o tres meses de práctica con la frase *Muerdo la vida con ganas,* siguiendo el método de las tres personas, recuperó un apetito normal y ha engordado varios kilos. También se realizó el sentido figurado de este pensamiento. El muchacho ha fundado un grupo de música, da conciertos con su conjunto y piensa ahora en convertirse en profesional, actividades que le causan gran placer. Sí, muerde verdaderamente la vida con ganas.

Me permito sentir mi cuerpo y mis emociones. Son muchas las personas que bloquean las sensaciones, las emociones y las expresiones de su cuerpo. Hay que buscar el origen de su comportamiento en la primera infancia. Cuando la desproporción entre sus necesidades de amor y el que recibe es demasiado grande, el niño considera su tendencia a pedir amor como mala o peligrosa. Incluso puede experimentar un sentimiento de culpabilidad. Así se instala en él un mecanismo que inhibe el amor y los sentimientos y emociones en general. Una de las leyes del psiquismo afirma: si me cierro a una emoción particular –ya sea la pena, el amor o el miedo–, esa inhibición repercute automáticamente en todas las demás emociones. Cerrándome a una sola de ellas, me cierro a todas las demás y vivo en un mundo estrecho, al abrigo de toda perturbación emotiva. Pero ese caparazón protector me aísla del mundo, me separa de él. Para tener acceso a la emoción *alegría,* tengo que aceptar vivir, en su momento, la emoción *pena.* Tal es la ley de la vida.

Lo que acabamos de decir a propósito de la inhibición de las emociones se aplica también al cuerpo («caja de resonancia» de las emociones). Es el efecto de las emociones sobre el cuerpo lo que nos hace conscientes de ellas. Cuando mi corazón se acelera, cuando me quedo sin aliento o se me entrecorta, cuando mi cuerpo se estremece y me tiemblan las piernas, soy consciente de experimentar un gran terror.

Si no se ha satisfecho suficientemente durante la primera infancia la necesidad que siente el cuerpo de contactos físicos, el niño capta esa necesidad como algo culpable que debe refrenar. «No hay que prestar atención a la necesidad de caricias, puesto que es imposible recibirlas.» «Si no recibo las caricias a las que aspiro, se debe a que son malas, y soy culpable por necesitarlas.» Tales son los esquemas de pensamiento que se enraízan en el psiquismo.

Alrededor de tres semanas después de la fecundación, las células embrionarias se separan en tres capas superpuestas: el ectoblasto, el mesoblasto y el endoblasto. Cada una de ellas sirve como materia prima para un sistema o un grupo de órganos o funciones. El sistema nervioso, el cerebro y la piel derivan de las células del ectoblasto. Debido a esta cepa común, conservarán una afinidad particular entre ellos (numerosas enfermedades de la piel tienen una fuerte connotación psicosomática). La piel es el órgano del sentido del tacto, uno de los más perfeccionados en el recién nacido, el instrumento privilegiado del pequeño ser en su contacto con el mundo, ya desde antes de su nacimiento. Durante los últimos meses del embarazo, el niño está fuertemente comprimido en el útero. La presión se vuelve todavía más intensa en el momento del nacimiento, dentro del estrecho canal pelviano. Se encuentra muy apretado, aunque en contacto con mucosas suaves. Llegado al exterior, son las diferencias de sensaciones táctiles, el frío, la ausencia de presión las que ponen en marcha de manera refleja el acto respiratorio. Respirar equivale a vivir, tanto para el niño como para nosotros. Puesto que existe la posibilidad de nacer antes de que la gestación llegue a su término, la naturaleza hace que el sentido del tacto, que representa un papel tan importante durante el nacimiento, sea de fiar y operativo mucho antes de éste. Gracias al sentido del tacto, la madre puede ya jugar con su hijo en los últimos meses del embarazo.

Thomas Verny escribe en su libro *La vida secreta del niño antes de nacer*: «En el momento del nacimiento, el amor no supone sólo una necesidad emocional para el bebé, sino también una necesidad biológica. Sin él, y sin todos los mimos y caricias que lo acompañan, el recién nacido se marchita, en el sentido propio del término, y muere. Este estado patológico recibe, por lo demás, un nombre, el de *marasmo,* de la palabra griega que significa "decaer". En el siglo XIX, el marasmo mataba casi a la mitad de los recién nacidos y, hasta comienzos del XX, fue el responsable de casi la totalidad de las muertes en los hospicios. La verdad es tan simple como brutal: esos niños morían porque estaban privados de los gestos de ternura. Hoy, los casos de marasmo son menos frecuentes. Desgraciadamente, todavía hay demasiados bebés descuidados. Los médicos les llaman los recién nacidos "incapaces de prosperar".

»Un mínimo de cuidados produce pequeños milagros en el niño hambriento de amor, como ha demostrado un estudio sobre los niños con poco peso en el momento del nacimiento. Su desarrollo más lento de lo normal se imputa en general a perturbaciones orgánicas, aunque se achaca casi siempre la culpa a una ligera lesión cerebral. El investigador que tuvo la idea de este estudio pensó que quizá existiese otra explicación. Observó que, durante las primeras semanas de su vida, esos bebés permanecían con frecuencia aislados en centros de cuidados intensivos, servicios que, provistos de una tecnología ultramoderna, lo hacen todo por el recién nacido, excepto tomarle en brazos y quererle.

»Dicho investigador tuvo la intuición de que ahí residía el error. Eligió, pues, a un grupo de recién nacidos en su servicio y pidió al personal que los acariciase cinco minutos por hora durante diez días. Cinco minutos no son mucho, y una enfermera no es una madre, pero, a pesar de esos inconvenientes, la tenura así manifestada produjo resultados espectaculares. Esos bebés engordaron y crecieron más deprisa, mostrándose más vigorosos que los niños abandonados a sí mismos».

El investigador pidió después a un grupo de madres que se prestasen a la experiencia que acabamos de describir. Los recién nacidos prosperaron, claro está. Cuatro años más tarde, los niños que habían sido mimados y acariciados por sus madres obtuvieron, por término medio, cuatro puntos más de cociente intelectual que los que se vieron privados de caricias.

Hay una segunda causa importante para la inhibición de la experiencia corporal y las emociones: la actitud familiar. De acuerdo con ciertas tradiciones familiares, no es correcto expresar las emociones. «¡No seas llorica!» Aunque haya mucho amor entre los miembros de la familia, se restringe su expresión. Un día, pregunté a cierta persona si tenía la impresión de haber sido querida por su familia.

–¡Pues claro! –me contestó.

–¿Se besaban ustedes con frecuencia?

–Sí.

–¿En qué ocasiones?

–Siempre nos besábamos el día de Año Nuevo.

–¿Y eso es todo?

–Sí, ¿por qué?

No obstante, recordaba muy bien una experiencia que tuvo durante la guerra. Había ido a pasar unos días a casa de una amiga. Hubo un bombardeo y tuvieron que refugiarse en el sótano, sobresaltándose ante el estruendo de las explosiones. Ahora bien, la madre de su amiga pasó su brazo alrededor de cada una de ellas y las estrechó contra su pecho. La pequeña nunca había recibido un tal gesto de ternura y protección. Cuarenta años después, seguía siendo el más bello recuerdo emocional de su vida. Le hubiera gustado que aquel bombardeo durase para siempre y volver a casa de aquella amiga, cuya madre fue capaz de tomarla en sus brazos. Sin embargo, la huella de la inhibición de las emociones y los gestos corporales era tan fuerte que continuaba viviendo en un mundo donde la experiencia corporal y las emociones no tenían derecho de ciudadanía. El pensamiento *Me permito sentir mi cuerpo y mis emociones* encierra un inmenso poder reparador.

Perdono a mi padre (a mi madre, a mí mismo, etc.). No nos convertimos en verdaderos adultos hasta que perdonamos a nuestros padres. Muchas personas afirman haberlo hecho, pero no se ajustan a la verdad. Su perdón es intelectual, ya que, llevando un poco más lejos la investigación o la introspección, se hace evidente que no hubo verdadero perdón. Ahora bien, el resentimiento y el rencor son sentimientos que causan grandes estragos en el espíritu y en la mente de quienes los padecen. Parece cierto que el cáncer afecta con preferencia a personas que se han confinado durante mucho tiempo en el rencor y el resenti-

151

miento. La rumia mental de ideas de venganza envenena la vida, la hace amarga y de calidad muy mediocre. En la palabra «perdonar» se incluye la palabra «donar», dar. Dése la gracia de perdonar. Sea por fin libre.

Estoy gozosamente libre del pasado. Al proponerlo en mis consultas o en los grupos que animo, me doy cada vez más cuenta de la extraordinaria fuerza de este pensamiento. Constituye un maravilloso viático en el camino de la autorrealización, la libertad y la alegría de vivir. Nuestro apego al pasado, a su huella, nos impide vivir plenamente en el presente y apreciar el esplendor de cada instante. Este pensamiento, todavía más que otros, va directamente al bien, sin cargarse de detalles. Conviene a toda persona, cualquiera que sea su problema. El método de las tres personas lo revelará y, luego, permitirá dejarlo definitivamente en su lugar, o sea, en un pasado que ya no existe.

La palabra «gozosamente» es muy importante. Pone de manifiesto los poderes de alegría que dormitan en nosotros y, sobre todo, señala la evidencia cierta de la liberación del pasado. Si podemos estar alegres mientras evocamos el pasado, todo el pasado, significa que nos hemos liberado verdaderamente de él.

Estoy gozosamente libre del pasado, del presente y de futuro. Este pensamiento, todavía más poderoso y de mayor alcance que el anterior, corresponde al estado de «liberación espiritual», según la terminología oriental. Describe el estado del sabio perfecto y permite, por consiguiente, ir directamente en la dirección de la libertad absoluta, de la liberación espiritual.

Un maestro zen ha dicho:

● *No deseo nada* (presente).

● *No espero nada* (futuro).

● *No lamento nada* (pasado).

● *Por lo tanto, soy libre* (decir gozosamente sería todavía mejor).

Dispongo de todo el tiempo que necesito. Hay quien llega con retraso y quien llega con mucho adelanto. Y hay quien tiene tantas cosas que hacer que sólo encuentran tiempo para no hacer nada...

Levo anclas, suelto amarras y navego con toda libertad por el océano de la vida. Este pensamiento tiene una gran intensidad, gracias a su poesía, que expresa siempre mucho más que la suma de las palabras o las fórmulas que utiliza. Apela a la imagen, al lenguaje del inconsciente y la imaginación, la expresión fundamental del poder creador del pensamiento. La poesía está en relación con los arquetipos, que son cristalizaciones de energía, mecanismos de puesta en marcha y motores potenciales de realización.

Muchos otros pensamientos-fuerza podrían figurar en esta lista. Los motivos de mi elección particular son:
- su **poder extraordinario;**
- el hecho de que respondan a necesidades que surgen con frecuencia en el camino de la **autorrealización.**

10. Los métodos de visualización

1. El lenguaje por medio de imágenes

Durante el sueño, «pensamos» por medio de imágenes. Cada una de la imágenes del sueño encierra numerosos sentidos, que se entrecruzan, se superponen, se adicionan. Dejando surgir asociaciones con cada elemento de las imágenes de un sueño, nos daremos cuenta muy pronto de hasta qué punto son significativas.

Nos enfrentamos a la misma evidencia si desciframos el lenguaje de los sueños siguiendo otros métodos, como el de Frederick Perls, por ejemplo (Gestalt-terapia).

Ciertos sueños se desarrollan con el mismo rigor que una obra de teatro clásico y de acuerdo con la misma construcción: la exposición, el nudo, la acción, el paroxismo y el desenlace. A veces, la etapa paroxística es tan intensa que el soñador no la soporta y se despierta con una sensación de malestar y un sentimiento de cosa inacabada. Más tarde, otros sueños podrán conducirle hasta el término de su itinerario inconsciente.

El sueño y sus imágenes son el lenguaje del inconsciente, el cual comunica así con el consciente, aportando su contribución al equilibrio y al desarrollo de la persona. El sueño puede también advertirle, cuando se aleja demasiado de las leyes del mundo y de la vida, sobre el peligro que corre al seguir esta vía. El sueño en sí tiene varias significaciones, una de las cuales, más evidente que las otras, se descifra más fácilmente. En la mayoría de los casos, se trata de una especie de informe preciso y objetivo de la situación psíquica del soñador, un retrato sin concesiones.

El lactante no expresa su pensamiento mediante palabras, sino mediante sensaciones e imágenes cargadas de emociones. Muy probablemente, combina y asocia esas imágenes, significativas para él, esbozos de un primer lenguaje interior.

Desde su nacimiento, el niño comunica sus emociones con su

mirada, sus expresiones, sus movimientos y sus gritos. Dado que sobre todo estos últimos le permiten obtener un resultado (por ejemplo, que le levanten), la relación vocal se hace poco a poco prioritaria, favorecida por el hecho de que los adultos utilizan mucho –incluso sobre todo– la palabra para comunicar con él. De este modo, el lenguaje hablado se convierte poco a poco para el niño en el medio privilegiado de recibir el amor y de comunicar, relegando progresivamente a segundo término el primitivo lenguaje interior de las imágenes. Pero mientras que el lenguaje hablado-pensado pasa a ser el más usado en la comunicación interpersonal, el inconsciente reserva para sí el lenguaje mediante imágenes y lo sigue utilizando, como demuestran los sueños.

Por otra parte, es prácticamente imposible comunicar con otro en un lenguaje directo mediante imágenes. ¿Cómo transmitir éstas de mente a mente? Tal manera de «pensar» sólo sirve para sí mismo. El sentido que cada uno de nosotros da a sus imágenes interiores es personal, único, incomunicable. Si dos personas tienen el mismo sueño, presentará forzosamente una significación distinta para cada una de ellas.

Los animales evolucionados sueñan también. Hay una película científica en que se ve a un gato en el momento de soñar. Los mecanismos inhibidores de las reacciones musculares propios del sueño han sido suprimidos previamente. La experiencia demuestra de manera evidente que el gato «ve» en su sueño imágenes que provocan en él reacciones de miedo o de agresividad. El lenguaje mediante imágenes es, por lo tanto, muy arcaico. Los animales lo utilizan, lo mismo que nuestro inconsciente, que lo ha heredado de ellos. Ahora bien, el inconsciente lo utiliza en el sueño con una gran inteligencia, con un sentido pasmoso del resumen y, en muchas ocasiones, con un sabroso humor.

Lo que importa recordar es que las imágenes son a la vez el soporte y la expresión del lenguaje del inconsciente, del mismo modo que las palabras y las frases lo son de los pensamientos conscientes.

La palabra «imagen» está contenida en la palabra «imaginación», la facultad creadora por excelencia del ser humano. Todo cuanto el hombre ha inventado y creado tuvo que imaginarlo primero.

Imaginar significa asociar imágenes de manera desacostumbrada, creando así una nueva realidad psíquica, que podrá después «materializarse» a través de las obras. Es la imaginación del novelista, del poeta, del pintor, etc., lo que le permite crear una obra. Un espíritu imaginativo equivale a un espíritu inventivo. La realidad psíquica, en su origen puramente imaginaria, se realiza concretamente gracias a la fuerza del pensamiento. Durante siglos, los hombres han soñado con llegar a la luna. Imaginaron –Cyrano de Bergerac y Julio Verne, en particular– llegar hasta ella. Hoy, esas «imaginaciones» se han convertido en realidad.

La imagen, soporte del lenguaje del inconsciente, es la expresión misma del poder creador de la imaginación y el pensamiento. Así se explica el poder de las técnicas de visualización, que recurren a imágenes, cuya influencia sufre particularmente el inconsciente, y al poder creador del pensamiento en su manifestación más potente y más evidente, la imaginación.

2. Visualizar: ¿cuándo y cómo?

Fue en mi adolescencia cuando descubrí, por casualidad, la fuerza y la eficacia de la visualización. En aquella época, me interesaba por el judo. Me había comprado un librito en el que venían explicadas e ilustradas las presas, pidiendo a mis hermanas que me dejasen entrenarme con ellas. Primero aceptaron, pero muy pronto se negaron categóricamente a colaborar. Entonces, por la noche, en la cama, después de estudiar el libro, apagaba la luz y me veía ejecutando las presas, a cámara lenta sobre un adversario imaginario, descomponiendo bien los movimientos.

Poco tiempo después, en el patio del liceo, un compañero de mucha más envergadura que yo se acercó a mí, buscando pelea. Levantó el brazo para pegarme, pero, con un gesto rápido, preciso, que brotó de mí sin pensarlo siguiera, tiré al atacante al suelo, dejándolo tan sorprendido como me sentía yo. Había repetido tantas veces ese gesto a cámara lenta, que se realizó «por sí mismo», de manera perfecta.

En la preparación física y mental que propongo a las futuras madres, el ejercicio clave de la preparación psíquica consiste en la visualización cotidiana, justo antes de adormecerse, de su próximo parto. Visualizan el proceso desarrollándose en las mejores condiciones de facilidad, participación y atención feliz al acontecimiento. El ejercicio es tan eficaz que los médicos (ignorando el porqué, pero comprobando el resultado) se muestran estupefactos ante lo fácil y lo bien que se produce el parto.

Como en todos los métodos por escrito, la programación del inconsciente da aquí los mejores resultados cuando se practica en los momentos privilegiados del adormecimiento y el despertar. Tiene también un gran éxito cuando se lleva a cabo en un estado de relajación profunda, que recrea las condiciones de la duermevela. Por este motivo, he preparado un casete de relajación y visualización, con numerosos pensamientos positivos y universales. Al final, cuando la relajación es ya muy profunda, se propone una visualización. Veamos un fragmento del texto de dicho casete, donde (...) representan los silencios:

> Visualiza ahora un gran espejo enmarcado de luz blanca (...). En ese gran espejo rodeado de luz blanca, te ves como deseas ser idealmente (...). Puedes reforzar la visualización repitiéndote una afirmación que exprese este estado (...). Imagínate en una circunstancia de tu vida. En tal situación, realizas fácilmente, con habilidad y libertad, todo lo que haces, todo lo que emprendes (...). Con un máximo de detalles, te ves evolucionando, actuando fácilmente, con alegría, con entera libertad (...). Eventualmente, ves a las personas, los objetos, los colores, percibes los sonidos, los olores, sientes el ambiente de esa escena tal como la concibes idealmente, del mejor modo para ti (...). Te sientes y te ves perfectamente bien física, mental y moralmente (...). Experimentas intensamente el sentimiento de fuerza, alegría, paz y armonía que emana de ti en esta visualización (...). Aprecias tu bienestar y la armonía que reina entre ti y todo lo que te rodea.
>
> Ahora, mirándote en el espejo rodeado de luz blanca, repítete estas frases: «Cada vez que hago este ejercicio, me relajo más rápida y más profundamente que la vez anterior» (...). «Me gusta hacer este ejercicio. Es agradable y beneficioso» (...). «Este entrenamiento me permite equilibrar mi vida» (...). «Este entrenamiento me permite lograr con facilidad, libertad y alegría todo lo que es bueno para mí» (...).

Cuando la visualización va precedida, como en el casete, por una relajación muy profunda, produce su efecto a cualquier momento del día o de la noche.

3. La visualización en la vida diraria

Utilice la visualización en su vida diaria con la mayor frecuencia posible. Su poder le sorprenderá. No tengo ninguna explicación racional que dar para justificar su extraordinaria eficacia. Más vale ensayarlo y comprobar por sí mismo los resultados. Veamos dos ejemplos.

Un sábado por la tarde, mi mujer fue de compras a la ciudad con su coche. Le señalé que aquél era el peor de los días para circular y sobre todo para encontrar un lugar en que aparcar en el centro de la ciudad.

«Todo irá bien –me contestó–. He visualizado un coche que se iba en el momento justo en que llegaba yo al lugar en que quería aparcar. Siempre lo consigo.»

Al regresar, me confirmó que todo había ocurrido como en su visualización. Desde entonces, recurro con frecuencia a su método, con todo éxito. Y los resultados son mejores cuanto más profunda y confiada sea nuestra convicción.

Otro día, un domingo, dos personas que acababan de hacer un cursillo conmigo se encontraron bloqueadas en mi casa por la nieve, caída en abundancia. Telefonearon en vano a diversos garages y establecimientos de accesorios para encontrar las cadenas que les permitiesen rodar sobre la nieve. Ante su fracaso, les sugerí que visualizasen las cadenas disponibles antes de la llamada telefónica siguiente. Y al primer intento, su interlocutor confirmó: «Sí, tengo lo que necesita».

4. El sankalpa del yoga-nidra

Sankalpa es una palabra sánscrita que significa voluntad, resolución, decisión, afirmación. El yoga-nidra utiliza el sankalpa después de una primera relajación y luego al final, cuando la relajación es muy profunda. El yoga-nidra se practica en posición de cúbito supino, es decir, echados sobre la espalda, con la cabeza apoyada en un cojín, el cuerpo protegido del frío, cubierto como para el sueño. Yoga-nidra quiere decir sueño consciente. Se trata de una exploración lúcida de los estados de conciencia propios del sueño. En lo más profundo de éste, cuando los pensamientos se suspenden por completo, la conciencia se encuentra en su estado «natural», ilimitado. El entrenamiento en el yoga-nidra permite disfrutar conscientemente de esta experiencia de expansión de la conciencia, que va acompañada por una paz excepcional y una inmensa felicidad.

En la inmovilidad más perfecta posible, el yoga-nidra, mediante ejercicios de conciencia del cuerpo, de concentración, de respiración, de sensaciones y visualizaciones, engendra en el practicante un estado de relajación comparable al del sueño más profundo.

Hay que subrayar un hecho importante: cuanto más profunda es la relajación, más se borra la barrera que se alza habitualmente entre consciente e inconsciente. En efecto, un estado de tensión física suele ser la expresión corporal de un estado de conflicto interior o de defensa: conflicto inconsciente entre consciente y pulsiones o conocimientos inconscientes, defensa contra las irrupciones incontroladas del inconsciente. «Es superior a mis fuerzas».

Gracias a la relajación muy profunda, las visualizaciones simbólicas del yoga-nidra (en el estado privilegiado de umbral, de equilibrio entre el estado de conciencia y el de inconsciencia) actúan muy profundamente sobre la organización de la psiquis, en un sentido curativo y reequilibrante. Permiten también entrar en contacto con las dimensiones más profundas y espirituales de nuestro ser.

Este estado de comunicación entre el consciente y el inconsciente, manifestado en el plano corporal por la relajación profunda, se utiliza directamente en el yoga-nidra mediante la técnica del sankalpa.

Se trata de una decisión tomada en nuestro interior con el fin de cambiar, de mejorar o de adquirir hábitos positivos, cualidades. La fórmula mental debe ser corta, sencilla, clara, formulada de manera positiva. Hay que repetir el mismo sankalpa a cada yoga-nidra, hasta su realización, que se produce siempre.

Se recomienda también repetirlo cada noche antes de dormirse. Se repite tres veces, lentamente, con fuerza, determinación y certidumbre. Se trata de dar una orden al inconsciente, y conviene mostrarse firme para ser obedecido.

He asociado el sankalpa y la visualización de la manera siguiente, lo que le infunde todavía más eficacia:

> Visualice (o imagine, lo que viene a ser lo mismo) un bello cielo azul. En ese cielo azul, vea escrito el sankalpa en letras luminosas (por ejemplo, «Tengo confianza en mí») (...). Lea el sankalpa grabado en letras luminosas en el cielo azul (...). Al pronunciarlo mentalmente, lo inspira, penetra en usted, absolutamente luminoso. Haga una pausa respiratoria, con los pulmones llenos, durante la cual pronunciará mentalmente el sankalpa (...). Al pronunciarlo interiormente por última vez, expírelo, transmitiéndolo por su cuerpo, pasando por todas su células físicas y mentales (...). Sin utilizar palabras, frases, en el silencio interior, deje surgir en usted el sentido del sankalpa, directamente.

André cambió su vida practicando cada noche antes del sueño la visualización de un sankalpa. Me había solicitado una entrevista, en la que se puso de relieve que padecía una terrible falta de confianza en sí mismo. Su «programa» habitual era el siguiente: «No sirvo para nada, ni serviré nunca». Le invité a visualizar cada noche, en la cama, un bello cielo azul y a leer en él, en letras luminosas: *Tengo confianza en mí,* etc.

Alrededor de tres meses más tarde me contó lo que le había pasado. André había sido siempre muy torpe para los trabajos manuales. Su mujer, por el contrario, era muy hábil. Un día, André decidió cambiar de lugar un cuadro del cuarto de estar. Tomó un taburete, un martillo, retiró el sofá, descolgó el cuadro y se preparó para arrancar la escarpia. En ese momento, apareció su mujer y exclamó: «Deja, yo lo haré. Será más seguro». Ante su gran sorpresa, André se oyó a sí mismo responder: «Déjame en paz. Voy a hacerlo yo». Y en efecto, colocó el cuadro donde quería. Su estupefacción frente a un comportamiento tan poco habitual en él era todavía muy manifiesta en el momento en que me contó su aventura.

«No sé si mi actitud estará relacionada con la frase que visualizo en el cielo azul...», añadió dubitativo.

André continuó visualizando cada noche su sankalpa. Al cabo

de algún tiempo, decidió presentarse a unas oposiciones para ascender en Correos, donde trabajaba. Y él, a quien la idea de un examen aterrorizaba, aprobó en diversas ocasiones, lo que le valió varios ascensos. En la actualidad, ocupa un puesto más interesante y mejor remunerado en otra ciudad.

5. La imaginación es siempre más fuerte que la razón

Hay personas a quienes le resulta fácil visualizar, gracias a que poseen un sentido visual muy desarrollado. A otras, les parece de primera intención imposible crear imágenes mentalmente, puesto que en ellas los demás sentidos son más eficientes. He de precisar que no es indispensable «ver» la imagen mental positiva. Basta con imaginarla. El resultado será exactamente el mismo. La facultad de «ver» las propias creaciones mentales en forma de imágenes interiores se desarrolla con la práctica.

Quisiera rendir aquí homenaje a Émile Coué en lo que respecta al poder de la imaginación. A él le debemos esta juiciosa observación: «La imaginación es siempre más fuerte que la razón. Para demostrarlo, basta con hacer la experiencia siguiente: camine sobre una tabla de diez centímetros de ancho –y por ejemplo– tres metros de largo. La recorrerá con toda facilidad, sin poner el pie fuera de ella. Si ahora la coloca entre dos edificios, a diez metros del suelo, ¿por qué no se siente capaz de aventurarse por ella con la misma facilidad? La tabla sigue midiendo diez centímetros de ancho por tres metros de largo, pero su **imaginación, más fuerte que la razón,** le hace pensar que podría dar un mal paso y caer».

La imaginación se impone siempre a la razón. Utilice su poder, asócielo con la visualización. Con la imaginación y la visualización, tiene a su disposición dos medios muy potentes de desarrollo personal para liberarse de los obtáculos que se oponen a su felicidad.

11. Otros métodos

1. El repertorio

Sin duda se ha sentido interesado por varios de los pensamientos-fuerza positivos que ha visto desde el principio de este libro y deseará comprobar plenamente su verdad y su poder. Denomino «el repertorio» a la lista de esos pensamientos. Lo utilizo como una técnica aneja a mis métodos por escrito, y lo hago del modo siguiente:

a) Elaboración y lectura

Durante las entrevistas con las personas que vienen a consultarme, me sucede con frecuencia detectar, mientras me hablan, algunos de sus esquemas de pensamiento negativos. Localizo enseguida el pensamiento justo, verdadero y positivo que corresponde a cada uno y elijo, de acuerdo con ellos, en el repertorio así constituido, el pensamiento que juzgo más fecundo y urgente para responder a sus necesidades. A continuación, les invito a practicar uno de los métodos por escrito, sirviéndose de ese pensamiento, y a anotar los otros pensamientos del repertorio en la guarda de su cuaderno.

Aconsejo leer el repertorio una vez al día, como mínimo. Así, la mente se habitúa a los nuevos puntos de vista, a frecuentarlos. Los demás pensamientos positivos permanecen en «espera activa», hasta el momento en que el pensamiento prioritario, practicado con el método idóneo, ha dado sus frutos. En ese momento, se puede elegir un segundo pensamiento en el repertorio y aplicar, con él, el método que tan buenos resultados ha dado con el primero. Ocurre con frecuencia que la utilización metódica de todos los pensamientos del repertorio se haga inútil tras el trabajo sobre el primero. Por el efecto combinado del método de base y la lectura diaria del repertorio, muchos sectores, antes negativos, se habrán orientado hacia el progreso y la eliminación de los obstáculos a la felicidad. Sin embargo, si un pensamiento del repertorio suscita aún fuertes resistencias, o algún otro que se revele gracias al trabajo precedente, habrá que someterlos a una práctica metódica.

b) El casete de desarollo personal

Es posible también utilizar el repertorio como un método por sí mismo, de la manera siguiente: elija una música que le guste, con preferencia suave, relajante y serena. Sobre este fondo musical, grabe, en un casete audio, los pensamientos del repertorio. Es importante hablar lentamente, con voz suave, un poco monocorde. Conviene también hacer un silencio entre cada frase, un silencio equivalente al tiempo necesario para pronunciarla dos veces mentalmente. De esta forma, el inconsciente percibe y registra mejor el mensaje. Recomiendo grabar cada pensamiento del repertorio en las tres primeras personas del indicativo:

- *Yo, X., estoy gozosamente libre del pasado* (silencio).
- *Tú, X., estás gozosamente libre del pasado»* (silencio).
- *X. está gozosamente libre del pasado* (silencio).

Conviene también regular el volumen sonoro de tal forma que la música se imponga a las palabras. El inconsciente percibe mejor los sonidos que el consciente. Aunque tenga que tender el oído para percibir las frases, su inconsciente las oirá muy bien. Además, tanto la música como el inconsciente y la intuición son fundamentalmente de la competencia del hemisferio derecho del cerebro (mientras que la mitad izquierda rige sobre todo las funciones racionales). La asociación de una música suave y de pensamientos murmurados permite una mejor asimilación por parte del inconsciente. ¿Acaso no es más fácil memorizar la letra de una canción que un texto sin soporte musical?

Escuche con frecuencia este casete, en el coche, en su casa, mientras lee o escribe, cuando haga la limpieza o prepare la comida, etc. Es muy beneficioso escucharla al adormecerse y al despertar. Su mente se acostumbrará así, lenta y muy fácilmente, y acogerá esquemas de pensamiento que le serán favorables.

Ampliará todavía más el efecto del casete si recopia el repertorio una vez por semana.

Comprobará entonces la disminución progresiva de sus resistencias a la felicidad y a los pensamientos que son fecundos para usted. En su vida diraria, advertirá un cambio hacia el bienestar y la dicha.

Otra manera de utilizar el repertorio consiste en recopiarlo diariamente, por la mañana y por la noche, con o sin comentarios.

2. Los trescientos objetivos

Escriba en un cuaderno:
- 100 cosas que le gustaría hecer;
- 100 cualidades o talentos que le gustaría tener;
- 100 bienes materiales que le gustaría poseer.

Para ayudarse a descubir los trescientos objetivos que acabamos de exponer, hojee un diccionario. Aquí y allá, una palabra atraerá su atención y le hará pensar en tal calidad o bien material, o en algo que le gustaría hacer. Una vez que haya establecido la triple lista, quedará sorprendido ante la riqueza de su naturaleza, al descubrir en sí mismo tantas posibilidades. Redactar esta lista merece ya la pena a simple título revelador, pero es preferible llegar más lejos.

Entre los trescientos objetivos, elija uno solo, la prioridad de las prioridades. Formule una afirmación positiva a su propósito. Practique ese pensamiento con los otros métodos. Infúndale fuerza, vida y realidad. Cuando haya conseguido el primer objetivo, haga lo mismo con un segundo, luego con un tercero. Relea después la triple lista. Advertirá que ha logrado mucho más que esos tres objetivos. Su avance hacia la autorrealización habrá arrastrado en su estela, de manera natural, la actualización de varias otras de sus posibilidades.

3. Las afirmaciones en pie, frente a frente

Solicite la colaboración de una persona de su entorno (un amigo, un pariente, etc.). De pie frente a esa persona, mirándose bien a los ojos, declárele (por ejemplo): *Tengo confianza en mí.* Y ella le responderá: *Sí, tienes confianza en ti.* Reitere este intercambio hasta que se sienta bien mientras hace la afirmación o, por lo menos, hasta que se sienta mejor que antes. Repítalo a diario, hasta su plena realización en usted. El hecho de permanecer de pie es importante. Imagínese diciendo la misma frase frente a su interlocutor estando ambos repantigados en blandos cojines... La eficacia sería entonces mucho menor. El proceso será también beneficioso para su colaborador, ya que se desarrollará en él la misma idea positiva.

4. Las afirmaciones ante el espejo

Cada día, mientras se lava o se peina, se coloca usted frente a un espejo, una ocasión excelente para mirarse directamente a los ojos, ver su propio reflejo y repetirse con fuerza y convicción: *Me aprecio* (por poner otro ejemplo).

Algunas personas se sienten más implicadas al repetir los pensamientos positivos delante de un espejo que frente a un testigo. A otros les ocurre lo contrario. Pruebe con los dos métodos. Reconocerá el que le conviene mejor por el hecho de que le suscita mayores resistencias.

Se puede escribir en la parte superior del espejo, con un rotulador, la afirmación positiva. Así la recordará cada vez que se mire en él. Siguiendo el mismo orden de ideas, también puede marcarlo en la parte interior de su bolso, de su cartera, en un accesorio de su mesa de despacho, etc.

Si no quiere que nadie lea su afirmación, dibuje una figura geométrica, la que elija, o una asociación de colores que la representen exclusivamente a sus ojos.

5. «Abrir las contraventanas por la mañana»

Un día, en un seminario que yo animaba, una participante tomó la palabra. Yo acababa de hablarles de «insistir siempre sobre lo positivo».

«René –dijo–, tus palabras me recuerdan a mi abuela. Me enseñó a abrir las contraventanas cada mañana y afirmar: *Hace un día espléndido.* Tanto si llueve, como si hay viento, como si luce el sol, *hoy hace un día espléndido*. Siempre lo he hecho así y me ha ayudado mucho. Me doy cuenta de que he cometido un error al no enseñárselo a mis hijos. Así que he decidido empezar a enseñárselo hoy mismo a mis nietos.»

¡Qué bella manera de rendir homenaje a la vida! Desde entonces, he incluido la herencia de esa abuela en mis seminarios... y en mi libro. ¿Qué no tiene usted contraventanas? No importa. Suba las persianas o elija cualquier otro acto cotidiano y tómelo como soporte de un pensamiento fecundo. Puede ser el hecho de tomarse la taza de líquido caliente del desayuno, o de abrir la puerta que le da acceso al mundo exterior, etc.

Dentro de la misma óptica, podría también escribir en la puerta del lavabo: *Abandono fácilmente y con agrado todo aquello que ya no es necesario para mi vida*. Esta última afirmación conviene especialmente en caso de estreñimiento, que tiene con frecuencia sus orígenes en el pisquismo, relacionados con un apego al pasado o a los bienes materiales, o bien a una actitud de retención frente a la vida o al don de sí mismo. Paralelamente, la imposibilidad de vomitar que sufren ciertas personas puede significar que quieren (más o menos conscientemente) guardar un secreto, en la mayoría de los casos un rencor.

6. Cantar OM caminando

Se trata de una técnica muy potente y fácil de poner en práctica. Consiste, en un primer tiempo, en utilizar el ritmo pendular de la marcha para ampliar y regular la respiración. Escoja con preferencia un espacio en que el aire esté lo menos contaminado posible. Camine a su propio ritmo acostumbrado, lo que le permitirá andar durante mucho tiempo sin cansarse. Cada uno tiene su ritmo propio, como habrá podido comprobar caminando en compañía de alguien, cuando de los dos se ve obligado a apresurar el paso para seguir al otro, o al contrario. Una vez se encuentre bien instalado en su ritmo, cante mentalmente el sonido OOOMMMMMMMMMMMMMMMM a cada espiración del aire, cosa que alargará de modo manifiesto su duración. Deje que la inspiración se haga libre, espontáneamente. También se alargará de manera natural. Continúe andando, pero ahora cante mentalmente el sonido OM durante la espiración, hasta percibir que el ritmo de la respiración y el de la marcha están perfectamente sincronizados y son agradables y regulares.

Este ejercicio es por sí sólo extraordinariamente eficaz para la relajación y la paz interior. La primera vez, limítese a unos diez minutos de marcha, puesto que respirar con tanta profundidad y tanta calidad de respiración será sin duda nuevo para usted, y su organismo tiene que acostumbrarse a ello poco a poco. Si experimentase un principio de mareo, le aconsejo que detenga en el acto el ejercicio. Aumente progresivamente, día tras día, la duración de la marcha-respiración, hasta llegar a los veinte minutos sin problemas. Los resultados obtenidos serán profundos y duraderos.

El ejercicio que acabo de describir es una de las formas de la técnica del yoga llamada *chakranaman,* que consiste en cantar un mantra (en nuestro caso, OM) andando circularmente en torno a un espacio o un lugar sagrados. OM es el mantra más conocido y más practicado en la tradición india y en el budismo tibetano. Ambas tradiciones atribuyen al sonido OM numerosos sentidos simbólicos. En el marco de este libro, nos basta con comprobar que tiene un verdadero poder para concentrar las energías psíquicas. Facilita la concentración, fascina el espíritu, en el que instala la paz y una vibración de extrema calidad. Es muy beneficioso.

Basándose en la asociación entre la marcha pendular y la respiración profunda y regular, puede utilizar la relajación y la concentración así logradas para repetir mentalmente una afirmación positiva. En ese caso, una vez obtenida la regularidad del aliento y de la marcha (como hemos indicado) y tras asegurarse de que mantiene bien el ritmo, reemplace el canto interior de OM por la cuenta del número de pasos dados durante la espiración (en general, serán entre cinco y diez). Basta entonces redactar una afirmación positiva que tenga el mismo número de sílabas y hacer el ejercicio reemplazando el canto interior de OM por la repetición mental del pensamiento escogido.

Si el pensamiento positivo deseado comprende un número de sílabas mayor que el de pasos asociados a la espiración, reparta las palabras de la frase y pronuncie la primera parte durante la inspiración y la segunda durante la espiración. Es muy importante en ese caso respetar la proporción natural entre la inspiración y la espiración, es decir, la proporción que estableció al cantar OM sólo durante la espiración. Advertirá que, en esas condiciones, la espiración necesita siempre más pasos que la inspiración. Esa proporción favorece la relajación, mientras que la inversa produce el efecto contrario.

Resulta muy fácil integrar esta técnica en la vida cotidiana, por ejemplo al ir al trabajo por la mañana. Deje el metro, el autobús o su coche antes del lugar en que trabaja y practique mientras se dirige a él. Así iniciará su jornada profesional en un ambiente de calma, fuerza y eficacia. Sus relaciones con los demás se facilitarán en gran medida. Tendrá confianza en sí mismo y sus tareas le parecerán más fáciles. Se concentrará de modo natural, sin dificultad y en mayor grado, se sentirá más presente, menos emotivo.

A los beneficios de los veinte minutos de respiración lenta, profunda, consciente y siguiendo la cadencia de la marcha (ya eminentemente positivos), vendrán a añadirse los propios del poder del pensamiento repetido al andar.

Recomiendo con frecuencia este ejercicio a los estudiantes paralizados por el miedo antes de un examen, eligiendo el pensamiento en función de su necesidad particular. Haciéndolo por la noche, sienta también muy bien a los que padecen de insomnio.

Lo mismo que las demás técnicas y métodos enseñados aquí, conviene practicar este ejercicio regularmente, si se quieren obtener resultados duraderos y profundos. Hay muchas personas que se contentan con un primer resultado y se detienen, cometiendo un error lamentable. Los primeros resultados no son más que un aliento para continuar en la vía. Considerándolos así, le motivarán para avanzar más aún en dirección a la felicidad. Persevere, concédase el derecho a realizar su vida en todos los sentidos. Sea ambicioso y determinado. **Tiene en usted todos los poderes de la realización.** Utilícelos plenamente, con vistas a su propia felicidad y la felicidad de quienes le rodean.

7) Los contratos

Con este libro, he firmado un contrato moral con usted, amigo lector, un contrato que cumplo al presentarle técnicas y métodos precisos, fáciles y activos, mediante los cuales triunfar en la vida. A usted le toca cumplir su parte, es decir, aplicar lealmente dichos métodos y técnicas, con el espíritu que conviene.

Se llama contrato al compromiso que alguien acepta, frente a una o varias personas –o a sí mismo–, de cumplir, hacer o dejar de hacer algo. Un contrato puede estar sometido a las leyes, que garantizan su ejecución, so pena de sanciones.

Un contrato puede ser también un **compromiso moral,** basado en el sentido del honor y de la dignidad. Se funda en el valor que la persona concede a su propia palabra, en el respeto que siente por sí misma y en su fe en su facultad de cumplir los compromisos aceptados.

Esas cualidades existen naturalmente en toda persona. Están íntimamente vinculadas a la Verdad, al Ser, a lo que hay de más grande en el hombre. Cierto que existen personas que traicionan sus compromisos, pero ese caso es con toda seguridad mucho más raro que el caso contrario. Faltar a sus promesas tiene como consecuencia una calidad de vida muy mediocre, acompañada por una estima muy escasa de sí mismo. Como subraya el decálogo del dominio del pensamiento, un comportamiento semejante produce debilidad, sufrimiento y dificultades. Incluso rechazadas al fondo de la conciencia, estas dificultades traducen el hecho de que las personas implicadas han vuelto la espalda a su autorrealización y, por consiguiente, a su razón de ser, cosa muy lamentable.

Cuando se establece libremente un contrato entre dos partes, fuera de toda coacción legal, se convierte en la ocasión de un **encuentro** entre ellas, en el plano de su conocimiento íntimo de la Verdad. Y eso es lo que confiere su fuerza al *contrato moral* y lo que le asigna un lugar entre las técnicas de dominio del pensamiento.

Al final de cada seminario de dominio del pensamiento, pregunto a los participantes si quieren firmar un contrato conmigo, es decir, comprometerse a aplicar a diario una o varias técnicas enseñadas y darme cuenta de sus resultados, por escrito, al cabo de un mes.

Son muchos los que firman el contrato propuesto. Cuando me escriben, la mayor parte se felicita por haber aceptado. Gracias a él, les ha sido revelada una potencia insospechada, que reside en técnicas y métodos en apariencia muy sencillos. Los contratos me valen numerosos y conmovedores testimonios. Su eficacia es segura.

¿Está dispuesto a firmar un contrato en los términos siguientes?

> Yo, ... me comprometo a aplicar el (o los) métodos (s) de ....
> y el de ....
> durante un mes y a diario.*
>
> Después de este ensayo, me comprometo a dar cuenta por escrito de los resultados que haya podido comprobar.
>
> Firmado en ...., el ....
>
> Firma:
>
> Testigo: ....
>
> * Para los métodos por escrito, indicar el número de páginas.

Redacte este contrato en dos ejemplares, fírmelos y envíelos a mi dirección: René Sidelsky; «Yoga et développement personnel»; 33, rue des Beaumonts; 45000 Orléans (Francia). Un mes más tarde (para los casos muy graves, será preferible esperar tres meses), escríbame para exponerme sus resultados.

Un mes de práctica le proporcionará la prueba indudable de la eficacia de los métodos expuestos. Se sentirá mucho mejor. Habrá cambiado. Sus relaciones consigo mismo y con los demás habrán mejorado.

Una advertencia, sin embargo. Se trata sólo de un ensayo. Muchas personas cometen el error de abandonar la práctica tan pronto como se deja sentir la mejoría (con lo que no pasará de ser provisional). Supone a menudo una manifestación de resistencia al cambio. Persevere, continúe su práctica, no se contente con un primer resultado. Se abre ante usted una vida plenamente satisfactoria. Dé todavía algunos pasos más en su dirección. Siga aplicando los métodos y las técnicas cuya bondad habrá comprobado por sí mismo. Relea este libro después de haber aplicado las técnicas que en él se exponen. Lo captará mucho mejor a la segunda lectura. Le enriquecerá todavía más que a la primera. Se convertirá para usted en un amigo seguro.

Los métodos propuestos de dominio del pensamiento pueden ser considerados como un medio poderoso de autoterapia. Aplicados con rigor y perseverancia, dan resultados rápidos en comparación con otras terapias. Presenta además la ventaja, a cambio de un mínimo de trabajo, de exigir un gasto de dinero muy reducido, con el privilegio extra de la autonomía.

No obstante, me gustaría subrayar el punto siguiente: cuando una persona inicia una terapia psicológica, llega un momento en que coexisten en ella dos personalidades que se disputan la preeminencia, la antigua (acomplejada, neurótica, que sufre) y la nueva que emerge (simple, apta para la felicidad). La que sufre lleva tanto tiempo viviendo con su sufrimiento que se identifica con él. Para esa persona, «vivir es sufrir». E inconscientemente, considera el final del sufrimiento que se produce con su evolución positiva como si fuera el final de su vida. En realidad, se trata sólo del final de su identificación con un ego construido en simbiosis con el sufrimiento. Como se da identificación con el ego falseado, la persona experimenta inconscientemente la desaparición progresiva del sufrimiento como la amenaza de una muerte verdadera, angustiosa.

Interviene también el deseo o la necesidad de hacerse daño a sí mismo. Las personas que sufren moralmente porque, en el fondo, lo quieren así son muy numerosas. El terrible esquema «vivir es sufrir» está tan enraizado en ellas que sólo se sienten vivir de veras en el sufrimiento. De manera inconsciente, se las arreglan para que todo en su vida sea ocasión de sufrir. Y con frecuencia, aplicando la lógica del atroz esquema de su propio pensamiento, tienen una gran tendencia a hacer sufrir a los demás.

La necesidad o el deseo de hacerse daño a sí mismo puede también tener su origen en sentimientos de culpabilidad. Si me siento culpable, busco más o menos conscientemente el castigo.

Las causas fundamentales del sufrimiento moral que hemos expuesto se adicionan incluso unas a otras, por lo cual no hay que extrañarse de la presencia en ciertas personas de resistencias muy fuertes al cambio y a la felicidad.

Si, durante el desarrollo de la terapia, el conflicto entre lo antiguo, que debe morir, y lo nuevo, que está naciendo, se hace muy agudo, el sujeto puede preferir huir. Se orientará entonces en direcciones diversas, a fin de escapar a la transformación de su ego pervertido, con el que se identifica y al que se apega.

La «huida» puede consistir en la enfermedad orgánica, la enfermedad mental, una agresividad contra los demás capaz de llegar al gesto violento, incluso asesino, el abandono de la terapia, o diversos niveles de autodestrucción, cuyo ejemplo extremo se encuentra en el suicidio.

Un día, una asistente a un seminario de dominio del pensamiento me dijo exactamente:

«Después de años de sufrimientos, me he dado cuenta de que tenía que elegir entre la enfermedad, la locura o el suicidio y el cambio. He preferido cambiar. Por eso estoy aquí todavía.»

Otra persona que había progresado enormemente hacia la plenitud entró un día en esa fase aguda de conflicto entre sus personalidades, la antigua y la nueva. Su huida se orientó hacia la autodestrucción. Empezó a tomar de veinte a cincuenta cafés diarios y a fumar dos o tres paquetes de cigarrillos. Una dosis tan enorme de venenos la hacía temblar continuamente. No dormía y, por lo tanto, llegaba siempre con retraso a su trabajo, lo que le valía, claro está, dificultades suplementarias. Se sentía arrastrada a la locura.

Durante una entrevista prolongada e intensa, en la que discutimos palabra por palabra, conseguí que firmase el contrato siguiente:

Yo, ..., me comprometo auténticamente en mi alma y conciencia, a no hacer nada, directa o indirectamente, que pueda perjudicarme a mí o perjudicar a otro, a permanecer en buena salud y a conservar toda mi razón.

A partir de ese instante, su comportamiento se modificó. Reemprendió su camino hacia la realización.

Después de este primer contrato, y gracias a numerosos ensayos, he ido mejorando su formulación, hasta llegar a una que favorece la consecución de una empresa, o de un objetivo, en las mejores condiciones:

En mi alma y conciencia, yo, ..., me comprometo auténticamente a emprender y realizarlo todo para llegar hasta el final de (objetivo preciso), *respetando tanto mi cuerpo y mi mente como el cuerpo y la mente de los demás.*

Un día, vino a consultarme un muchacho. Era su último recurso. Ya no podía soportar más el sufrimiento, de modo que el suicidio le parecía la única solución, definitiva y segura, para su dificultad de ser. Aspiraba a la muerte porque, pensaba, sólo ella le

172

aportaría el apaciguamiento. Había llegado al fondo de la desesperación y, decía, ya no creía en nada. Discutí con él con obstinación, paciencia y encarnizamiento durante más de dos horas antes de que aceptase firmar un contrato. Algún tiempo después, supe por una amiga común que, en un arrebato de furia, había roto el único ejemplar de su contrato. Ella le señaló, con toda razón por lo demás, que un contrato no reside en su materialidad física, en un papel firmado, y que el hecho de quemarlo o romperlo no cambiaba en nada el compromiso.

Con gran probabilidad gracias a ese contrato, el muchacho en cuestión continúa con vida y es relativamente feliz.

De modo que, en ciertas circunstancias dramáticas, un contrato puede salvar una vida. Bien formulado, anula todas las posibilidades de huida y orienta a la persona en la única dirección buena y natural, la de su realización.

Cierta persona firmó un día este contrato:

> *Yo, ..., en mi alma y conciencia, me comprometo auténticamente a limpiar mi apartamento y hacerlo agradable.*

Alrededor de un mes más tarde, me envió una carta en la que se maravillaba de ver su apartamento tomar poco a poco un aspecto ordenado y atractivo. Expresaba también toda la importancia de ese cambio, ya que significaba mucho más que el orden en su domicilio. En realidad, se daba cuenta de que toda su vida se ordenaba.

Cada uno puede firmar, consigo mismo o con otro, un contrato a propósito de cualquier objetivo deseable (de acuerdo con la unidad del mundo, del pensamiento y de la vida).

Existe un contrato supremo, que engloba a todos los demás redactados en el sentido del bien:

> *En mi alma y conciencia, me comprometo auténticamente a orientar todas mis energías hacia la realización del Ser, respetando tanto mi cuerpo y mi mente como el cuerpo y la mente de los demás.*

12. «El ave migratoria»

El sankalpa del yoga-nidra y el «ave migratoria» son las dos técnicas con las que empecé a enseñar sistemáticamente en el campo del dominio del pensamiento.

El ave migratoria es una técnica completa, que asocia el cuerpo, la respiración, la atención, el pensamiento, la relajación y el mantra. Todos estos elementos se conjugan y se suman, haciéndola extremadamente eficaz. Su efecto de relajación –física y mental– y de bienestar es inmediato, gracias, de una parte, a la amplitud y la regularidad de la respiración asociada al movimiento y, de otra parte, a su capacidad de fijar y desarrollar la atención. Los efectos propios del pensamiento requieren una práctica regular. Son, sin embargo, muy evidentes, como demuestra la práctica siguiente.

1. La fuerza del ave migratoria

Hace unos años, una mujer se incribió en mis cursos de yoga, aclarando bien las cosas desde el primer momento.

–Vengo a hacer yoga –dijo–, porque paso de los cuarenta y quiero cuidar mi cuerpo y mantenerlo flexible. No quiero ninguna cosa más.

Como suelo acoger todas las motivaciones conscientes y declaradas, acepté que comenzase su práctica. A pesar de mis indicaciones, lo que hacía se parecía más a una gimnasia militar, voluntarista y violenta, que al yoga. Sé por experiencia que hay que mostrarse paciente y que su «programa» de yoga la cerraba *a priori* a lo que es. Su marido o su hija la traían siempre a sus sesiones, puesto que padecía un tic que la obligaba a parpadear rápidamente, sin interrupción. No podía desplazarse sola por la calle. Su hándicap era tan pronunciado que se tambaleaba, cegada, chocando contra los coches estacionados o contra las farolas o precipitándose sobre los transeúntes, que, ante su gran horror e indignación, la trataban de borracha.

Aproximadamente un año después de su inscripción, recibí una llamada telefónica de su marido.

–¿Podría recibir enseguida a mi mujer? –me preguntó–. Se encuentra muy mal moralmente y quiere arrojarse por la ventana. He observado que, al regresar de sus clases, se siente mejor que de costumbre. Quizá podría usted hacer algo por ella.

Llegó casi de inmediato, traída por su marido, y me enteré por éste que tenía ese tic desde hacía diez años, que no podía leer, ni hacer punto, ni coser, ni ver la televisión, ni ir al cine, que preparar la comida suponía a veces para ella una aventura. Lo consultó con médicos especialistas, que no descubrieron nada orgánico, y ningún tratamiento le aportó la menor mejoría. Los tranquilizantes ejercían sobre ella un efecto contrario. Intentó el psicoanálisis, pero lo dejó muy pronto, porque le parecía que iba a volverse loca. Una vez, durante una visita a su hermana, en Marsella, ésta la llevó a consultar a su homeópata y, gracias a él, tuvo por primera vez una ligera mejoría. A partir de entonces, cada vez que su condición alcanzaba un estadio paroxístico, repetía (acompañada) el viaje a Marsella.

Le mandé hacer algunos desperezamientos, asociados con respiraciones profundas. Al marchar, se sentía mucho mejor. Tres veces en el espacio de un mes, el marido volvió a telefonearme para pedirme que la recibiese con urgencia. La tercella, ella misma me preguntó si quería ocuparme de ella más seriamente, de otro modo que para una «reparación» urgente. Acepté y le enseñé entonces la técnica del ave migratoria, con el pensamiento: *Yo, C., veo claro, tengo la mirada clara* (en la realidad, tiene los ojos de color castaño oscuro). Dado que los médicos no habían encontrado ninguna causa orgánica para su tic, pensé que debía de haber algo que se negaba a ver, lo que su inconsciente traducía obligándola a cerrar los ojos. El pensamiento «Veo claro, tengo la mirada clara» me pareció el más apto para poner de acuerdo su consciente y su inconsciente.

La invité a practicar el ave migratoria todos los días, por la mañana y por la noche, durante veinte minutos. Tres semanas más tarde, me señaló una gran mejoría. Ya podía leer un poco.

–Lo malo es que ahora no duermo por las noches –me dijo.

Le pregunté qué frase repetía durante el ave migratoria.

–Pues la que usted me dijo –repuso.

–Digámela de todos modos.

–Veo claro, tengo los ojos siempre abiertos.

El método es tan eficaz que la repetición de «Tengo los ojos siempre abiertos» le impedía cerrarlos de día..., pero también de noche. Había modificado inconscientemente la frase porque, aunque no quería parpadear sin descanso, sin duda seguía negándose a ver claro en sí misma.

Rectificó la formulación, y su tic desapareció pronto y por completo. Más aún, se sentía maravillosamente bien. A veces, mientras hacía el ejercicio, tenía la impresión de sumergirse en una luz y ser transportada a un estado de alegría y de felicidad indecibles. Cada vez estaba más tranquila y serena.

Ahora bien, su marido aceptó un puesto en el Este de Francia, y ella se angustió de nuevo ante la idea de tener que dejar el centro de yoga que le había devuelto la vida y la felicidad. Le di las direcciones de varios profesores que conocía en su futura región. Más tarde, me escribió que, después de algunos ensayos, había preferido continuar con el ave migratoria y dar largos paseos por el campo, con toda autonomía. Hace ya más de diez años que se marchó al Este y luego a Poitiers, pero continúa escribiéndome de vez en cuando. Recientemente, al pasar por Orléans con su marido, vinieron a verme. Se ha convertido en pintora y escultora y me mostró fotografías de sus obras. En mi opinión, tiene verdadero talento. Lo cierto es que, para esculpir y pintar como ahora lo hace, se necesita «ver claro, tener la mirada clara».

2. La técnica

El ave migratoria es una técnica muy sencilla y muy fácil de aplicar. Sin embargo, exige una gran precisión de ejecución para manifestar toda su potencia. Por lo tanto, la dividiré en sus distintos elementos con vistas a su aprendizaje. Por su parte, debe leer atentamente, comprender y seguir bien las indicaciones, ya que no habrá nadie a su lado para rectificar sus movimientos en caso necesario. Se trata de un ejercicio respiratorio en cuatro tiempos: la inspiración, la pausa en lleno, la espiración y la pausa en vacío. Se practica echado sobre la espalda, con las rodillas dobladas, y se asocia a la respiración un movimiento de brazos que le infunde amplitud y regularidad.

a) El ejercicio del cuerpo

Échese de espaldas, con las rodillas dobladas, los pies apoyados en el suelo y separados por una distancia igual o superior a la anchura de las caderas. El hecho de tener las rodillas dobladas hace más flexible el abdomen y permite una mejor respiración. Las piernas deben estar en equilibrio, estables y sin tensión muscular, como dos objetos posados sobre un mueble.

Con un movimiento lento y regular, vaya apartando los brazos sin alzarlos, rozando el suelo, al mismo tiempo que inspira. Al final de la inspiración, las manos se tocan cerca del pelo, con los codos flexionados y atraídos hacia el suelo por su propio peso. Mantenga esta posición durante varias respiraciones naturales, prestando atención la primera vez a relajar al máximo las piernas, los brazos, el abdomen y la cara. En este estadio del aprendizaje, quizá se vea obligado a modificar ligeramente la posición de brazos y piernas, con objeto de obtener la relajación máxima. En lo que se refiere a las manos, preconizo que se toquen con la punta de los dedos, como para «saludarse». Si la relajación y la posición de los brazos son correctas, mantener el saludo de las manos exige un ligero esfuerzo; de otro modo, el peso de los brazos provocaría la separación de las manos. Ese contacto de las manos es necesario para hacer más preciso y regular el movimiento de los brazos, lo mismo que su inmovilización al final de la inspiración. Lo es también por motivos energéticos. Gracias a él, la energía vital se mantiene en circuito cerrado, en beneficio del cuerpo. Por último, es un elemento más en la concentración.

Cuando se sienta absolutamente confortable y relajado, memorice bien la posición alta de los brazos, ya que tendrá que reproducirla al final de cada inspiración.

La respiración será siempre nasal, tanto en la inspiración como en la *espiración,* lo cual tiene una gran importancia, ya que la respiración nasal facilita la relajación, mientras que la respiración por la boca favorece la excitación y la emotividad. Además, la respiración nasal permite recibir una energía de mayor calidad

177

y hace que las costillas se muevan más que en la respiración por la boca.

Y el ejercicio puede ya comenzar.

Primer tiempo: baje los brazos hasta dejarlos a lo largo del cuerpo, relajados, con las palmas hacia el cielo. Sea consciente de su aliento. Cuando se inicie la **inspiración,** los brazos la acompañarán apartándose, rozando el suelo, sostenidos por éste.

Segundo tiempo: al final de la inspiración, las manos «se saludan» cerca del pelo, con los codos flexionados atraídos hacia el suelo por su propio peso, puesto que están muy relajados. Mantenga esta posición, que ha memorizado durante la preparación, *conservando los pulmones llenos.* Tenga cuidado de mantener el rostro relajado.

Tercer tiempo: cuando la *espiración* se inicia espontáneamente, los brazos la acompañan alargándose en la prolongación del cuerpo, hasta quedar paralelos y, *con el mismo movimiento continuo,* siempre con el aliento sincronizado, se alzan rozando las orejas y las mejillas, muy pesados y muy relajados, para posarse de nuevo a lo largo del cuerpo al final de la espiración. Durante este retorno de los brazos, si están verdaderamente relajados, los sentirá en extremo pesados. Las manos pesan al final de los pesados brazos. Cuando llegan a la vertical, la sensación desaparece. Así ocurre cuando se levanta una viga de roble y se alza verticalmente sobre el suelo. Cuando alcanza la vertical, se precisa muy poca energía para mantenerla en esa posición, ya que se sostiene prácticamente en equilibrio por sí misma. Es en el momento en que el peso de los brazos se desvanece cuando debe cambiar lentamente la orientación de las manos, de tal forma que al final del movimiento, cuando pose lentamente los brazos en el suelo a lo largo del cuerpo, las palmas estén vueltas hacia arriba.

Cuarto tiempo: continúe con los pulmones vacíos, confortablemente, vigilando para que el vientre se mantenga relajado durante esta pausa respiratoria natural.

Los cuatro tiempos de esta respiración forman un ciclo. Veamos su resumen.

● La inspiración, acompañada y amplificada por el movimiento de los brazos, que se deslizan por el suelo, abriéndose.

● La pausa en lleno, con los brazos pesados e inmóviles en posición alta, el rostro *relajado*.

● La espiración, sincronizada con el retorno de los brazos pesados y paralelos.

● La pausa en vacío, con el vientre *relajado*.

Se repite el ciclo entero, **suave, regular y armoniosamente.** Las pausas son fáciles, naturales, determinadas por la amplitud del aliento, claramente superior a las necesidades del cuerpo en posición acostada. Ponga una atención particular a:

● Dejarse guiar por su respiración. Es ella, no usted, quien rige el movimiento o la inmovilidad de los brazos.

● Sentir siempre que le pesan los brazos, lo que pone de manifiesto su relajación.

● Percibir la relajación del rostro en la posición alta de los brazos durante la pausa en lleno y la del vientre en su posición baja durante la pausa en vacío.

¿Por qué he denominado esta técnica el ave migratoria? Porque la imita. Tomemos el ejemplo de la golondrina. Su cuerpo es más pequeño que el puño de un niño y, sin embargo, después de haber pasado el verano en Suecia, irá a invernar en el centro de África. Atravesará el mar Báltico, Europa de norte a sur, cruzará los Pirineos, el estrecho de Gibraltar, el Sahara, el Sahel, hasta encontrar por fin el clima que le conviene en África central.

El éxito de un viaje semejante exige una enorme economía de esfuerzo. El vuelo debe ser muy eficaz. La golondrina se deja llevar por el aire, en el que se desliza y planea, más que volar.

El ave migratoria hay que practicarla en un estado de relajación igual, es decir, máximo. Ha de sentir en todo momento que le pesan los brazos, ya que la pesadez es el signo de que los músculos relajados los soportan lo menos posible. Durante el retorno de los brazos paralelos, debe tener la impresión de «sentir el peso del aire», en el que rema con un movimiento de alas parecido al de un ave.

EL AVE MIGRATORIA

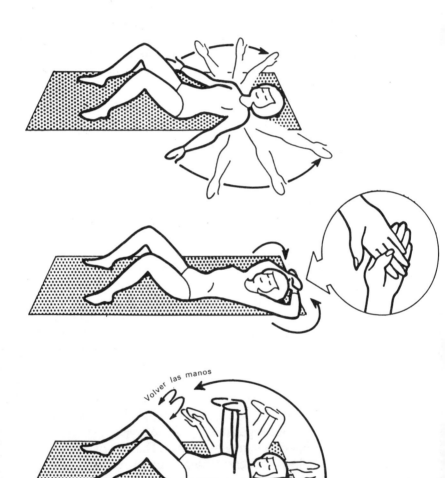

Volver las manos

b) El proceso mental

Cuando haya asimilado bien la parte corporal del ejercicio, que, por sí sola, aporta mucha calma, sosiego y reflexión, aprovechará la pausa en lleno para pronunciar mentalmente un pensamiento positivo, siempre el mismo. Lo repetirá (como si lo hiciera) en el rostro relajado. Durante la pausa en vacío, repetirá mentalmente la afirmación (como si lo hiciera) en el vientre relajado.

Por ejemplo, durante la pausa en lleno, pronuncie mentalmente en el rostro relajado: *Tengo confianza en mí.* Durante la pausa en vacío, pronuncie mentalmente en el vientre relajado: *permanezco siempre en calma.*

El primer pensamiento concuerda, por afinidad, con la pausa en lleno. El pensamiento y la pausa en lleno son ambos «Yang», dinámicos. «Permanezco siempre en calma» indica un estado más bien pasivo, es un pensamiento «Yin», lo mismo que la pausa en vacío con la que concuerda. La inversión de la pronunciación de estos dos pensamientos, aunque seguiría siendo eficaz, convendría menos. (Yin y Yang son los conceptos chinos de dos modos universales de energía, opuestos y complementarios, polos del equilibrio en evolución perpetua).

Durante las pausas respiratorias (que se prolongarán por sí mismas con la práctica, aunque seguirán siendo confortables), puede repetir, en función de su duración, una o varias veces la fórmula mental que les está asociada.

Aprendida ya la parte mental del ejercicio, añadirá a los movimientos de los brazos sincronizados con la inspiración y la espiración el canto mental de OOMMMMM, lo que tiene como efecto drenar muy fácilmente una atención acrecentada, pero también el poder de concentrar la mente. El sonido OM integra las energías psíquicas y, por lo tanto, aumenta la eficacia de la repetición de los pensamientos positivos.

La práctica del ave migratoria debe durar de diez a veinte minutos, una o dos veces diarias, en función de las necesidades o del efecto buscado.

181

3. La versión más elaborada del ave migratoria

Cuando el movimiento, la respiración, la repetición de los pensamientos y del mantra OM están bien integrados y son cómodos y fáciles, es posible afinar y profundizar más aún la práctica del ave migratoria. Después de quince minutos de ejercicio (realizado físicamente), conserve los brazos a lo largo del cuerpo y realice mentalmente los movimientos de los mismos asociados con la repiración. Todo el ejercicio se efectúa ahora en la imaginación, excepto la respiración (que mantiene su amplitud, su lentitud, su ritmo, sus pausas). Para realizar sin dificultades esta parte del ave migratoria, la última, le recomiendo que alterne primero los ciclos mentales y los ciclos físicos. A continuación, intente varios ciclos mentales seguidos, sin volver al movimiento físico, salvo en el caso de que le fuese necesario para mantener la precisión del ejercicio.

En la versión más elaborada y más potente del ave migratoria, cinco minutos de ejercicio mental sucederán a quince minutos con movimientos, conduciéndole así a un estado de relajación y de plenitud extraordinario. Su cuerpo y su mente estarán excepcionalmente bien relajados y nutridos por la amplia respiración. Para terminar, alargue las piernas y quédese unos minutos en el estado que ha alcanzado, apreciándolo plenamente.

Las ventajas obtenidas con la ejecución mental del ave migratoria son considerables:

● Aumenta más aún la concentración y, por consiguiente, la relajación.

● El equilibrio energético es todavía más positivo, ya que el aliento –fuente de la energía vital– conserva la misma amplitud, mientras que el gasto de energía se reduce todavía más debido a que el cuerpo permanece inmóvil.

● Resulta prácticamente imposible tener pensamientos parásitos cuando se practica mentalmente el ave migratoria, dados todos los elementos de la concentración que acabamos de exponer. Gracias a ello, las rutinas mentales se desconectan, las obsesiones se desvanecen, reemplazadas por un estado excepcional de paz y de serenidad.

● Una vez familiarizados con la práctica mental del ave migratoria, es posible ejecutarla en numerosas circunstancias (comprobará que todos los efectos del ejercicio se amplifican con su ejecución mental).

Supongamos, por ejemplo, que está buscando un empleo. Le han citado al mismo tiempo que a otras varias personas, entre las cuales se halla sentado en una sala de espera. Sin moverse de su asiento, con toda tranquilidad, los ojos cerrados o entreabiertos y sin que nadie se dé cuenta, practique mentalmente el ave migratoria, repitiéndose en su interior, durante las pausas respiratorias, un pensamiento positivo apropiado a su situación. Muy pronto recobrará el estado que le infunde el ejercicio, es decir, la paz, la relajación, la serenidad, la confianza en sí mismo.

Se puede practicar mentalmente el ave migratoria en el tren o el autobús, en el metro, en un coche (siempre que no sea el conductor), en la cama para facilitar el adormecimiento, etc.

4. Una técnica providencial para los que padecen de insomnio

Practicada antes de acostarse, el ave migratoria está particularmente recomendada para los insomniacos. Si hacen el ejercicio sobre la alfombra, antes de meterse en la cama, observarán que disponen, inmediatamente después, de una mente excepcionalmente atenta y abierta. Si tienen la costumbre de leer en la cama, se beneficiarán de esta gran lucidez. Sin embargo, al cabo de unos minutos sentirán una intensa necesidad de dormir, a las que les conviene obedecer enseguida. Si se despiertan durante la noche y practican el ejercicio mental y lentamente en la cama, volverán a dormirse de manera insensible.

Conoce usted ya la importancia y el poder de los estados intermedios entre el consciente y el inconsciente, los momentos de despertarse y de dormirse. Las pausas respiratorias del ave migratoria tienen ese mismo poder. Cuando el movimiento y la respiración, amplios y sincronizados, se suspenden, la mente tiende también a suspender su funcionamiento. El estado de relajación profunda que resulta de ahí y del conjunto del ejercicio constituye por sí mismo un agente de comunicación y de armonización entre el consciente y el inconsciente. En consecuencia la repetición de pensamientos positivos durante las pausas respiratorias del ave migratoria es un medio extraordinariamente potente de programar el inconsciente. En estas condiciones, ya eminentemente favorables, el canto interior de OM acentúa más aún la calma, la interioridad y la concentración mental.

Cuenta ahora con un amigo seguro, un amigo alado, el ave migratoria, que le permitirá sobrevolar con facilidad las circunstancias de su vida, verlas desde arriba. Practique desde este mismo momento y de manera regular tan poderoso ejercicio. La urgencia de apelar a él acabará por desaparecer. Gracias a la práctica regular del ave migratoria, la paz, la relajación y la armonía interior se convertirán en sus fieles compañeros.

13. Vencer las posibles resistencias a los métodos

Uno de los grandes obstáculos para la autorrealización reside en que el **miedo al cambio,** a lo nuevo, a lo desconocido, un miedo que se manifesta, entre otras cosas, por lo apegados que nos sentimos quizá a las condiciones de vida en que nos movemos en el momento actual. Nos aferramos a nuestra manera de ser y de vivir aunque la angustia, las tensiones y la sensación de aislamiento nos la haga penosa, ya que identificamos las condiciones de nuestra vida con la vida misma, una idea errónea, claro está. Perder (al cambiar) nuestras costumbres, incluso las dolorosas, lo asimilamos a una muerte, ya que, al confundirlas erróneamente con la vida, nos apegamos a ellas (recordemos que el apego es lo contrario de la libertad).

1. La huella del nacimiento

El origen del miedo a lo nuevo, el cambio, a lo desconocido se encuentra principalmente en las condiciones del nacimiento, sobre todo cuando ha sido traumatizante, cosa que ocurre con frecuencia.

Las circunstancias de nuestro nacimiento dejan una huella extremadamente fuerte, que condiciona nuestra manera de ser en el mundo, nuestra manera de reaccionar a las situaciones o de someternos a ellas. Los traumatismos vinculados al nacimiento son muy numerosos. Sin embargo, es posible evitar muchos de ellos y atenuar otros, dar al pequeño que viene al mundo todas sus oportunidades, gracias a un parto en buenas condiciones.

También se pueden originar traumatismos durante la vida intrauterina. ¿El hijo ha sido deseado? En caso negativo, el feto lo capta y su gusto por la vida, lo mismo que su confianza en ella, quedan afectados. Una tentativa de aborto es vivida por el feto como una tentativa de asesinato, y acaso tendrá como consecuencia una actitud de desconfianza y de temor frente a las mujeres, obstaculizando la vida sexual y afectiva del adulto, en particular si pertenece al sexo masculino.

Un mal clima familiar durante el embarazo, el tabaco, el alcohol (y otras drogas) consumidas por la futura madre son perjudiciales para el pequeño ser, que siente también intensamente, impregnándose de ella, la ansiedad de la mujer encinta cuando esa ansiedad es permanente.

En cuanto a los traumatismos infligidos con mayor frecuencia a los bebés en el momento del nacimiento, he aquí la lista:

● Un parto demasiado largo, doloroso y agotador para el niño.

● Un exceso de ruidos.

● Una luz cegadora. (En el sentido propio del término. Un niño nacido en la penumbra ve inmediatamente, mientras que el que nace bajo los proyectores permanece cegado durante una semana. ¿Por qué cada vez más niños, y cada vez más jóvenes, se ven obligados a llevar gafas?)

● Una diferencia demasiado grande de temperatura entre el mundo uterino (37º) y la habitación que le acoge.

● Las inyecciones para acelerar o retrasar el acontecimiento (lo que perturba el ritmo de participación del niño en su nacimiento y del proceso natural).

● La anestesia de la madre (que duerme como consecuencia al niño, le droga y le impide desempeñar un papel activo en su nacimiento).

● La cesárea, cuando no está justificada desde el punto de vista médico. (Se duerme al niño al mismo tiempo que a la madre, con lo cual no representa ningún papel en su propio nacimiento, ni puede beneficiarse del primer contacto con su madre en el alba de su nueva vida. Todos estos acontecimientos tienen consecuencias nefastas).

● El empleo de los fórceps (que provocan muchos casos de epilepsia). Esas pinzas craneanas serían mucho menos necesarias si se adoptase de nuevo y de manera general para el parto la posición vertical del tronco de la madre. El peso del niño actúa entonces en el mismo sentido que los empujones de aquélla y que el canal pelviano. En cambio, en la posición acostada, el niño ha de ser empujado no solo para atravesar un pasaje estrecho, sino tam-

186

bién para que ascienda por la pendiente de la vagina. Esto añade una dificultad importante al parto, que transcurre además en una posición muy poco propicia para la liberación de la energía muscular de la madre.

● El hecho de sostener al niño colgado por los pies, en el vacío, cuando hasta ese momento ha permanecido enrollado «en feto» y en contacto estrecho con el cuerpo de su madre, sobre todo durante las últimas semanas.

● El corte inmediato del cordón umbilical, cuando no es médicamente indispensable.

● El hecho de pegarle para que lance su primer grito, cuando ya han comenzado a asfixiarle cortándole el cordón por donde siempre recibió el oxígeno necesario para su vida, sin darle tiempo a iniciarse, siguiendo su propio ritmo, a la respiración.

● El apartarle después de nacer de su madre, con la que había sido uno hasta entonces. El niño siente en ese momento un atroz sentimiento de abandono. Más tarde, reaccionará dramática y exageradamente a toda situación de «abandono», aunque sea muy provisional. Experimentará además un sentimiento de soledad y tendrá dificultades para comunicarse con los demás.

● El hambre y la sed (ciertas «modas» imponen que no se dé nada de beber al niño durante veinticuatro horas, incluso cuarenta y ocho).

● La falta de contactos físicos, cuando sólo puede vivir de amor manifestado...

¡Cuantas violencias físicas y morales se imponen a los pequeños! Puede suceder también que el padre o la madre rechacen al recién nacido porque es una niña y esperaban un niño (o al contrario), o por que no le quieren y le consideran como un intruso.

¡Qué violencia, qué agresividad contra el niño que, cuando ha sido deseado, viene de un universo cálido y dulce, donde ha sido mecido por la respiración y los movimientos de su madre! «Si esto es el cambio, si esto es lo nuevo, cuánto lo temo... Si esto es la vida, qué dura y difícil. Si éste es el mundo, qué horror...»

Evidentemente, el niño no tiene pensamientos como éstos. Se trata más bien de sensaciones y emociones negativas que se imprimen con fuerza y se expresarán más tarde por esquemas de pensamiento negativo como los del párrafo anterior.

Un nacimiento violento da origen a veces a un número muy

grande de creencias falsas sobre sí mismo y los demás, sobre la vida y el mundo.

A título de ejemplo, veamos lo que puede provocar el corte apresurado del cordón umbilical. Falsea la relación del ser recién nacido con la vida. Este corte (cuando el cordón está todavía hinchado por la circulación sanguínea) impone al niño una confrontación con la muerte. Se ve de pronto privado de oxígeno. Siente que va a morir por asfixia, una de las muertes más horribles. Está condenado a morir... o a respirar. Eligiendo la vida, a pesar del horror que se le impone, respirará con urgencia, brutalmente, luchando contra la muerte inminente. Sus vías respiratorias están llenas de líquido y de mucus, y sus alveolos pulmonares, con sus membranas tan delicadas, no habían sido nunca desplegados hasta ahora. Ese primer aliento –demasiado brutal– por necesidad vital provoca un dolor abrasador en la parte superior de los pulmones. Además, los líquidos que hay en los bronquios, aspirados por la respiración, añaden al comienzo de asfixia un ahogo que bloquea su respiración.

Lo que vive entonces, en sus primeros instantes en el mundo, es intensamente doloroso y ansiógeno, comparable a las peores torturas que el hombre ha inventado. La primera experiencia del aire se imprime en él, dando como resultado la aparición de una ansiedad fundamental, de una respiración forzada, poco amplia, ya que la relaciona inconscientemente con la idea de muerte, terror y sufrimiento atroz. Para él, vivir y morir están imbricados, a causa de las sensaciones y emociones negativas asociadas al nacimiento. Por lo tanto, tendrá tanto miedo a vivir como a morir.

Entre todas las sevicias que se pueden infligir a un recién nacido, las que más falsean su relación consigo mismo, los demás, la vida y el mundo, son las siguientes (por orden decreciente):
- el rechazo, la falta de amor de su madre;
- el corte apresurado del cordón umbilical;
- la separación inmediata de su madre.

2. El «rebirth». Su utilidad

La huella del nacimiento es un verdadero molde en el que vendrán a «ajustarse» todos los acontecimientos o traumatismos ulteriores, repitiendo y expresando la angustia y el sufrimiento totalmente inconscientes del nacimiento, aunque predominantes en el segundo plano de la personalidad.

Todas estas consideraciones sobre el nacimiento y su posible impacto sobre la concepción del mundo y de la vida de un ser humano provienen de mi experiencia como «rebirthor».

El *rebirth* (o *rebirthing*) es una manera especial de respirar que, si se mantiene durante algunos minutos, prosigue espontáneamente. Tiene como efecto, entre otras cosas, desconectar a la persona que se entrega a él de su mente y de todos los condicionamientos que ésta comporta. La experiencia le permite entrar fácil y profundamente en contacto con su inconsciente, aunque manteniéndose como un testigo lúcido. El inconsciente puede hacer surgir y revivir, según las necesidades de la persona, elementos del nacimiento o de la vida intrauterina, pero también otros acontecimientos ulteriores que han revestido una importancia particular. Estas «reviviscencias» la liberan de las secuelas del traumatismo del nacimiento (o de otros traumatismos), le devuelven la energía vital, la confianza en sí misma y la alegría de vivir. La práctica del *rebirth* reconcilia con la vida y el mundo, borra los esquemas de pensamientos negativos y falsos heredados de un nacimiento bárbaro. Llegado el momento, dará también acceso al éxtasis.

He descrito las consecuencias de un nacimiento bárbaro, causa de la impregnación de tantos esquemas de pensamiento negativos y erróneos sobre la vida y el mundo, porque me parece importante que la información en este campo se extienda cada vez más. Así lograremos obtener el respeto para el niño y la madre cuando llega el momento decisivo del parto. **La facultad de ser feliz o desdichado se juega ahí, en el nacimiento.** Sepámoslo y exijamos a los médicos que se pongan al servicio del niño que va a nacer **en tanto que persona.** Lo peor será considerar el parto desde el punto de vista del confort físico e intelectual de los equipos de acogida.

Más vale prevenir que curar. Es eminentemente deseable evitar el nacimiento de pensamientos falsos, negativos y perniciosos, asegurando partos tranquilos, respetuosos y acogedores para el niño.

3. ¿Cómo vencer las posibles resistencias?

En segundo plano de las posibles resistencias a los métodos, encontramos muchas veces, por no decir siempre, el miedo al cambio, a lo nuevo, a lo desconocido. Este miedo se confunde también con el de la muerte (el Gran Cambio, la Gran Incógnita), muy activo y persistente cuando, por ignorancia, se impone al niño un nacimiento angustioso. Se añade también el miedo a abandonar lo que se conoce bien, aunque sea el sufrimiento. Como hemos dicho, cuando se vive durante años con el miedo, la angustia, la culpabilidad, el sufrimiento..., la idea de abandonarlos inspira temor.

● «Es la experiencia de toda mi vida. Si desaparece, ¿qué me sucederá? ¿Qué será lo desconocido, lo nuevo? ¿Implica que tengo que prescindir de mis hábitos?»

● «Si lo que ha constituido mi vida hasta este día tiene que morir, me veré ante un vacío angustioso.»

Así reacciona –en la mayoría de los casos de modo inconsciente– la persona que se enfrenta al cambio inevitable para lograr el bienestar. Cuanto más eficaces sean los métodos, más pueden, por ese mismo motivo, provocar resistencias. Por fortuna, existe también en ella el deseo de desembarazarse de todo lo que estorba la vida, la hace difícil y ansiógena.

Hay que contar además con el sentimiento de culpabilidad, por desgracia muy extendido. La persona que lo padece en un grado extremo considera «normal» su sufrimiento. Al sentirse culpable, se las arregla para recibir el castigo «merecido». De este modo, su vida es un calvario, ya que hace de cada situación (en la mayoría de los casos de manera inconsciente) una ocasión de sufrir.

Quienes sientan resistencia al bienestar deben explorar sistemáticamente cuatro pensamientos positivos:

● *He decidido liberarme,*
● *Estoy plenamente abierto al cambio positivo.*
● *Soy inocente.*
● *Me aprecio y me quiero bien.*

Uno o varios de estos pensamientos suscitarán en usted reticencias, revelando con ello el tipo de resistencias que alberga en su interior. Las resistencias al bienestar pueden manifestarse de muchos modos, casi siempre enmascarados. He aquí, con la autorización de su autor, los fragmentos más significativos de una carta, verdadera demostración de las resistencias con que es posible tropezar:

«Firmamos un contrato el 9 de febrero de 1986 (sin este compromiso y teniendo en cuenta las resistencias que voy a exponer, es muy probable que no hubiera aplicado el método). Tenía que trabajar, siguiendo el método de las tres personas, la frase: *Estoy en seguridad, me expreso libremente,* y escribirle un mes después.

»Veamos cómo transcurrió ese mes. Al principio, me costó mucho trabajo el dedicar media hora diaria a hacer el ejercicio (resistencia que se expresaba por la inercia y la dificultad). Fui tanteando. Unas veces lo hacía por la tarde, otras por la mañana... Me saltaba días, porque me costaba (resistencia) y me era difícil llenar esas páginas (resistencia).

»Durante la primera página, todavía podía pasar. A la segunda, tenía que esforzarme mucho para llegar hasta el final... No tenía nada que decir... (Cada vez que A. añade en su carta puntos suspensivos, corresponde a una resistencia.) Era como si estuviese cansada (ese «como si» demuestra que la resistencia es ahora casi consciente). Tenía la cabeza vacía (manifestación típica de la resistencia inconsciente). En cuanto a la tercera, me costaba llenarla solamente en su cuarta parte... Cuando lo hacía de noche, me dormía antes de acabar (refugiarse en el sueño es otra manifestación típica de resistencia).

»Ciertas semanas menos cargadas, me aplicaba a hacerlo regularmente, eligiendo momentos tranquilos en que estaba menos fatigada (las resistencias disminuyen, la implicación aumenta). A veces lo encontraba más fácil.

»Algunas noches, hacía trampa (resistencia consciente). Escribía en letra más grande en la tercera página, o bien, empezaba a llenar la segunda continuando la frase de la primera... y entonces, tenía cosas que decir (aplicación muy correcta del método: cuando la relación consigo mismo está bien establecida, más vale continuar que cambiar de modo de comunicación)...

»Y luego, casi de pronto, las tres páginas se llenaron de la misma manera. Casi me costaba trabajo llenar la primera. Por

lo menos, me detenía con la impresión de haberlo dicho todo...
y encontraba fácilmente cosas que decir para las otras dos.
(Gracias a la perseverancia, parece haber saltado un cerrojo.
Se ha establecido bien la comunicación; parece instalarse la
armonía y el equilibrio entre las tres personas.)

»Continúe así algunos días, y las tres páginas se llenaban
con regularidad... Me sentía mejor. Entonces lo dejé.» (Esta última frase es particularmente reveladora: la cosa va mejor y,
por lo tanto, lo dejo. En lugar de recibir esa mejoría como un
aliento y como una prueba de que esto puede llevarme muy
lejos en el camino de la felicidad, lo dejo. Así me tranquilizo.
Voy un poco mejor, pero, ¡cuidado! Que no sea demasiado.
Abandono. El papel del contrato de un mes consiste en inducir a practicar regularmente las técnicas durante esa duración
mínima, aunque fatigosa. Porque sólo la práctica regular permite gustar su eficacia potente y benéfica. El contrato no significa que haya que limitar la práctica a un solo mes, pero
cumpliéndolo, podrá comprender si está permitiendo que resistencias inconscientes le dicten su conducta.)

Más adelante escribe:

«¿Qué me ha aportado todo esto? He descubierto muchas
cosas. En primer lugar, me permitió identificar los distintos
"hilos" que formaban el nudo, aislarlos poco a poco y aflo-
jarlos. Algunos días, se apretaban aún con mayor fuerza. (El
método de las tres personas es muy profundo y muy poderoso, a pesar de su simplicidad. Por consiguiente, ejerce un
efecto importante sobre la persona que se entrega a él.) O
bien, temía ver (resistencia consciente) que todos esos hilos
se enredaban... Tenía la impresión de que no conseguiría de-
senredarlos. Y luego, otros días, las cosas se me aparecían
muy claras y escribía con toda facilidad la primera página.
Por último, surgieron las soluciones y pude tomar decisiones.
Conseguí ciertas cosas. En la práctica, logré retirar algunos
de los hilos del nudo...

»Me siento por fin capaz de decir serenamente lo que
pienso sin herir a mi interlocutor, sin hacerme daño a mí misma, tanto en familia como en el trabajo, donde me afirmo
cada vez más.

»Todavía no se ha solucionado todo, pero los hilos que faltan son visibles. Sé que algún día acabarán por desenredarse...

»P. S. De ahora en adelante, en todas las dificultades con que pueda tropezar, utilizaré sin vacilación uno u otro de los métodos».

Como demuestra esta carta, es posible encontrar resistencias tan variadas como tenaces. Sin embargo, gracias al contrato, se llevó a cabo el mes de ensayo del método de las tres personas. Dio resultados tangibles y precisos con respecto al pensamiento elegido: *Estoy en seguridad, me expreso libremente*. Los primeros resultados sobrepasaron ya la adquisición de la facilidad de expresión. Permitieron a la persona ver claro en su nudo, retirar «hilos» y entrever la posibilidad de desatarlo por completo más adelante. ¿Por qué detenerse en tan buen camino? El contrato le permitió vencer sus resistencias, pero no completamente. En el último impulso victorioso de rebeldía, la hicieron detenerse en aplicación del método, so pretexto de que ya había obtenido resultados o de que el contrato no abarcaba más que un mes. No obstante, la postdata de la carta es muy positiva.

Pasemos ahora revista rápidamente a los diferentes disfraces de las resistencias inconscientes. Hay la dificultad, la inercia, el aburrimiento, la fatiga, el sueño, las trampas (los hemos encontrado todos en esta carta), pero también el dolor de cabeza, el brazo que escribe, de la mano, de la espalda. Y hay la duda, el miedo a ver claro, y la cólera, la irritación, etc.

A veces, las resistencias se apoyan en recuerdos escolares. Llenar las páginas de un cuaderno puede traer a la memoria las «líneas» que imponían ciertos maestros como castigo.

Ahora sabe ya que esas dificultades son máscaras que adoptan las resistencias al progreso. Sabiéndolo, ya no se dejará engañar. Sin embargo, si una resistencia sigue siendo muy fuerte, utilice los métodos de dominio del pensamiento para vencerla definitivamente. Busque un pensamiento positivo que afirme lo contrario de aquel que constituye para usted un obstáculo. Por ejemplo: *Gracias a los métodos por escrito, me libero completamente, Me gusta escribir los pensamientos positivos, puesto que me son beneficiosos,* o cualquier otro que encuentre por sí mismo.

4. Duración de la práctica de un ejercicio

Varía mucho en función de cada persona y de la intensidad de sus dificultades. El contrato de un mes para el primer ensayo de entrenamiento diario da en la mayoría de los casos resultados indudables y muy alentadores. Pero hay personas que se debaten en tales dificultades internas que es preferible que perseveren hasta tres meses en la misma dirección. En mi opinión, resulta inútil sobrepasar ese plazo. Más vale elegir otro pensamiento-fuerza que vaya en la misma dirección.

El momento en que debe dejar su práctica sobre un pensamiento determinado, según un método determinado (a condición de permanecer vigilante en cuanto a las trampas que pueden tender las resistencias), habrá llegado, simplemente, cuando haya adoptado, integrado por entero la afirmación positiva. Entonces, «fluirá» armoniosamente en usted. Su comportamiento en la vida cotidiana estará de acuerdo con ese pensamiento. Sin embargo, conviene perseverar todavía durante algunos días, a fin de reafirmar el resultado obtenido.

Lo extraordinario de los métodos expuestos en este libro es, entre otras cosas, que cuanto más los practique, más rápidos serán sus efectos. Si la primera vez necesitó un mes, en la segunda bastará con tres semanas, luego quince días, etc. En la actualidad, me basta con frecuencia escribir una página para ver claro en mí mismo y sentirme absolutamente bien.

Sobre todo en los adolescentes, la rapidez con que actúan estos métodos es asombrosa.

Observación importante: los mejores efectos se dejan sentir cuando, después de haber dejado de trabajar sobre un pensamiento según un método dado, se reanuda su práctica quince días más tarde. Por regla general, preconizo emplear un método durante un mes, a diario, con regularidad, interrumpirlo durante quince días, reemprenderlo durante otros quince días (y continuar esta alternancia hasta la obtención de resultados perfectamente satisfactorios).

Tercera parte

Campos precisos
de aplicación

He reunido en esta parte de la obra varios campos precisos de aplicación para los métodos expuestos. Se trata de temas o de situaciones de la vida en que se reconocerán muchos de mis lectores. Esto les permitirá ir directamente al bien con una facilidad acrecentada y familiarizarse mejor con las diferentes técnicas.

1. Dificultades de identidad

Hay personas que tienen problemas graves en cuanto a su identidad. He acompañado en algunos rebirths a una mujer que no conocía ni el lugar exacto, ni la fecha de su nacimiento, ni el nombre propio que le dieron al nacer. Sólo sabía que había nacido en los Balcanes, que había sido abandonada por su madre y que se había encontrado unos meses más tarde en Francia, bajo la tutela de la Asistencia Pública, la cual le había atribuido un nombre francés. El hecho de no conocer su nombre de origen (el único verdadero a sus ojos y el único lazo que la unía a su madre) le hacía vivir en plena y constante crisis de identidad. Lo que su pensamiento emitía en este aspecto era tan intenso que en dos ocasiones le habían sucedido acontecimientos estadísticamente rarísimos. La primera vez, habiendo extraviado sus papeles (cosa ya significativa en este contexto), entregó en la comisaría de policía todo un dossier para que le proporcionasen un nuevo documento de identidad. Cuando fue a buscarlo, el dossier había desaparecido, se había perdido. No se encontró ninguna explicación para ello, pero le aseguraron que jamás se había producido un acontecimiento semejante. Otra vez, presentó en la comisaría una solicitud de pasaporte. Cuando entró en posesión del documento, éste presentaba un error en su nombre propio. ¡Qué hermosa ilustración del poder creador del pensamiento!

Otra persona «perdió» su nombre propio. Cuando solicitó su

documento de identidad, le atribuyeron su segundo nombre, ya que el primero había desaparecido carbonizado en un incendio que asoló la alcaldía de su lugar de nacimiento. Tiene, pues, dos nombres propios, el original, por el que la conoce todo el mundo y que ella misma emplea, y el de sus documentos, cosa que le molesta mucho.

A ciertas personas no les agrada su nombre, sobre todo si su madre no lo pronunció con amor, sino, en la mayoría de los casos, en tono de reprimenda. Al estar ese nombre vacío de amor, no se reconocen en él y utilizan con frecuencia otro que han escogido por sí mismas.

La fórmula «Yo, X.» no resulta conveniente para este tipo de personas. Más vale que supriman la referencia a su nombre en su práctica de los pensamientos positivos y que elijan fórmulas como *Soy yo mismo, Soy aquel (o aquella) que soy, Estoy en armonía con mi identidad.*

2. La espasmofilia

Al principio del capítulo 13, atraje ya su atención sobre la muy grande y nefasta influencia de un nacimiento traumatizante. Su impacto y sus consecuencias reaparecen en la espasmofilia, esa enfermedad «de moda». Nada más que en Francia, se calcula que existen alrededor de siete millones de espasmofílicos. Las personas espasmofílicas se inscriben con frecuencia en los cursos de yoga por recomendación de su médico.

Es curioso leer en el diccionario francés de medicina Marabout (edición de 1969, antes de la «moda» actual de la espasmofilia): «... La espasmofilia, estado de hiperexcitabilidad de los nervios, se manifiesta casi exclusivamente en los niños raquíticos de cuatro a veinte meses de edad (...). Gracias a los progresos de la profilaxia del raquitismo, la espasmofilia se ha convertido en una enfermedad rara, benigna y que se cura sin dejar secuelas...».

La espasmofilia se caracteriza por una hiperexcitabilidad de los nervios y por un conjunto de síntomas que se suceden y para los cuales los análisis médicos no descubren ninguna explicación. Entre esos síntomas, citaremos una gran fatiga, taquicardia (palpitaciones), angustia, disnea, malestares, dolores precordiales e intercostales, dolores de espalda y de cabeza, insomnios, náuseas, vértigos, tendencia a los desmayos, los temblores, el hormigueo y el adormecimiento de las extremidades, calambres en las pantorrillas y los pies, etc.

Muchos ignoran que son espasmofílicos, pero, cuando surge en su vida una situación de estrés, la espasmofilia se manifiesta. Aparece uno u otro de los síntomas que acabamos de describir. Si el médico al que consultan consigue eliminarlo mediante un tratamiento, otro vendrá a reemplazarlo, y así sucesivamente. Los espasmofílicos frecuentan los consultorios médicos y cuestan caros a los organismos sanitarios.

Menos del tercio de los espasmofílicos experimentan la manifestación extrema de la espasmofilia. Se inicia por hormigueo y picazón en las manos, que evolucionan pronto en contracciones, inmovilizando la mano, con los dedos rígidos y el pulgar orientado hacia el anular. La muñeca se dobla y los brazos se endurecen y se paralizan más o menos. La parálisis relativa, en hipertonía, puede alcanzar también los pies y las piernas, el vientre y el tronco, incluso la cara, en particular el contorno de la boca.

Durante el ataque, la respiración es corta y rápida. Se le denomina también, por este motivo, síndrome de hiperventilación.

El sujeto permanece consciente, pero, en general, muy asustado. Trasladado urgentemente al hospital, suelen ponerle una bolsa de plástico ante las vías respiratorias, de modo que respire el gas carbónico de sus espiraciones. Lo que provoca en otras circunstancias la asfixia detiene aquí el ataque, relacionado con el porcentaje relativo de oxígeno y gas carbónico en la sangre.

Los «rebirthores», de los que formo parte, conocen muy bien la crisis tetánica. La persona que experimenta el *rebirth* se acuesta y respira de manera amplia, intuitiva y continua (sin ninguna interrupción del hálito entre la inspiración y la espiración), acompañada las primeras veces por alguien experimentado, el «rebirthor». Cuando el experimentador ha tenido la suerte de nacer en buenas condiciones, el síndrome de hiperventilación es raro, incluso excepcional. (Puede estar vinculado entonces a un choque afectivo particularmente fuerte y a la negativa de integrar el sufrimiento asociado con él). Pero cuando el nacimiento ha sido difícil o bárbaro, cuando se ha cortado el cordón demasiado pronto, la crisis tetánica se manifestará en grados diversos de intensidad. Va asociada a menudo para el experimentador con «reviviscencias» parciales del nacimiento, sobre todo en el plano de las sensaciones: tensiones, angustia, miedo a la muerte, sensación de ahogo, impresión de pasar por un túnel muy estrecho, deslumbramiento doloroso, etc.

Esos síntomas son en realidad una reactivación de la experiencia traumática del nacimiento, cosa que ignoran los médicos, que conocen mal las causas de la espasmofilia. Pese a haber observado que se da con mayor frecuencia en los que fueron niños prematuros, en los gemelos o en las personas que nacieron con poco peso, no han sacado, sin embargo, todas las consecuencias de sus observaciones.

Cuando el experimentador pasa por las crisis tetánicas durante las primeras veces en que practica el *rebirth*, ya está advertido de la posibilidad de su aparición y confía en la convicción total del «rebirthador» –basada en la experiencia– de que termina siempre bien. Supera el ataque sin respirar el gas carbónico en la bolsa de plástico (o con ayuda de inyecciones), sino, por el contrario, respirando ampliamente el aire. Mientras que en el hospital se detiene la crisis, anulando así la tentativa espontánea de liberación de los traumatismos (eso es en realidad el ataque tetánico), en el *rebirth* se permite a la persona vivir plenamente lo que se presenta, respirando más a fondo todavía. Nuestra experiencia está en contradicción con la teoría médica actual sobre la crisis tetánica. Pero el resultado está ahí: después de varios *rebirths* la hiperventilación deja de desencadenar el síndrome de hiperventilación. Al liberarse de los traumatismos de su nacimiento, el experimentador se libera de la espasmofilia, sin ningún medicamento.

Los esquemas de pensamiento representan un papel determinante en la evolución positiva de las crisis tetánicas cuando se producen durante el *rebirth*. Antes de la primera sesión, pido con frecuencia a la persona que observe el efecto que tienen sobre ella pensamientos como los siguientes:

- *Dejo que la vida fluya a través de mí, libre y gozosamente.*
- *Estoy plenamente abierto a la vida.*
- *Digo sí a la vida.*
- *Acepto lo que es, digo sí a lo que es.*

Durante la experiencia del *rebirth*, cuando se produce la crisis, le sugiero que asuma los mismos pensamientos. En la medida en que los acepta, el ataque se resuelve más facilmente. Después de la experiencia, le invito a repetir las mismas frases, para que capte bien que se han hecho mucho más verdaderas para ella. La mayor parte de las veces, después de los cinco primeros *rebirth*, no vuelve a darse el ataque, sólo un poco de hormigueo. Más tarde, viene la experiencia del amor, la fiesta de la vida, el éxtasis. La espasmofilia se ha reducido a un mal recuerdo.

Aconsejo, pues, a los espasmofílicos que lean este libro (recuerde que muchos de ellos ignoran que lo son) que permanezcan atentos al efecto de los sistemas de pensamiento que hemos propuesto a propósito de la crisis tetánica. Aplicando los métodos de dominio del pensamiento, sirviéndose de ellos, mejorarán en gran medida su estado. Si al mismo tiempo pueden practicar el rebirth, su curación será todavía más rápida y más radical.

3. El éxito en los estudios, la motivación

Intentemos ahora ponernos en el lugar de los jóvenes que preparan un examen. Para tener la oportunidad de aprobarlos, necesitan llevar a cabo un importante trabajo personal. Les importa, por lo tanto, estar motivados. Ahora bien, el contexto en que viven la mayoría de los estudiantes, ya sean de primera, de segunda enseñanza o de enseñanza superior, es poco propicio a la motivación. Viven en una época y un país en que la mayoría de ellos reciben fácilmente lo superfluo, además de lo necesario. No conocen las dificultades materiales, ni las han conocido jamás. Poseen su cadena hi-fi, sus discos, su transistor, su medio de transporte autónomo (bicicleta o ciclomotor). En casa, la televisión les ofrece trivialidades sin cuento, o series policiacas superviolentas, con personajes de mentalidad sórdida. Les es más fácil acomodarse a esos programas debilitantes que concentrar sus facultades morales e intelectuales en un trabajo personal. El frigorífico está allí, a su disposición, bien surtido cuando lo abren. Los cigarrillos disimulan detrás de una cortina de humo y de un olor nauseabundo (para los no fumadores) el daño que causarán, cada vez más pronto, a su salud física y moral. Cuando, por casualidad, continúan ante el televisor para los boletines de información, lo que ven del mundo es poco alentador: guerras, secuestros, atentados, asesinatos, crímenes de todas clases, fragmentos de discursos políticos (que parecen elegidos la mayor parte de las veces en función de su mediocridad), paro... El paro.

La adolescencia es un período delicado de transición entre el niño, que recibe mucho, y el adulto, que da... Da su trabajo a la comunidad, la seguridad material a su familia, su dinero para los impuestos, etc. El adolescente ve que su cuerpo se transforma. Sus necesidades sexuales se despiertan. La permisividad de nuestra sociedad facilita la aplicación de su energía a la expresión sexual: la píldora a los doce o trece años, los anuncios, las películas cuyos temas son casi siempre la violencia y el erotismo... El adolescente tiene miedo de lo que no conoce, en particular de su porvenir en un mundo violento, sin ideales. La enseñanza que le proponen le interesa poco y le ata durante horas a un asiento, cuando le gustaría correr, saltar, bailar, divertirse, haraganear, oír música...

Cuando circulo en coche, suelo detenerme para recoger autoestopistas. Y me gusta comunicarme con ellos. Así, cuando hablo con un chico o una chica hijos de emigrados que viven en Francia, he observado que su tono difería por completo del tono hastiado, timorato o desencantado de la generación de los «pasotas». Hace poco, llevé de Chartres a París a un joven militar de origen magreví, que estaba de permiso. Él sí que conocía el hambre, las dificultades, el alojamiento exiguo y la promiscuidad. Había visto a su padre trabajar extremadamente duro en las explanaciones y en la albañilería a cambio de un pequeño salario. Le veía ahora fatigado, disminuido a causa del dolor de espalda, sin haber salido de sus dificultades. No quería de ningún modo seguir el mismo camino. Trabajó muy seriamente durante sus estudios. Tenía ya un empleo en el campo de la informática, donde se había destacado por la fuerza, la rapidez y la calidad de su trabajo. Era muy ambicioso. Tenía la intención de hacerse con una buena situación y estaba determinado a realizar todos los esfuerzos necesarios para ir en ese sentido. Estaba muy motivado, y lo estaba de una manera natural.

Recuerdo también una entrevista particular con un chico que había terminado brillantemente sus estudios. Fue de los más jóvenes en la Escuela Politécnica. Además, dado que tocaba muy bien el violín, pudo pensar en dedicarse a la música como profesional. Había trabajado enormemente, tanto en sus estudios intelectuales como en los musicales, sin salir nunca, sin amigos ni frecuentaciones femeninas. Se había derrumbado de repente, al comprender que su comportamiento había estado condicionado exclusivamente por la necesidad de demostrar su valía, tanto a sí mismo como a sus padres, y al darse cuenta de que su vida carecía de todo sentido.

Sería de desear que el adolescente encontrase un justo equilibrio –en cuyo seno tuviera posibilidades de desarrollarse– entre, de una parte, el rechazo de los estudios, la admisión ante el mundo a la vez demasiado fácil y angustioso al que nos hemos referido y, de otra parte, los trabajos forzados como refugio, motivados por la falta de confianza en sí mismo.

He aquí algunas orientaciones de pensamiento que pueden ser útiles en este sentido:

Tengo confianza en mí. Creo que habrá pocos adolescentes que no se interesen por este pensamiento. La confianza en sí mismo permite expresarse ante un examinador sin perder ninguno de sus recursos y evita los excesos, como el del joven politécnico y músico. La confianza en sí mismo da la posibilidad de elegir más fácilmente la propia vía y sentirse a gusto en el mundo tal y como es.

He decidido triunfar en mi vida y mis estudios. Triunfar en la vida es la vocación natural de todo ser viviente y de todo hombre. Triunfar en los estudios supone uno de los medios para conseguirlo. «He decidido» resulta mucho más fuerte que «Decido».

Gracias al éxito en mis estudios... El método de exploración aplicado así puede ayudar a revelar y a desarrollar una potente motivación.

Al triunfar en mis estudios... Otra forma de exploración.

Triunfo en mis estudios y, por lo tanto... Método del nuevo punto de vista.

He propuesto en diversas ocasiones uno u otro de estos pensamientos a chicos y chicas. Los resultados fueron muy rápidos... y positivos. Una madre vino a verme con su hijo de quince años, cuya ortografía era catastrófica, cosa que no siempre había ocurrido. Al interrogarle, me enteré de que su profesora le había ofendido, algunos años antes, a propósito de una falta en un dictado. Su desastrosa ortografía databa de aquella época. Logré convencerle para que practicase el método del nuevo punto de vista con la frase: *Yo, C., he perdonado a la señorita* (la maestra) *y, por consiguiente...* Su ortografía mejoró con rapidez y, simultáneamente, se sintió mucho más conforme consigo mismo. Los métodos de dominio del pensamiento actúan sobre los adolescentes con una rapidez asombrosa. Una vez, indiqué un método y un pensamiento a una chiquilla de catorce años que tenía malas notas. Bastó con que llenase una doble página para que sus notas mejorasen considerablemente... Otra vez, una niña de la misma edad sufrió un ataque de angustia tal que huyó de la clase del liceo para refugiarse en casa de su antigua maestra. Celebramos una entrevista y supe durante la misma que una de sus compañeras de clase había muerto recientemente de enfermedad. No podía aceptar esta muerte tan prematura (en estos casos, es siempre el miedo inconsciente de nuestra propia muerte lo que actúa, activado por la muerte de otro). La invité a practicar el pensamiento: *Yo, E., estoy en seguridad,* con ayuda de un método por escrito. Quince días después, me telefoneó. Todo iba bien, había recuperado el equilibrio y la alegría de vivir.

Adolescentes y jóvenes que leéis este libro, aprovechad la maravillosa facultad de cambio y de adaptación que es el privilegio de vuestra edad. Practicad los métodos de dominio del pensamiento.

4. El dinero

Tengo a mi disposición un universo que funciona exactamente de la manera en que lo pienso (cuarta ley). Esta ley, como el resto del decálogo, se aplica a todos los campos de nuestra vida y, por consiguiente, a nuestras relaciones con el dinero. Recuerde que, si tiene pensamientos negativos a propósito del dinero, el Universo le devolverá multiplicado lo que emita a través de sus pensamientos (séptima ley).

Para poner de manifiesto sus esquemas de pensamiento sobre el dinero, utilice el método de exploración. Escriba rápidamente dos o tres páginas empezando por: «Para mí, X., el dinero es...» Si este ejercicio hace aparecer pensamientos negativos, sabrá ahora, yendo directamente al bien, formular esquemas de pensamiento opuestos. Mediante su práctica, su relación con el dinero y con sus semejantes mejorará, al tiempo que aumentará su bienestar.

La ley fundamental de la vida y del mundo es el **crecimiento,** el **desarrollo.** La vida no ha cesado de desarrollarse, de crecer, de prosperar, de crear.

Para ser justos, los pensamientos relativos al dinero deben estar de acuerdo con esta tendencia característica de expansión de la vida y del mundo.

El dinero es en nuestros días un medio universal de intercambio y de comunicación entre los seres humanos de todas las latitudes. Lo mismo que la sangre transporta y nutre la vida, así ocurre con el dinero. Al circular, transporta y nutre la economía, le permite crecer, prosperar y contribuir así al placer de vivir.

Tanto a nivel individual como a la escala nacional e internacional, las tendencias inflacionistas o deflacionistas de la moneda tienen repercusiones rápidas sobre la vida diaria y las preocupaciones humanas. Por eso son útiles y necesarios los pensamientos positivos relativos al dinero. El dinero puede y debe ser un instrumento potente al servicio del hombre en su evolución hacia la realización.

Ejemplos de pensamientos positivos en relación con el dinero:

- *Yo,* (nombre), *me siento cómodo cuando se trata de dinero.*
- *El dinero es un instrumento excelente al servicio de mi realización.*
- *El dinero tiene exactamente el valor que yo le doy.*
- *El dinero acude ahora a mí con abundancia y facilidad.*
- *Merezco ser rico, próspero y afortunado.*
- *Me doy a mí mismo el derecho de ser rico.*
- *Obtengo dinero, fácilmente y con placer, gracias a mi creatividad.*
- *Pongo mucho amor en lo que hago y recibo mucho dinero a cambio.*
- *A los demás les gusta pagarme por lo que a mí me gusta hacer.*
- *A los demás les gusta pagarme por lo que hago con tanto amor y placer.*
- *Cuanto más me enriquezco, más generoso me vuelvo.*
- *Me gusta dar y recibir.*
- *Cuanto más ayudo a los demás a prosperar, más me hacen prosperar ellos.*
- *Tengo confianza en la abundancia infinita del universo.*

- *Tengo confianza en mi capacidad para crear riqueza.*
- *Mi pertenencia al Ser infinito, al Amor infinito, a la Inteligencia infinita es suficientemente consciente para valerme una gran fortuna.*
- *La vida me colma con su abundancia.*
- *Siento placer en expresar mi estado de abundancia.*
- *Ahora tengo permanentemente una conciencia de prosperidad.*
- *Cuanto más me enriquezco, más amor recibo.* (No en el sentido de que «el amor se compra», sino para contradecir, en caso necesario, el esquema negativo: «Si soy rico, no me querrán por mí mismo, sino por mi dinero».)
- *Soy muy capaz de ganar mucho dinero haciendo lo que me agrada.*
- *Cada moneda que gasto regresa a mí multiplicada.*
- *Todas mis inversiones son provechosas.*
- *El dinero circula ahora a través de mí de una manera muy positiva y satisfactoria.*
- *Mis rentas aumentan cada día, tanto si estoy trabajando, como divirtiéndome o durmiendo.*
- *Una parte de lo que gano es para mí y disfruto de ella.*
- *Cada año, mis rentas aumentan más deprisa que mis gastos.*
- *Ahora tengo una gran aptitud para triunfar en lo que respecta al dinero.*
- *Me complace muchísimo gozar de autonomía económica.*
- *Siento placer en asumirme por completo, en el aspecto económico y en el afectivo.*
- *El dinero intenta siempre venir hacia mí, y yo le dejo venir, simplemente.*
- *Estoy siempre en el buen momento, en el buen lugar, llevando a cabo la acción correcta para mi prosperidad, mi enriquecimiento y mi realización.*

5. La acción sobre los demás mediante el pensamiento

En la vida cotidiana, actuamos de modo natural sobre los demás, y ellos actúan sobre nosotros. Si estoy enfadado, deprimido o nervioso, todo mi entorno lo percibe y comparte más o menos mi malestar. Si estoy alegre, tranquilo, pleno de amor, aquellos con los que me trato se benefician igualmente.

Muchos sanadores actúan sobre los demás, incluso a distancia, en los planos de la salud física y el equilibrio psíquico. Durante un seminario «Alfa» en el que participé, pude comprobar que la mayoría de los concurrentes, después de entrar en relajación profunda, eran capaces de describir el estado físico y mental de una persona distante cientos de kilómetros y de la cual no conocían más que el nombre propio, la edad y el peso, y aun eso, desde hacía unos minutos. Es un hecho que **estamos todos unidos por el pensamiento, en todo momento,** en su dimensión más sutil. Nos hallamos todos sumergidos de modo permanente en el mismo baño de conciencia, y es natural que, al compartirlo, actuemos sutilmente los unos sobre los otros. Los poderosos métodos descritos en este libro, tan eficaces sobre nosotros mismos, pueden serlo también, claro está, sobre los demás.

Sin embargo, me siento reticente ante la idea de una acción voluntaria sobre otro mediante el poder del pensamiento. Conviene mostrarse muy prudente en este tipo de empresa, y pongo al lector en guardia contra ella. Lo que nos parece bueno en función de nuestro punto de vista no lo es necesariamente para otra persona. A cada uno le toca dirigir su vida como lo entienda (en la medida en que no perjudica a los demás). Más vale dejarle que asuma su responsabilidad.

De todas maneras, en caso de acción sobre otro, sólo es cuestión de hacerlo con buenas intenciones. De lo contrario, dado que el universo me devuelve multiplicado lo que emito a través de mis pensamientos (séptima ley), recibiré tarde o temprano lo que se suele llamar la «onda de retroceso».

Actuar sobre otro en el sentido del mal mediante métodos psíquicos constituye, no obstante, una realidad en todas las latitudes del globo. Así lo hacen los brujos, los que echan mal de ojo, los que pronuncian ensalmos, etc. Los hay en Francia, tanto en el mundo rural como en las ciudades. Con mayor frecuencia todavía, existen personas que transmiten, más o menos conscientemente, pensamientos muy negativos de envidia, celos u odio y que, incluso sin saberlo, echan «mal de ojo», perjudicando así a otros.

Si, motivados por el amor, deseamos influir mediante el pensamiento sobre otros, en el sentido del bien, ¿cómo hacerlo? ¿Cómo estar seguros de que aquello que nos parece bueno para esa persona lo será verdaderamente? Porque todos estamos obligados a seguir nuestro camino, a asumir nuestro «karma», es decir, las consecuencias de nuestros actos. Hemos de soportar sus efectos para aprender por fin a vivir en forma adecuada con el mundo y la vida, con nosotros mismos y los demás. Por lo tanto, es arriesgado intervenir en este proceso. Exige la mayor circunspección por nuestra parte. La *oración* me parece una excelente manera de actuar sobre la salud de una persona, ayudándola, por amor, a canalizar sus energías en una dirección positiva. Al rezar, lo pongo todo en manos de la Omnipotencia divina, que no puede equivocarse y me evita así hacerlo.

Señor, haz que suceda lo mejor para tal persona. Esta fórmula respeta en sumo grado a la persona y su destino. Los ateos pueden hacer una oración equivalente, suprimiendo simplemente la referencia a Dios: *Que suceda lo mejor para tal persona.*

Si desea utilizar el poder del pensamiento en favor de otro, considero importante que lo haga de esta manera: *X. se aprecia a sí mismo y se quiere bien; X. tiene confianza en sí mismo; X. consigue todo lo que emprende,* etc.

Como habrá observado, estas fórmulas orientan a la persona según un eje de autorrealización, de manera general y abierta. Evite absolutamente intervenir en las decisiones que sólo a ella corresponden, decir, por ejemplo: «C. se casa con P.», lo que equivaldría a una manipulación y un abuso muy graves. Es preferible, con mucho, utilizar (en este contexto) una fórmula abierta y benéfica, como la siguiente: *C. triunfa en su vida de pareja.*

La salud de P. mejora regularmente, La armonía reina en nuestra familia (o con mi compañero) son ejemplos de fórmulas recomendables en su propio contexto.

El método consiste en escribir un gran número de veces, sin comentarios, la fórmula elegida.

6. La curación mental de las afecciones físicas

a) En toda enfermedad es capital el papel del psiquismo

Como todos los pensamientos producen resultados, los que son contrarios a la vida y que, por consiguiente, se oponen a ella, tienen efectos negativos y destructores, tanto en el plano moral como en el físico. Para empezar, ejercen una influencia perniciosa, debilitante, sobre la moral de la persona que se entrega a ellos, quitándole la alegría de vivir y de ser. En el plano físico, provocan en primer lugar una gran fatiga, un abatimiento, una falta de vitalidad. Los pensamientos falsos en relación con el universo y el mundo tienen el mismo tipo de efecto desde el punto de vista psicológico y moral: carencia de ánimo, tensión permanente, falta de confianza en sí mismo y en los demás, duda... En cuanto a los pensamientos asociados con la crítica, la cólera y el resentimiento, provocan daños morales y físicos semejantes. Añada a esto el sentimiento de carecer de amor, la culpabilidad, el apego al pasado. Y así tendrá las pautas principales y fundamentales del malestar y, como consecuencia, de las enfermedades.

Ahora sabe por experiencia –por haber puesto en práctica algunos de los métodos de este libro– que, **cambiando de pensamiento, cambiará de mundo.** Considerando que la mayor parte de las enfermedades tienen su origen en esquemas de pensamiento erróneos, se puede decir, evidentemente, que el medio más radical de curación consiste en invertir los «pensamientos programa» perniciosos (a condición de acudir a tiempo). Precisemos que las nuevas orientaciones de los pensamientos y la utilización positiva del poder del pensamiento pueden muy bien combinarse con un tratamiento médico, reforzando así los efectos positivos de este último.

Dado que el papel del psiquismo es capital en toda enfermedad, los métodos de dominio del pensamiento actúan en primer lugar sobre él. «Si, estando enfermos, nos inculcamos la idea de curación, ésta se convierte en realidad en el campo de la posibilidad, es decir, que si es posible, se produce. Si no lo es, no se produce, naturalmente, pero, en este último caso, se obtendrá toda la mejoría que es posible obtener humanamente, cosa ya muy apreciable cuando se considera con frecuencia como improbable» (Émile Coué).

Es interesante hacer notar aquí que la tradición india señala tres causas fundamentales para los sufrimientos del ser humano:

1. La falta de armonía que tiene su fuente en el vehículo físico (cuya responsabilidad incumbe plenamente a la persona, puesto que el cuerpo, en este contexto, es la consecuencia de actos realizados en otras vidas) y, de manera general, en los actos o pensamientos negativos.

2. La falta de armonía cuyo origen se encuentra en una mala relación con el ambiente, tanto físico (los elementos naturales) como psicológico (los otros seres vivos, en particular los seres humanos).

3. La falta de armonía que proviene de una atrofia, una amputación o una negación de la relación consciente de la persona con lo sagrado.

b) Pensamientos positivos que favorecen la salud

Veamos un pequeño repertorio –no exhaustivo– de pensamientos cuya orientación y poder le conducirán forzosamente hacia un grado cada vez mayor de salud, equilibrio y alegría de vivir. Los he grabado además en un casete, de acuerdo con el método de «impregnación subliminal»,* al que he dado el título de *Guérir par la pensée* (Curar por el pensamiento).

* *Todo lo que es perjudicial en mi cuerpo y en mi mente se transforma en partículas elementales, eliminadas por las vías naturales.*

* *Las fuerzas bienhechoras del universo protegen mi cuerpo y mi espíritu.*

* *Estoy vivo. Mi instinto de vida es el más fuerte.*

* *El amor de la vida triunfa en mí y en el mundo entero.*

* *Amo la vida.*

* *Estoy plenamente abierto a la vida.*

* *Dejo la vida fluir a través de mí, libre y gozosamente.*

* *Cuanto más amo la vida, mejor es mi salud.*

* *Mi salud mejora de día en día.*

* *Cada día, y en todo, voy mejor que el anterior.*

* *He elegido la vida.*

---

* El método de impregnación subliminal consiste en grabar en un casete audio una música o sonidos relajantes. En segundo plano de estos sonidos, lo único percibido conscientemente, se graban los pensamientos positivos por un procedimiento especial, que hace que sólo los perciba el inconsciente. Mediante la escucha diaria de este casete, incluso en el momento de dormirse, el inconsciente se impregna directamente de los pensamientos que percibe y los asume de manera natural.

- *He decidido curarme.*
- *Apelo a todas las fuerzas de curación, que vienen a mí.*
- *Apelo a todas las fuerzas de curación, que actúan en mí.*
- *Me aprecio y me quiero bien.*
- *Me gusto tal como soy.*
- *Me acepto tal como soy.*
- *Estoy gozosamente libre del pasado.*
- *He decidido perdonar y ser libre.*
- *Me he perdonado y la vida me sonríe.*
- *He decidido estar en armonía conmigo mismo, con los demás y con el mundo.*

Cualesquiera que sean las perturbaciones físicas o mentales que le afecten, hay que considerarlas como **mensajes de su ser profundo,** que le recuerdan que se ha exiliado (por ignorancia) de la armonía con el mundo y con la vida. Acuérdese, en efecto, de esta ley: cuanto más su pensamiento esté de acuerdo –en armonía– con la vida y el universo, mejor será su salud, puesto que el mundo, el pensamiento y la vida son tres aspectos de la Unidad.

Para comprender el mensaje que transmite la enfermedad y apreciar la tentativa de reequilibrio que implica, utilice el muy eficaz método de exploración. Por ejemplo: *Estas anginas me dicen...* (escriba rápidamente y llene dos páginas de su cuaderno, mencionando la afección que padece). Podría dar:

- Estas anginas me dicen que hay algo que no puedo tragar.
- Estas anginas me dicen que tengo eso atravesado en la garganta.
- Estas anginas me dicen que las cosas no pueden seguir así. Etc.

Si «lo que no puede tragar» está ya claro en su mente, idee un pensamiento positivo justo, por ejemplo: *Estoy libre de...* (el objeto de su malestar). En caso contrario, continúe el método de exploración con una nueva fórmula, por ejemplo: *Lo que no puedo tragar...* El resultado de esta segunda búsqueda le permitirá ver claramente la nueva orientación que le conviene dar a su vida para recuperar la armonía y la salud mediante el poder creador del pensamiento.

Cuanto más utilice estos métodos, más fáciles y agradables le resultarán y más aumentará su eficacia. En realidad, suponen un modo de dialogar con su propia sabiduría, que, en último término, coincide con la sabiduría del universo.

Ya sea en el campo de la salud o en cualquier otro, si le parece que hay verdaderamente un número excesivo de pensamientos en su repertorio, dígase que eso es bueno, que la vida es una aventura maravillosa, ya que le da la ocasión de realizar un número tan grande de objetivos, tanto por su bien personal como por el de aquellos que le rodean.

Un proverbio chino dice: *No temas avanzar lentamente, teme sólo el detenerte.* Lo que importa es avanzar sin cesar en el camino de la autorrealización. De ese modo, su vida estará de acuerdo con el sentido de la Vida, será fiel a su vocación de ser viviente, a su destino humano y, en consecuencia, se sentirá bien, independientemente de las circunstancias. Las atravesará, aunque sean tumultuosas o afecten su salud, sin sentirse perturbado profundamente. Más aún, sacará partido de ellas para progresar en el camino hacia la realización, hacia la suprema levedad del ser: *Todo lo que me sucede me es concedido por Dios (o por la vida) para mi realización.*

7. La relación con los alimentos

La naturaleza ha previsto que el niño reciba normalmente su primer alimento del seno de su madre. Ya en el vientre materno, el bebé se entrena en mamar. Al nacer, procura hacerlo, y no sólo para satisfacer su hambre, sino para vivir en estrecho contacto con su madre, para respirar su olor, acurrucarse en sus brazos y en su amor. Después del nacimiento, el niño y la madre tienen necesidad de crear entre ellos un nuevo lazo afectivo y corporal, que condicionará la calidad de su relación futura. La lactancia materna supone para ambos una ocasión natural de establecer ese lazo. Significa también para el bebé un consuelo saludable tras la prueba del nacimiento, un placer sensual, un gesto de amor (dado y recibido) y una seguridad.

Desgraciadamente, se le niega con frecuencia el tomar la leche del pecho de su madre –ese gesto simple, natural y tan fundamental– a causa de modas médicas, paramédicas, sociales o estéticas. Como vimos anteriormente, el amor, alimento esencial para el recién nacido, le llega en gran parte a través de los contactos físicos con su madre y, de manera muy particular, por la lactancia.

Los trastornos de nutrición del adulto que tienen su origen en la falta de amor sentida por el niño en el momento de su nacimiento, incluso durante su vida intrauterina, son numerosos. En el momento del destete, cuando la relación afectiva con la madre le frustra, hay niños que enferman de anorexia (se niegan a alimentarse). Los efectos de la frustración afectiva original se traducirán más tarde por actitudes que corresponden a los esquemas siguientes:

● No tengo amor, luego la vida no vale la pena. No siento apetito ni por la vida ni por los alimentos.

● No tengo amor, luego siento una sensación de vacío y como glotonamente para intentar colmarlo.

La relación falseada con el alimento va acompañada con frecuencia por diversos trastornos, como la frustración afectiva, la insatisfacción sexual, masoquismo, culpabilidad, ansiedad, falta de amor por sí mismo, sentimiento de soledad, inseguridad, rebelión, depresión, aburrimiento, falta de autorrealización... En la medida en que aparecen muchas veces en asociación con un desorden en cuanto a la alimentación, suelen considerarse como sus causas. En mi opinión, no son tanto las causas como otros efectos de la falta de amor y de contactos físicos en la aurora de la vida.

En el momento en que consumimos los alimentos, el elemento más importante es nuestro estado de ánimo, nuestros pensamientos. El ambiente que reina alrededor de una mesa y en nuestro interior constituye un alimento sutil. Su efecto sobre la comida que ingerimos, sobre la manera en que lo hacemos y sobre su asimilación es preponderante.

El ambiente que preside la elaboración de las comidas tiene también una gran importancia. Un plato preparado con amor o con serenidad sienta mucho mejor a quienes lo consumen que unos alimentos elaborados en un clima tristón o, peor aún, de odio.

Las condiciones favorables para una relación armoniosa con la alimentación son:

● Estado de calma, de paz y de amor, tanto en el momento de las comidas como durante su preparación.

● Creación de un ambiente tranquilo a la hora de las comidas.

● Ligereza de los alimentos (su digestibilidad), su frescura y la calidad y el modo en que se cocinan.

En caso de relación poco satisfactoria con la alimentación, he aquí una primera serie de esquemas de pensamiento capaces de mejorar en caso necesario esa relación:

- *Me aprecio y me quiero bien.*
- *Estoy en seguridad, soy amado y seré siempre amado.*
- *Recibo ahora todo el amor que necesito. Estoy colmado de amor.*
- *Doy y recibo amor libre y gozosamente.*
- *Aprecio mi cuerpo y lo respeto.*
- *Cuanto más aprecio mi cuerpo, más hermoso y deseable se vuelve.*
- *Dios me ha dado este cuerpo, y yo lo aprecio y lo respeto.*
- *La vida me colma de beneficios.*

Veamos ahora una segunda serie de pensamientos, referidos más directamente a las costumbres en cuestiones de alimentación.

Para los que están demasiado gruesos:
- *Me gusta mi cuerpo, y le proporciono una alimentación sana y ligera en mi propio beneficio.*
- *He decidido conservarme esbelto, joven y en buena salud.*
- *Mi peso ideal es de ... kilos. Mi cuerpo y mi mente están de acuerdo para lograrlo y mantenerlo fácilmente.*
- *Me aprecio y, por lo tanto, como poco y me siento bien.*
- *Permanezco siempre plenamente consciente mientras como. Saboreo hasta tal punto los alimentos que me basta con muy poco.*
- *Como solamente cuando me causa verdadero placer.*
- *Comiendo poco y lentamente, saboreo mucho más y me encuentro mejor.*
- *Ahora me concedo el tiempo necesario para saborear la comida.*
- *Me causa mucho placer comer poco, despacio, saboreando cada bocado.*
- *Cada vez como menos y cada vez como mejor.*
- *Como poco, lentamente, masticando durante mucho tiempo los alimentos.*
- *Me siento siempre para comer, lentamente, con calma.*
- *Me rodeo siempre para las comidas de un ambiente privilegiado de calma, paz y amor.*
- *He decidido mantenerme fácilmente en mi peso ideal de ... kilos.*
- *Nutro mi espíritu con cosas bellas e interesantes.*

- *Todo es alimento, el aire, el agua, el sol, los intercambios con los demás, la alegría. Me siento colmado.*
- *Todo lo que como se transforma en salud y belleza.*

Si creo que mi manera de alimentarme me causa un exceso de peso (o una insuficiencia), tendré que pasar forzosamente por regímenes más o menos estrictos y atenerme a ellos, si quiero equilibrarme. En realidad, son mis creencias sobre la alimentación las que condicionan sus efectos sobre mi organismo. Por lo tanto, la adopción del pensamiento anterior dará resultado, con independencia de todo régimen.

Para los que están demasiado delgados:
- *Tengo ganas de vivir.*
- *Siento un gran apetito frente a la vida.*
- *Mi cuerpo y yo nos desarrollamos en armonía.*
- *He decidido engordar* (o adelgazar).

Este último es un pensamiento capital. Si en el fondo de sí mismo no está decidido a engordar o adelgazar, los efectos de cualquier régimen que se imponga quedarán anulados. La necesidad de seguir un régimen se impondrá por sí misma después de esta decisión, lo primero que ha de establecer sólidamente en su ánimo. Del mismo modo, «desear» o «querer» liberarse del tabaco tendrá muy poco efecto. *He decidido dejar de fumar* es la condición principal que ha de llenar, y los métodos de dominio del pensamiento le facilitarán la toma de tal decisión.

La gordura o la delgadez pueden tener causas hereditarias u hormonales. Sin embargo, como el poder del pensamiento es jerárquicamente superior y más potente que el de la vida, un empleo juicioso de los métodos de este libro dará también en este caso resultados positivos.

Los esquemas de pensamiento de la primera serie se dirigen directamente al objetivo, tratando las causas profundas del trastorno nutricional. Por este motivo, recomiendo a los que adviertan una falta de armonía en su relación con la alimentación que practiquen primero una afirmación entre las que forman la primera serie, elegida, evidentemente, en función de las resistencias que se les revelen.

En caso necesario, practicarán después un pensamiento de la

segunda serie sobre las costumbres alimentarias, de las que se sabe que son particularmente tenaces.

Dos páginas de exploración previas sobre «mi gordura (o mi delgadez) es ...» serán ricas en enseñanzas y permitirán al final encontrar afirmaciones todavía mejor adoptadas al caso de cada uno.

8. La imagen del cuerpo, la imagen de sí mismo

Ya he abordado varias veces este tema, proponiendo afirmaciones en consecuencia. Sin embargo, vista su importancia, merece que la hagamos objeto de una reflexión particular.

La «imagen del cuerpo» y la «imagen de sí mismo» son exactamente lo que ambos términos expresan: proyecciones de nuestra mente, resultado de «imaginaciones». La primera concierne al conjunto de los pensamientos que tenemos sobre nuestro cuerpo; la segunda, a los que hemos elegido retener a propósito de nuestro ser.

Vivimos en nuestro cuerpo desde el estado fetal. Nos sirve de vehículo y nos permite realizar todo cuanto se nos ocurre y que nos creemos capaces de llevar a cabo. Esta larga y permanente asociación con el cuerpo hace que, en la mayor parte de los seres humanos, se dé una identificación muy fuerte con él. La mayor parte del tiempo pensamos: «Soy este cuerpo». Pero hay que poner en tela de juicio tal opinión. Si mañana sufro un accidente y me amputan una pierna, ¿Será diferente lo que hay en mí que dice «yo soy»? ¿Quedará mutilado? Claro está que no. Al contrario, si mi cuerpo permanece intacto en su forma, pero caigo en un sueño muy profundo, o si me anestesian, o me dan un golpe que me hace perder el conocimiento, ya no tendré ni imagen de mi cuerpo ni imagen de mí mismo. **Es el cuerpo el que está contenido en la conciencia, no la conciencia en el cuerpo.**

En último término, todo cuanto puedo sentir, creer o pensar de mi cuerpo proviene de mi mente. En consecuencia, mi cuerpo existe para mí en esta última (en el sueño, puedo sentirme existir en cuerpos muy diferentes del que conozco en estado de vigilia y, sin embargo, experimentar la misma impresión de verdad). No obstante, la identificación con el cuerpo es tan intensa que influ-

216

ye forzosamente sobre la de la persona. Además, puesto que *el Universo me devuelve multiplicado lo que emito a través de mis pensamientos,* la imagen que tengo de mi cuerpo me será devuelta por los demás. Si me considero guapo, los demás me considerarán guapo también. Si me considero feo, lo que emana de mí hace que los demás tengan en general una opinión conforme a la mía.

Un día, una participante en un seminario de dominio del pensamiento declaró:

–He tenido una operación grave de intestino. Me quedó una cicatriz que va del esternón al pubis. La acepté bien. Sin embargo, estaba enamorada de mi vientre, lo encontraba muy bonito. Y lo sigo encontrando bonito. Lo que más me ayudó fue que mi marido aceptó muy bien también la cicatriz. No nos causa ningún problema.

Yo expresé así mi opinión:

–Si tu marido tiene esa actitud con respecto a tu cicatriz, se debe con gran probabilidad a que tú misma la has aceptado muy bien.

Si su cuerpo presenta cicatrices, manchas de nacimiento o aparecidas después, una nariz que le parece demasiado ancha, demasiado grande o demasiado pequeña, o cualquier otro detalle que se aparte de su canon exterior de belleza, le conviene, o bien modificar éste, o bien, lo que será todavía más eficaz, aceptar su particularidad. Lo más sencillo es elegir quererse a sí mismo, aceptarse tal como es e insistir sobre su belleza interior.

La noción de belleza del cuerpo es siempre subjetiva (y una cuestión de moda):

● Es personal y relativa a los condicionamientos educativos y culturales. Se sitúa en la mente, en los pensamientos.

● Es también interior, en la medida en que la belleza real de un ser se revela cuando desaparecen los obstáculos a su realización, cuando la persona se muestra en su verdad esencial.

La imagen del cuerpo y la imagen de sí mismo son campos en que las técnicas de dominio del pensamiento, en el eje de la autorrealización, ejercen una gran influencia. Todas las personas que se han ejercitado con la afirmación siguiente obtuvieron resultados decisivos y cambiaron positivamente el curso de su existencia. Dicha afirmación, que se refiere a la imagen de sí mismo, cortocircuita toda imagen negativa del cuerpo, ya que no toma en cuenta para nada el aspecto físico:

- *Soy una mujer* (una chica) *maravillosa, resplandeciente de alegría, de fuerza, de salud y de amor.*
- *Soy un hombre* (un chico) *maravilloso, resplandeciente de alegría, de fuerza, de salud y de amor.*

El testimonio siguiente, elegido entre muchos otros, describe con precisión la evolución puesta en marcha por el método de las tres personas en solamente un mes.

«René:

»A veces resulta muy difícil transmitir con palabras lo que ocurre en un mes. Desde que escribo frases positivas, se ha producido en mí un cambio tal que no encuentro las palabras justas para describirlo, porque, además, se trata de algo absolutamente nuevo, un estado interior muy distinto de aquel al que estaba acostumbrada. La primera semana, me sentí un poco perturbada. Era como si ya no fuera la misma, no me reconocía. Experimenté algunas reticencias antes de aceptar este nuevo estado, que me impregnaba de calma o, mejor dicho, de paz. Se produjo en mí una apertura que permite que la alegría, la paz, el bienestar me penetren. Sí, cada día me abro más a los placeres de la vida. Y además, sonrío y encuentro alegría en los menores detalles de la vida cotidiana. ¡Es verdaderamente fabuloso!

»En un mes, he conocido a varias personas y entablé amistad con ellas rápidamente. Y todo porque ahora acepto recibir plenamente lo que otros pueden aportarme y porque doy espontáneamente lo que tengo ganas de dar. Se acabó el tiempo en que me cerraba cuando la imagen de otra persona me molestaba, negándome a ver las diferencias entre nosotros como positivas, enriquecedoras y beneficiosas para mí misma. Y luego, me doy cuenta de que la manera en que me miran los demás ha cambiado. Su mirada es más dulce, más tierna, más profunda. Yo creo que esto se explica porque yo misma modifiqué la manera en que me veía a mí misma, fijando mi atención sobre lo que hay bueno en mí. Recordé toda la ternura y todo el amor que yacían en el fondo de mi ser y que ocultaba como una enfermedad vergonzosa. Descubrí que yo era AMOR. Me convertí, por lo tanto, en AMOR y los demás me ven como AMOR. Todo eso por haber trabajado con esta frase: *Yo, Véronique, soy una mujer maravillosa, resplandeciente de amor y de alegría.*

»Sí, mi trabajo me permitió captar el amor y la alegría que había en el fondo de mí y, al abrirme a la vida, ver también el amor y la alegría que existe en cada ser y en cada cosa. Esta atmósfera de amor me hace sentir que estoy en el camino de la verdadera VIDA. Siento que todo este amor me infunde el deseo de moverme, de emprender, de llegar hasta el final de las cosas, que me da los medios para triunfar.

»Y ahora que he recogido y saboreado los primeros frutos en el camino del pensamiento positivo, he decidido seguir, tengo ganas de continuar. Sí, quiero continuar escribiendo, para conservar el sabor tan dulce de sus frutos. Tengo ganas de abrirme cada vez más a la vida, de descubrir en ella todavía más alegría.

»La apertura que se ha realizado en mi ser me hace comprensiva, disponible. Me siento ligera al no tener que soportar ya la carga de mis pensamientos negativos.

»En fin, como ves, todo esto es muy positivo. Quisiera que me informases sobre tu próximo seminario intensivo de meditación hacia el estado de Vigilia: "¿Quién soy?". Sí, deseo perfeccionar mi conocimiento de mí misma, porque me doy muy bien cuenta de que, gracias a ese conocimiento, podré abrirme más aún y comprender mejor a los demás y la vida.

»Puedes creerme si te digo que fue para mí una gran felicidad el que los caminos que hemos elegido respectivamente se cruzasen el 10 de febrero. Y termino esta carta enviándote toda mi amistad.

»Véronique.»

Antes de recibir su carta, no había visto a Véronique más que una sola vez, el mes anterior. Había participado en un seminario de dominio del pensamiento que yo animaba y que un amigo común le había recomendado. Le doy las gracias por haberme autorizado a publicar su testimonio.

He aquí otras afirmaciones útiles para mejorar la imagen del cuerpo y la imagen de sí mismo.

- *Me gusta mi cuerpo tal como es. Lo cuido y lo respeto.*
- *Cuanto más quiero a mi cuerpo, más hermoso y deseable se vuelve.*
- *Mi cuerpo es un vehículo maravilloso y placentero, que me permite disfrutar plenamente de la vida.*

- *Mi cuerpo es hermoso, un éxito prodigioso de la vida.*
- *Mis particularidades físicas son originalidades.*
- *Mis particularidades físicas significan para mí una ocasión de crecer interiormente.*
- *Mi belleza interior irradia al exterior.*
- *Me aprecio y me acepto como soy.*
- *Cuanto más me quiero a mí mismo, más me quieren.*
- *Soy digno de ser querido y respetado.*
- *Soy una persona magnífica.*
- *Soy una persona de grandes méritos.*
- *Soy digno de confianza.*
- *Soy bella física y mentalmente.*
- *Mi belleza consiste en mi poder de amar y de ser.*

9. La vida profesional

El aspecto profesional representa para muchos una parte muy importante de su vida. Con frecuencia, ocupa muchas horas diarias y es fuente de riqueza, la ocasión de intercambios y encuentros. En el trabajo, deberían poder expresarse en abundancia la atención, la creatividad y el amor. Por desgracia, no ocurre así con demasiada frecuencia, debido a la presencia de esquemas de pensamiento negativos. Encontrará a continuación, a título de ejemplo, un cierto número de ellos que causan verdaderos estragos. Le aconsejo que redacte la lista de pensamientos positivos por los cuales convendría reemplazarlos. Después, le propondré la mía propia.

- **Esquemas negativos sobre el trabajo en general:**
1. El trabajo es fastidioso (una lata).
2. Yo no he nacido para el trabajo.
3. El mejor momento de la jornada de trabajo es aquel en que se termina.
4. ¿Cuándo llegará el momento de irnos (o las vacaciones, o la jubilación)?
5. El trabajo no debería existir.

- **La actitud personal:** Hay también numerosos esquemas de pensamientos negativos dependientes de nuestra actitud fundamental con respecto al mundo y a los demás:

6. No tengo la altura suficiente.

7. Los demás son estupendos. Yo no valgo nada.

8. Sólo yo soy inteligente. Los demás son unos imbéciles.

9. No tengo confianza en mí mismo.

10. Tengo miedo del cambio, de lo nuevo.

11. La vida es difícil. Todo es difícil.

12. El trabajo es cansadísimo. Estoy harto, estoy hasta la coronilla.

13. Todo el mundo, las personas y las cosas, están en contra mía.

14. El que quiere triunfar tiene que prostituirse.

15. Para triunfar, hay que aplastar a los demás.

He tenido ocasión a menudo de charlar con personas cuyas dificultades habían comenzado con la llegada a su lugar de trabajo de un nuevo empleado (ya formase parte de su equipo, fuese su superior o su subordinado). El carácter y el comportamiento neuróticos de un recién llegado pueden transformar un ambiente laboral en un «infierno».

En mi opinión, a las empresas les interesaría mucho tomar en consideración las condiciones en que trabajan sus empleados, condiciones que están relacionadas con los caracteres y los comportamientos de todos aquellos que participan en la vida de la empresa y que influye mucho sobre el rendimiento y el absentismo. Por este motivo, me gustaría animar seminarios de dominio del pensamiento en el seno de las empresas. Sus beneficios sobre el ambiente en el lugar de trabajo y su incidencia sobre la productividad se extenderían a todos los campos de la vida de los participantes. Creo que éstos se lo agradecerían a los organizadores.

Espero que, como le recomendé (cosa siempre provechosa), habrá redactado la lista de pensamientos positivos para reemplazar los quince ejemplos de pensamiento negativos citados. Veamos ahora la mía.

● **Esquemas positivos:**

1. El trabajo es lo que yo hago de él.

2. El trabajo puede ser una ocasión maravillosa para...

3. El mejor momento del trabajo es aquel en que estoy totalmente presente, atento a lo que hago.

4. Cuanta mayor atención pongo en él, más aprecio mi trabajo.

5. Mi trabajo es una participación en el mundo.

6. Soy una persona de calidad, muy capaz y competente. Hago bien todo lo que emprendo.

7. Soy una persona estupenda y los demás son también estupendos.

8. Ídem.

9. Tengo confianza en mí mismo.

10. El cambio es estimulante (dinamizante, excitante, exaltante, tónico, provocador, divertido, creador, enriquecedor, gratificante, etc).

11. La vida es una aventura maravillosa.

12. El trabajo es lo que hago de él.

13. El universo entero me ama, me sostiene, me protege.

14. Para triunfar, hay que sentirse satisfecho de sí mismo, tener confianza, ser uno mismo, quererse y querer a los demás.

15. Ídem.

Me gustaría, siempre en el contexto del trabajo, añadir algunos pensamientos más:

16. Creo a mi alrededor, en mi lugar de trabajo, un ambiente agradable.

17. Hago de mi trabajo un lugar de realización.

18. Gracias a mi trabajo...

19. Aprovecho las condiciones de mi trabajo para...

20. Triunfo en mi trabajo, humana, social y financieramente.

21. He decidido triunfar en mi vida profesional.

22. Cuanto más me gusta mi oficio, más beneficios financieros me aporta.

23. Mi oficio me permite utilizar mis dotes creativas, todas mis capacidades, y ganar un buen salario.

24. Me quieren y me aprecian en mi trabajo. Merezco un buen salario.

25. He decidido encontrar el trabajo que me convenga perfectamente, desde todos los puntos de vista.

Dos adolescentes me dieron un día estas definiciones del trabajo:

● *El trabajo es la independencia.*
● *El trabajo es un placer útil.*

10. La vida en pareja, la vida sexual, la comunicación

Independientemente de toda consideración religiosa a su respecto, el matrimonio es la asociación de dos seres en los planos afectivo, sexual, familiar y material. Constituye un marco de seguridad para los hijos que son su fruto.

En la actualidad, la vida en pareja se independiza con frecuencia del matrimonio, al que estaba asociada íntimamente en otros tiempos. Quizá se trate de un progreso, en el sentido de que la vida en pareja fuera del matrimonio resulta del don que los dos miembros de la misma hacen de su libertad. Continúan juntos porque eligen continuar juntos, y renuevan esa elección día tras día.

Los comportamientos sociales evolucionan con rapidez en nuestros tiempos, y los hijos nacidos fuera del matrimonio son ahora reconocidos en las mismas condiciones que los nacidos dentro de él, tanto en el plano de los derechos como en el plano de su inserción en el medio social. Por lo menos, tal es el sentido de la evolución a la que estamos asistiendo. No obstante, las estadísticas demuestran que las parejas casadas tienen más hijos que las no casadas, lo que confirma la vocación del matrimonio como «nido» privilegiado para los niños.

La vida en pareja supone una maravillosa ocasión de realización. Es también una escuela exigente de la comunicación, ya que se enfrentan en todo momento dos personalidades que deben hacer concesiones, el don de sí mismas, compromisos. La indispensable diminución del egoísmo de ambos miembros de la pareja para el éxito de una vida en común se facilita en gran medida por el afecto que les une. Cuando alguien ama, la felicidad del ser amado importa naturalmente más que la propia. Ahora bien, el «amor» está también íntimamente asociado al deseo sexual. Dependiente del instinto de perpetuación de la especie, polariza el uno hacia el otro a los dos compañeros y les une, asimismo, gracias al reconocimiento del placer recibido, dado y compartido.

Si el ego de uno u otro de los miembros de la pareja está falseado, deformado, mostrándose más exigente que el lazo afectivo, ambos pueden convertirse en competidores, rivales, adversarios. Por ello ocurre a menudo que surja una relación de dominio dentro de la pareja o una lucha por el poder, eco de situaciones familiares pasadas, de relaciones con los hermanos y los padres. La manera en que se vivió, durante la infancia y la adolescencia, la relación con la autoridad parental condiciona de manera muy particular el comportamiento del adulto en su relación de pareja (y en la vida relacional en general).

a) El fenómeno de «proyección»

En la pareja, una situación conflictiva puede suceder a un período de armonía, durante el cual el deseo sexual y las ideas que cada uno se hacía del otro les inducían a vivir en un mundo ilusorio. En efecto, la relación que sostenemos con los demás es en realidad la relación entre la idea que tenemos de nosotros mismos y la que nos hacemos de los demás, lo que deja de lado la inmensa parte desconocida de nosotros mismos y el hecho de que la persona es «más», evidentemente, que la suma de las ideas que tenemos sobre ella.

Mediante mi pensamiento, creo el mundo en que vivo (tercera ley). Con mi pensamiento, creo en cierto modo a la persona con la que me relaciono. Lo que sé de ella emana de mí mismo, en función de mi manera de ver, de mi experiencia, de lo que soy. Tal es la causa de que una misma persona sea considerada como simpática por uno y como antipática por otro. No vemos de los demás más que aquello que somos capaces de ver en función de nuestros propios condicionamientos. Lo que conozco de una persona lo conozco siempre a través de los pensamientos y las emociones que creo a su contacto. Lo que nos gusta u odiamos en otro son nuestras propias cualidades o tendencias, conscientes o inconscientes. Las tendencias y los comportamientos que aceptamos o no aceptamos en nosotros mismos –y que son rechazados por esta razón al inconsciente– los vemos con una agudeza muy particular en los demás. Es lo que Cristo, citado en el Evangelio según San Mateo (7,3), expresa con vigor: «¿Por qué ves la paja en el ojo de tu hermano y no ves la viga en el tuyo? (...) Hipócrita, retira primero la viga de tu ojo y entonces verás cómo quitar la paja del ojo de tu hermano».

Toda persona puede actuar para nosotros como un revelador, siempre que permanezcamos atentos. Cuando su comportamiento o sus cualidades nos hacen reaccionar de manera exagerada se debe a que nos sentimos concernidos directamente por ese comportamiento o esa cualidad. Reprimiéndolos o ignorándolos en nosotros mismos los reconocemos en una persona que parece manifestarlos de modo evidente.

En la mayoría de los casos, proyectamos una parte inconsciente de nuestro ser sobre el otro, a quien prestamos cualidades, intenciones o comportamientos que en realidad nos pertenecen, aunque sean inconscientes la mayor parte del tiempo.

b) El amor romántico

¿Qué es, pues, en la mayor parte de los casos el «amor» ensalzado en las canciones, tema principal de novelas y películas? ¿Qué es el «flechazo», cuyo carácter súbito se acomoda tan mal con la duración?

El flechazo se produce cuando una persona parece encarnar aquella parte inconsciente de nosotros mismos que nos satisface. Del mismo modo que el mundo que conocemos es tal como lo pensamos, lo que nos gusta o nos disgusta en otra persona se reduce a una imagen que proyectamos sobre ella, una creación de nuestra mente. (Si aumentamos el conocimento de nosotros mismos levantando el velo que recubre nuestras tendencias reprimidas, nuestras relaciones con los demás serán forzosamente de mejor calidad, gracias a la reducción del fenómeno de proyección, dando como resultado una relación más armoniosa y más real.)

Hay que considerar que en cada ser humano coexisten un aspecto masculino y un aspecto femenino. En el hombre, domina casi siempre el aspecto masculino, mientras que el femenino *(anima)* queda reprimido, oculto. En la mujer, al contrario domina el aspecto femenino, quedando oculto el masculino *(animus)*. Hay que saber que lo que está reprimido, lo inconsciente, lo oculto, se manifiesta la mayor parte del tiempo de manera negativa y perversa en los comportamientos.

Cada ser humano alberga en su inconsciente una imagen positiva, ideal, del otro sexo. Cuando conoce a una persona de ese sexo que corresponde o parece corresponder a tal imagen ideal, la proyecta sobre ella y la adora apasionadamente. Tenemos así el flechazo, el amor loco, el amor apasionado. El deseo sexual alcanza su potencia máxima, se exacerba. El sujeto tiene la impresión de haber encontrado «su mitad perdida», cosa que es completamente cierta. Se trata de la mitad ideal y desconocida (reprimida) del otro sexo en nosotros, pero que la persona «amada» parece encarnar y que proyectamos sobre ella.

c) Después del amor romántico

El amor romántico puede evolucionar, con el tiempo, en dos direcciones principales.

1. Las ideas que nos hacíamos de nuestro compañero son poco a poco revisadas y abandonadas al verse enfrentadas a los hechos y a las reacciones. Otras vendrán a reemplazarlas, tan falsas como las primeras, pero casi siempre orientadas inversamente, ya que esta vez apelarán a la imagen inconsciente negativa que tenemos del otro sexo, derivadas de todo lo que no hemos perdonado a nuestros padres y a nuestros hermanos o hermanas. En la misma medida en que, al comienzo de la vida en pareja, los pensamientos hermoseaban, idealizaban a la pareja, la desilusión puede reemplazarlos por la ilusión contraria, tan exageradamente negra como rosa era la primera. Comienza entonces el reino del rencor, el resentimiento. «¿De modo que no eres lo que yo creía? Te niegas obstinadamente a ser como yo querría que fueses. Estoy muy decepcionado. Me has traicionado, engañado. Te guardo rencor, te odio...» Es el fin del amor apasionado y el comienzo del conflicto entre dos egos decepcionados y rivales.

2. Si las proyecciones inconscientes caen y desaparecen poco a poco, mientras entramos progresivamente en un contacto más real con el ser que vive en nosotros, cerca de nosotros, se nos hace posible amarle por sí mismo, por lo que es. Cuando, aceptando a nuestro compañero tal como es, dejamos de exigir que se conforme a las ideas que tenemos de él y aceptamos abandonarlas, podemos descubrirle, apreciarle, quererle realmente. Ya no se trata del amor loco, el amor apasionado, sino de la aparición de un amor más suave, menos exigente, que se expresa a través de la ternura, la comprensión, la complicidad, la comunicación telepática, la amistad, la confianza, el deseo de dar.

Considero la ternura como la expresión del verdadero amor, mucho más auténtico que el amor pasión, el cual, como hemos visto, se basa en las proyecciones inconscientes. Mientras que la ternura da gratuitamente, el amor pasión toma, exige, reclama...

La evolución hacia el amor ternura sólo tiene lugar si los dos miembros de la pareja se abren el uno al otro. Pero esta apertura exige una condición, la apertura a sí mismo. Por eso me parece evidente que la evolución positiva de una relación amorosa va en el mismo sentido que la autorrealización, que consiste, entre otras cosas, en la integración armoniosa y consciente de los aspectos masculino y femenino que existen en nosotros.

d) Juntos hacia la realización

Si los dos miembros de una pareja se dirigen juntos hacia la realización, la aceptación, el amor y el respeto de sí mismo, se conceden todas las oportunidades de triunfar en su vida de pareja. Su camino hacia la realización y su vida en común se confundirán, se adicionarán. Ambos se apoyarán mutuamente.

Lo más frecuente, sin embargo, es que uno sólo de ellos se dirija hacia la realización, practicando el yoga o emprendiendo una terapia psicológica, por ejemplo. En ese caso, puede suceder que se abra un foso entre ellos, ya que, por regla general, cuanto más avanza el uno, más se retrae el otro bajo el efecto del miedo a conocerse. Pretende que se conoce muy bien a sí mismo, que la búsqueda del otro es vana, que no hace más que contemplarse el ombligo. Se burla de todo lo que el primero tiene el valor de emprender, debido a que, en el fondo de sí mismo, sabe muy bien que debería hacer otro tanto. Pero tiene miedo a analizarse, miedo del cambio y de lo que podría descubrir en su interior. Con su marcha deliberada hacia la realización, su compañero le pone de hecho, de manera permanente, frente a su propio miedo y a su huida. Por eso sus reacciones son pasionales y se inclina mucho a la crítica.

e) Afirmaciones positivas

He aquí un cierto número de pensamientos-fuerza que mejorarán la comunicación tanto consigo mismo como con los demás, ofreciéndole al mismo tiempo las mejores oportunidades de éxito en su vida en pareja.

Para mejorar la relación dentro de la pareja (y las relaciones en general):

● *Perdono a mi padre* (a mi madre, mi hermano, mi hermana, mi marido,mi mujer, mi compañero, mi compañera) *todos los errores y ofensas que ha cometido contra mí y reconozco el amor que sentimos el uno por el otro* (o... que ha cometido contra mí y de las que me libero).

● *Me perdono todos los errores y ofensas que he cometido contra mí mismo y contra otros.*

● *Puedo querer con toda seguridad a los demás y tener confianza en ellos. Puedo aceptar su amor y su confianza.*

● *Nuestra unión se construye sobre el amor y la generosidad.*

● *Lo veo todo con ojos amantes.*

● *Yo soy yo; los demás son cada uno lo que son. La diferencias entre nosotros son normales.*

● *Querernos supone reconocernos y aceptarnos mutuamente, tanto en nuestros acuerdos como en nuestras diferencias.*

● *Dejo que los demás sean ellos mismos.*

– *Triunfamos en nuestra vida en pareja manteniendo siempre entre nosotros una verdadera comunicación.*

● *El amor es la base de toda verdadera comunicación.*

● *Cuanto más me quiero a mí mismo, más me quieren. Cuanto más me acepto, más soy aceptado, reconocido.*

● *Tengo confianza en mí.*

● *Estoy en paz y en armonía conmigo mismo.*

● *Cuanto más me desarrollo, más permito a los demás que se desarrollen.*

● *Cuanto más me uno a los demás, en mayor medida soy yo mismo.*

● *Estoy abierto a los demás.*

● *Mi compañera* (o mi compañero) *y yo tenemos algo que realizar y lograr juntos.*

● *Saco partido de lo que es mi compañera* (o mi compañero) *para favorecer nuestra realización.*

● *Comunico cada vez mejor conmigo mismo y los demás.*

● *Yo soy yo mismo y expreso libremente lo que soy.*

● *Puedo decírselo todo a mi compañera* (o mi compañero).

● *El amor y todo cuanto doy vuelve a mí multiplicado hasta el infinito.*

● *Ahora, mi compañera y yo orientamos nuestra vida hacia la armonía, la plenitud y la realización.*

● *Mamá* (o papá) *me perdona. Puedo vivir, amar y ser amado.*

● *Me he liberado de mi padre* (o de mi madre).

● *En el camino hacia la realización, gozo siempre del poder, la competencia y la protección de la vida.*

Para una vida sexual satisfactoria:

● *El despertar de mis sentidos me abre a la vida y a los demás.*

● *A través de mi sexualidad, me abro a los demás.*

● *La energía sexual me propulsa en la vida.*

● *Tomo mis fuerzas de la energía sexual.*

● *Me siento cómodo con mi sexualidad.*

● *Me desarrollo con respecto a mi sexualidad.*

● *Me desarrollo en todos los aspectos.*

● *Me dejo llevar gozosamente por el deseo y el placer, por la energía sexual.*

● *Es natural tener deseos sexuales.*

● *Vivo mi sexualidad en armonía.*

● *Me siento a gusto durante el acto sexual.*

● *Perdono a mi compañero* (o compañera) *y me abandono al placer* (y le proporciono placer).

● *He perdonado a mi padre* (o a mi madre).

● *He decidido aceptar el placer sensual y sexual, libre y gozosamente.*

● *Me gusta mi cuerpo, fuente de placer para mí y para aquellos a quien quiero.*

● *Viviendo plenamente mi placer sexual, disfruto de una salud esplendorosa.*

● *El placer sexual es un regalo que acepto* (ofrezco, comparto, doy y recibo) *libremente.*

● *En el amor, doy y recibo plena, libre y alegremente.*

● *Me abandono al placer sexual, al goce sexual, y esto me colma de felicidad.*

● *Mis ritmos sexuales y los de mi compañero* (o compañera) *concuerdan armoniosamente.*

- *Con mi compañero* (o mi compañera), *me siento en seguridad para el placer.*
- *Estoy en seguridad con los hombres* (o con las mujeres), *les quiero y les beneficio.*
- *Estoy en seguridad con los hombres* (o con las mujeres), *me quieren y me benefician.*
- *Expreso físicamente mi amor con toda seguridad.*
- *A mi compañero le gusta hacerme el amor y a mí me gusta que me penetre.*
- *A mi compañero le gusta acariciarme y a mí me gusta acariciarle.*
- *Estoy en completa armonía con los hombres* (o con las mujeres).
- *Hacer el amor es una fiesta, la fiesta de la vida.*
- *Lo más hermoso en la relación amorosa es el Amor.*

En caso de eyaculación precoz:
–*Estoy seguro con las mujeres. Me quieren y me desean.*
–*Cada vez domino mejor mi eyaculación, con toda seguridad.*

11. La vida familiar

La vida de familia es el centro que permite a los miembros de la misma abrirse al mundo y a los demás y expandirse. Por lo menos, debe tender hacia esa meta. Cuanto más armonioso, feliz y fuerte sea ese centro, más benéfica será la expansión individual de quienes la forman. La vida familiar debe ser un trampolín sólido para saltar alegre y libremente hacia la vida. Veamos algunos pensamientos que van en ese sentido.

- *Gracias a mí, X., mi hogar es un lugar de expansión.*
- *En mi hogar, se expresa el amor en todo instante.*
- *En mi familia, somos todos para uno y uno para todos.*
- *En mi familia, cada uno recibe el amor y el respeto de todos los demás.*
- *En mi familia, compartimos libremente nuestras experiencias.*
- *En mi familia, comunicamos fácil, libre y afectuosamente.*
- *En mi familia, nos gusta complacernos los unos a los otros.*

12. La vida espiritual

Para comprender mejor la relación entre pensamiento y vida espiritual, conviene distinguir entre los diversos campos de aplicación del pensamiento. Los presentamos a continuación en un orden creciente, del menos al más sutil, y en un orden decreciente (en el estadio actual de la evolución humana), del más al menos activo.

a) Campos de aplicación del pensamiento

El pensamiento práctico al servicio del instinto vital:
En su funcionamiento más corriente, el pensamiento es un instrumento al servicio del instinto vital (llamado también de conservación de la vida), la categoría de pensamiento que inventa las técnicas destinadas a adquirir un dominio relativo del ambiente. La función principal del ego consiste en encontrar soluciones prácticas para el desafío permanente planteado por las situaciones de la vida. Así se explica también la influencia tan grande del «pensamiento ego» sobre nuestro comportamiento, puesto que en cierto modo garantiza nuestra vida física. Si en la actualidad vivimos en sólidos edificios, que nos ponen al abrigo de la intemperie, si los armarios de nuestras cocinas y nuestros frigoríficos contienen buenas reservas de alimentos, si tenemos los armarios llenos de ropa adaptada a las estaciones, si hay numerosos comercios e industrias que satisfacen nuestras necesidades vitales, si el personal de nuestros hopitales, con sus técnicas sofisticadas, hace todo cuanto puede por mantenernos en vida, todo ello es obra del «pensamiento ego» (o de la mente) al servicio del instinto vital. La inmensa mayoría de nuestros pensamientos pertenecen a ese campo.

El pensamiento abstracto, instrumento de conocimiento:
Otro campo de aplicación del pensamiento es la tentativa de comprensión del universo o, más sencillamente, del mundo que nos rodea. El pensamiento se hace entonces más simbólico y crea sistemas de representación del mundo (dependientes del contexto cultural y técnico), organiza los datos de que dispone –que son de su propia creación y que tienen como base principal los men-

sajes de los sentidos–, los combina y los asocia en forma de razonamientos y de deducciones fundados en la lógica. Esta actividad del pensamiento puede tener como móvil la sed de conocer, de comprender, la curiosidad. Pero puede también tratarse de un modo de asegurarse (nombrando y clasificando los fenómenos y las cosas, dejan de serme desconocidos y puedo creer que los domino), o ser la respuesta a una necesidad de eficacia en el mantenimiento de la vida. Ambas actitudes son más o menos conscientes. En estos dos últimos pasos, reaparece la mente sublimada al servicio del instinto vital.

El pensamiento intuitivo:

Ciertos pensadores de la antigüedad expusieron ideas sobre el mundo que siguen siendo válidas en nuestros días. Que sea así se debe probablemente al hecho de que percibieron ciertos datos por intuición, un modo de «conocimiento directo» que no pasa por el razonamiento, la deducción y la lógica y que, por consiguiente, es independiente del contexto cultural y técnico. Éste, sin embargo, interviene en la tentativa de integración personal de la intuición o en el intento de su comunicación, es decir, tan pronto como dicha intuición debe ser formulada intelectualmente.

La intuición, forma de pensamiento sutil, está atrofiada con frecuencia en nuestras culturas, por un desarrollo excesivo de pensamiento racional. «La intuición puede hacer nacer una teoría, pero nunca se ha visto que una teoría hiciese nacer una intuición», ha dicho Albert Einstein, demostrando así la estima, basada en el origen de sus descubrimientos personales, en que tenía esa forma de pensamiento sutil y no racional. Una mayoría de los descubrimientos de la humanidad tuvo como origen, con toda certeza, la intuición de los investigadores. La intuición se revela en el «silencio» de la mente racional, condición requerida también para que se establezca la comunicación directa con lo que es. Para esto, el «pensamiento ego», que vela por nuestra vida y por nuestro bienestar material individual o colectivo, debe aceptar hacerse a un lado. Nuestro egoísmo tiene que soltar las riendas de nuestra vida, tiene que aceptar el renunciar. No lo hace fácilmente. Sin embargo, es el «paso obligado» para acceder al pensamiento místico (o espiritual), el más sutil.

Lo sutil es siempre cualitativamente superior a lo grosero. Esta noción, todavía familiar a las culturas orientales, se ha perdido un poco en nuestra civilización occidental, tan materialista, donde reina con mucha frecuencia la cantidad, en detrimento de la cualidad. Son muchos los que escuchan música moderna, como el hard rock, por ejemplo, con un nivel sonoro de tal intensidad que puede provocar lesiones en el sistema auditivo. Para poner otro ejemplo en el campo de los sentidos, una persona con un olfato tan desarrollado que la hace la única capaz de percibir un perfume muy sutil goza, evidentemente, de un sentido de mejor calidad que otra que sólo alcance a percibir los olores muy fuertes.

El pensamiento místico y espiritual:

El pensamiento místico es, en mi opinión, una forma superior y clara de la intuición. Se manifiesta en primer lugar por un sentimiento de pertenencia y adhesión al mundo, a algo infinitamente más vasto que nuestra personalidad.

El «conocimiento directo» implica una unidad esencial entre lo que es percibido y lo que percibe. Esta noción de una unidad fundamental de todo *lo que es* constituye precisamente una de las características del pensamiento místico o espiritual. Los sabios, los santos que tienen acceso al nivel más alto y más sutil del pensamiento (que están en contacto directo y permanente con lo que algunos llaman Dios o, dicho de otro modo, que son «UNO con lo que es»), tienen acceso por ello mismo al poder infinito, al poder que dio origen al universo. El Antiguo y el Nuevo Testamento dicen, cada uno a su manera: «Al comienzo era el Verbo (el pensamiento en su forma más sutil y, por lo tanto, la más potente), y el Verbo era Dios». Lo que llamamos milagros, que conocemos por el testimonio de las Escrituras o por testigos directos, no son más que una débil manifestación, ante la mirada velada de los humanos no realizados, de ese poder infinito del «pensamiento». Cuanto más sutil sea éste, menos comprendido será por la mayoría, pero mayores serán su poder y su calidad.

Los diversos campos de aplicación del pensamiento que acabamos de describir coexisten simultáneamente en todos nosotros, dominando el uno o el otro en cada momento determinado. Las técnicas propuestas en este libro se dirigen sobre todo a los dos primeros. Al practicarlos, se liberará de numerosas imposiciones y errores correspondientes a ambas funciones del pensamiento.

Facilitan la vida, la hacen más bella y más agradable, más ligera y más libre, volviendo a la persona cada vez más abierta y disponible para los niveles más sutiles y más potentes del pensamiento. Si existen técnicas para faciliar el acceso a los campos intuitivo y místico, no se transmiten tradicionalmente por escrito y se salen del marco de este libro. Sin embargo, algunos de los métodos presentados aquí –sobre todo el de exploración– pueden dar acceso a la sabiduría existente en el corazón de cada uno. La única condición reside en soltar presa, en confiar en lo que es en sí.

En mi opinión, se comete un error al establecer una distinción entre la vida espiritual y la vida profana. En realidad, en el ser humano la vida entera es «espiritual», puesto que está regida por el espíritu, por los pensamientos.

Como hemos visto anteriormente, el universo, el pensamiento y la vida son tres aspectos de la Unidad. Por consiguiente, si nuestro pensamiento concuerda y se armoniza, según su naturaleza, con la vida y el mundo en su realidad esencial, estamos abiertos a la verdad. Nuestra dimensión espiritual nos resulta entonces perceptible. Actualizamos nuestra aptitud para la felicidad, la plenitud. En cambio, si nuestro pensamiento, por error o por ignorancia, se opone a la vida, al mundo, a la verdad, al Ser, nos exiliamos de la felicidad y dejamos de comprender lo que significa la «vida espiritual».

b) Vida espiritual y vida religiosa

Vida espiritual y vida religiosa no tienen siempre un sentido equivalente. Es posible llevar una vida espiritual muy rica y auténtica fuera de todo marco religioso. Y a la inversa, hay personas que practican asiduamente los ritos de una religión, que tienen una gran creencia en Dios, pero cuya vida no puede ser calificada de espiritual. Pensemos, si no, en los fanáticos religiosos. Por ejemplo, un célebre ayatola envió, en el nombre de Alá, a adolescentes de doce a quince años, desarmados, a hacer saltar minas, con objeto de dejar libre paso a sus tropas contra el enemigo, musulmán como él. En la república islámica en cuestión, y bajo la responsabilidad de dicho ayatola, se pronunciaron y se ejecutaron numerosas condenas a muerte, so pretexto de una infidelidad al Islam. Una actitud semejante me parece incompatible con una vida espiritual auténtica, aunque no ponga en duda la fe del ayatola en cuestión.

En la propia Europa, una «guerra de religión» está ensangrentando Irlanda. Hace ya muchos años que los cristianos católicos y los cristianos protestantes se matan los unos a los otros, pese a que cada uno de los clanes apela a un mismo dios de amor y perdón. ¿Y cuántas torturas y crímenes abominables contra el ser humano se cometieron en Europa, en nuestro pasado, en el nombre de Cristo? Pretendidamente, claro está, ya que en realidad hubo negación de su enseñanza durante las guerras de religión, en particular bajo la Inquisición. Por desgracia, se podrían multiplicar los ejemplos.

Cuando la jerarquía religiosa se asocia a la riqueza, a objetivos y un poder temporales, la calidad de la vida espiritual se degrada rápidamente, en cualquier época y en cualquier latitud.

Dad al César lo que es del César y a Dios lo que es de Dios.

Cristo.

Dios crea las religiones, y es Satán quien las organiza.

G.B. Shaw.

Creer en Dios es –y perdónenme el pleonasmo– una creencia. No creer en Dios es también una creencia. La vida espiritual no se sitúa a ese nivel. Implica un estado de apertura total a lo que es, de aceptación absoluta, un estado de extrema conciencia, de vigilancia, de atención y de amor.

c) Pensamientos de despertar a la vida espiritual

- *Cada vez estoy más presente, soy más consciente y atento.*
- *Me mantengo siempre plenamente atento a mis pensamientos, mis sensaciones, mis emociones, mis sentimientos.*
- *Estoy plenamente abierto a lo que soy.*
- *Estoy plenamente abierto al instante presente, a lo que es.*
- *Estoy plenamente abierto a mí mismo, a la vida, a los demás y a todo lo que es.*

- *Estoy gozosamente libre del pasado, gozosamente libre del presente, gozosamente libre del futuro.*
- *Todo sucede por mi bien y por el del mundo.*
- *¡Victoria, victoria victoria a Dios(o a la Vida)!*
- *Todo tiene su razón de ser. Yo digo sí, acepto inmediatamente.*
- *Estoy guiado a cada instante por el Amor infinito y la Inteligencia infinita.*
- *Presencia infinita, Amor infinito, Inteligencia infinita, yo soy.*
- *En cada instante presente, yo soy.*
- *Soy cada vez más tranquilo, sereno, abierto, disponible.*
- *Oriento todas mis energías hacia la realización del Ser.*
- *Estoy plenamente abierto a la trascendencia.*
- *Encuentro mi alegría, mi plenitud y mi seguridad en el Ser.*
- *Elijo lo esencial y me mantengo en ello.*
- *Todos mis gestos, mis palabras, mis pensamientos son actos de potencia y de creación.*

Finalmente veamos algunos más, especialmente orientados hacia el Amor místico, la ofrenda y el servicio.

- *Todo lo que me ocurre me es dado por Dios* (por la Vida) *para mi realización.*
- *Digo sí inmediatamente a lo que Dios* (o la Vida) *quiere para mí.*
- *Todo lo que puedo desear está ya en mí. Estoy infinitamente colmado* (por Ti, Señor).
- *Señor, haz el vacío en mí y cólmalo con tu presencia.*
- *Todos mis gestos, mis palabras, mis pensamientos son una ofrenda a Ti, Señor.*
- *Señor, por tu gracia, te amo y te sirvo siempre, en todas partes y en todos los seres.*
- *Señor, Tú te revelas en tu servidor, y él se convierte en tu instrumento perfecto.*
- *Estoy en contacto directo, consciente y permanente contigo* (o con la Vida), *Señor.*
- *Eres siempre Tú el que hace, Señor, en Ti y para Ti.*

Conclusión

1. Sea libre y feliz con total autonomía

Amigo lector, si ha leído este libro practicando sucesivamente los ejercicios y los métodos, como le he recomendado, dispone ahora de medios de desarrollo personal muy sencillos, muy eficaces y muy fáciles de aplicar. Gracias a ellos, puede iniciar conscientemente el camino hacia la realización. Le permitirán mejorar rápidamente no sólo sus relaciones consigo mismo, con los demás y con el mundo, sino también todos los campos de su vida de los que está insatisfecho. Y eso con toda autonomía.

Nuestra vida, como hemos visto, está regida por nuestros pensamientos, asociados con emociones, sentimientos y sensaciones. Hay los pensamientos que nos dan buen resultado –los positivos los «verdaderos», los justos– y los otros, los «falsos», que nos perjudican. Saber reconocer y elegir los pensamientos en función de estos criterios, utilizar inteligente y positivamente su poder, conduce a experimentar un sentimiento tranquilo de felicidad y de paz interior, a sentirse en su lugar tanto en el mundo como entre nuestros semejantes. Nos volvemos cada vez más presentes, abiertos y disponibles para todo lo que es. Los acontecimientos y las situaciones cobran entonces sentido para nosotros, que los aprovechamos para crecer y realizarnos.

Avanzar en tales condiciones hacia la autorrealización es una aventura exaltadora, una aventura de cada instante. El aburrimiento y la soledad desaparecerán de su vida, reemplazados por la alegría profunda, la fuerza, la paz, el amor y la participación.

2. Conviértase en lo que es potencialmente

Practicando los métodos enseñados en este libro, adquirirá poco a poco un verdadero espíritu positivo, además de la facultad de sacar partido de todos los acontecimientos y todas las circunstancias de la vida para progresar, desarrollarse, ser cada vez mejor y más feliz. Se convertirá cada vez más en un centro de conciencia, de luz y de amor que irradiará a su alrededor. Transformará su vida en una fiesta de la realización. Aprenderá a aceptar, integrar y apreciar los acontecimientos y las emociones que todavía ayer despreciaba. Cada vez vivirá más en el instante presente, consciente de su plenitud y de su perfección.

Para ello, conviene considerar estos métodos, no como un sustitutivo de los medicamentos para calmar el dolor y atenuar los síntomas, sino como viático en el camino de la autorrealización, ya que atenuar un sufrimiento cuando se presenta –aunque siempre mejor que complacerse en él– no basta. Cuando se considera el sufrimiento como un acontecimiento gratuito en el camino de la vida, se vive como absurdo, inútil, como una pérdida de energía, como una persecución injusta (salvo cuando se busca o se sufre como castigo, incluso inconscientemente, en función de sentimientos de culpabilidad).

Encontrado con toda conciencia en el camino de la autorrealización, el sufrimiento es un signo, una ayuda, un mensaje que nos indica la necesidad de rectificar nuestra dirección. Tiene entonces un valor similar al de la alegría, la felicidad, la misma utilidad que ellas. Forma parte de un camino, como lo forma todo aquello que surge en el campo de la conciencia.

La acusación de «contemplarse el ombligo», lanzada con frecuencia por aquellos que se niegan esta alegría a los que emprenden la vía de la realización, es la expresión de sus resistencias a la felicidad desconocida y de su apego al sufrimiento. Su opinión está motivada por el miedo al cambio (y a su necesidad). En realidad, el más hermoso regalo que podemos hacer a los demás consiste en **autorrealizarnos.** Cuanto más avanzamos en este sentido, más transmitimos la alegría, la paz, la comprensión y el amor, en beneficio de todos.

Emprendiendo el camino de la autorrealización, responderá a su vocación esencial: convertirse en lo que ya es potencialmente. Su vida tendrá un sentido, será plena, merecerá cada vez más el vivirla. Todo lo que se produce en ella tiene su razón de ser, está en su lugar adecuado dentro de un inmenso proceso, iniciado con el origen del universo.

Si practica las técnicas y los métodos enseñados en este libro dentro de la perspectiva fundamental de la **unidad esencial de la Vida, el Pensamiento y el Universo,** le harán avanzar por un camino que –así jalonado– es el de la Sabiduría. Suponen verdaderamente el medio de encontrar esa Sabiduría innata, ese Conocimiento del que es usted depositario desde el momento en que existe.

A medida que la Sabiduría se revela en nosotros, todo cobra un valor cada vez más similar, una misma importancia. Todo es apreciado y utilizado con serenidad, ya que va por naturaleza en la dirección de la autorrealización.

Los que han descifrado y cultivado asiduamente su espíritu mediante los métodos de este libro son más abiertos a los aspectos sutiles de su pensamiento y de su ser. Están dispuestos a emprender, con toda conciencia, el camino espiritual y a hacer la experiencia del dominio absoluto del pensamiento –su desaparición en plena conciencia– al que nos referimos en el capítulo I a propósito de la famosa definición del Yoga de Patanjali: *Yogash-citta-vritti-nirodah.*

3. Triunfar en la vida equivale a realizarse

Avanzo libre y gozosamente hacia mi realización.

He conocido, en Francia y en la India, seres completamente realizados, completamente desarrollados. El resplandor, la fuerza, el amor y la felicidad que emanan de ellos –y que he sentido en su presencia– son para mí una evidencia absoluta. Me ha sido dado acercarme a la prueba viva del Poder y la Alegría infinitas de la realización perfecta. Estoy convencido de que todos los sabios de todas las tradiciones y de todos los tiempos que han realizado plenamente su humanidad son ejemplos de lo que nos está prometido a cada uno de nosotros por nuestra pertenencia a la especie humana.

¿Escucha usted en lo más profundo de sí mismo la llamada de su Grandeza, de su Libertad, de su Alegría? ¿Se mantiene atento a esa vocación que ha recibido con la vida, es decir, la autorrealización?

Al leer este libro, ha oído esa llamada. Incluso ha respondido a ella, dotándose de medios sencillos y potentes. Sólo le falta ahora emprender resueltamente el camino, utilizar conscientemente para ello todas las experiencias que le ofrece la vida... y los métodos de dominio del pensamiento.

Un proverbio chino dice: *Si le das un pez a un pobre, le alimentas una vez. Enséñale a pescar y le alimentarás toda su vida.* El espíritu positivo y los métodos presentados en este libro son cañas con las que pescar en el océano fecundo de la vida. Las técnicas de autonomía y de liberación están a su disposición para siempre. Utilícelas con frecuencia, délas a conocer a su alrededor, aprécielas y juegue con ellas en el camino florido de la autorrealización.

Para terminar, le propondré una última afirmación que da cuenta del estado de ánimo que tiene ahora a su alcance, un estado en el que reinan la libertad y la responsabiidad de sí mismo, la plena conciencia y la vigilancia En ese estado, el hombre es plenamente adulto. Por eso propongo el enunciado en tercera persona:

El que yo soy es libre.
Crea su vida a cada instante.
Todo, absolutamente todo, es una proyección de su espíritu.
Es su propio creador, su propia creación.

Anexos

1. El velero

Este velero, dibujado por mi amigo Claude Lorraine, es una alegoría en la que se resume mi libro. Sus simbolismos son los siguientes:

● El **mar** simboliza los acontecimientos, las situaciones, la naturaleza, las leyes naturales y universales.

● El **viento** simboliza la energía cósmica, el hálito divino, la respiración.

● Las **velas** simbolizan los esquemas de pensamiento.

● El **timonel** significa el «Yo».

	Esquemas positivos	Esquemas negativos
El rumbo: La autorrealización	Convertirme en lo que soy.	Poder, gloria, dinero, lujuria, deificación del Ego.
La caña del timón: El Ego	El Ego al servicio del Yo.	El Ego al servicio del Ego. Hiperintelectualidad, hiperracionalidad, orgullo, egoísmo, soledad, falta de confianza en sí mismo.
El timón: La orientación	Decisión, voluntad, perseverancia en la realización, instinto vital, fuerza, salud.	Debilidad, sufrimiento, ilusión, instinto de muerte, miedo a la vida, miedo a la muerte, impotencia.
La quilla: El inconsciente	Sabiduría, amiga del Yo.	Locura, enemiga del Yo.

Si los esquemas de pensamiento (las *velas*) son positivos, utilizarán la energía (el *viento*) para mover la entidad psicofísica (el *velero*) en una dirección saludable (el *timón*). El inconsciente (la *quilla*) se apoya en los acontecimientos y las leyes universales (el *mar*). La autorrealización (el *rumbo*) conduce entonces a la felicidad sin condiciones.

Si los esquemas son negativos, los resultados son inversos.

Captando, utilizando y manifestando la energía cósmica mediante pensamientos positivos y verdaderos, **levo anclas, largo las amarras y navego con toda libertad por el océano de la vida.**

2. Elección de fórmulas positivas

He deseado que esta obra fuese un libro «abierto» y lleno de vida, un amigo fiel, un guía siempre disponible. He tenido la suerte de encontrar en mi editor a una persona atenta, que me ofreció la posibilidad de realizar mi deseo. Vamos ahora, en particular, a exponer una selección de pensamientos enmarcados, elegidos entre aquellos que juzgo más útiles y más potentes.

Ahora usted sabe que los pensamientos revelan con mayor fuerza su potencia cuando permanecen durante mucho tiempo en nuestra mente (o se repiten con frecuencia). Por este motivo, al presentárselos en esta forma, le ofrezco la posibilidad de fotocopiar, ampliándolos, aquellos que más le conciernan para colocarlos bien a la vista en los lugares de su vida familiar o profesional. También puede colorearlos o escribirlos de su puño y letra y enmarcarlos, adornarlos con dibujos o con flores secas, etc. De rienda suelta a su creatividad.

Algunas personas los pondrán en la cocina, en el vestíbulo, en el dormitorio o en el despacho y –por qué no– en el lavabo, por ejemplo. Así lo hizo un amigo mío que poseía una alta cultura científica. Había comprobado que la estancia en el servicio le resultaba particularmente propicia para un trabajo sobre el inconsciente. «Es el único sitio –me declaró– en que, en estado de vigilia, me relajo y siento que mi mente queda vacante y disponible.»

El objetivo que busco con esta presentación enmarcada es permitirle establecer una cierta familiaridad entre usted y esos pensamientos benéficos, al mismo tiempo que hacerlos resaltar. Leerlos con frecuencia o, simplemente, verlos ante sí, sin siquiera molestarse en leerlos, logrará un objetivo, ya que el inconsciente se impregnará y se inspirará en ellos.

Puede también ofrecer tales pensamientos enmarcados a sus amigos, a los miembros de su familia y a todas sus personas queridas, en la medida en que este tipo de regalo les cause placer.

Me aprecio tal como soy.

Me aprecio y me quiero bien.

Me acepto tal como soy.

Tengo confianza en mí mismo y en la vida.

Estoy en seguridad y me expreso libremente.

Soy inocente, soy amado y será siempre amado.

Asumo mi vida, tomo en mis manos las riendas.

Estoy en seguridad en la vida.

Estoy gozosamente libre del pasado.

Estoy plenamente abierto a la vida.

Estoy plenamente abierto al amor.

Doy y recibo el amor libre y gozosamente.

Aprecio mi cuerpo, fuente de placer para mí
y para mis seres queridos.

He perdonado y, por consiguiente, soy libre.

Me he perdonado y estoy perdonado.

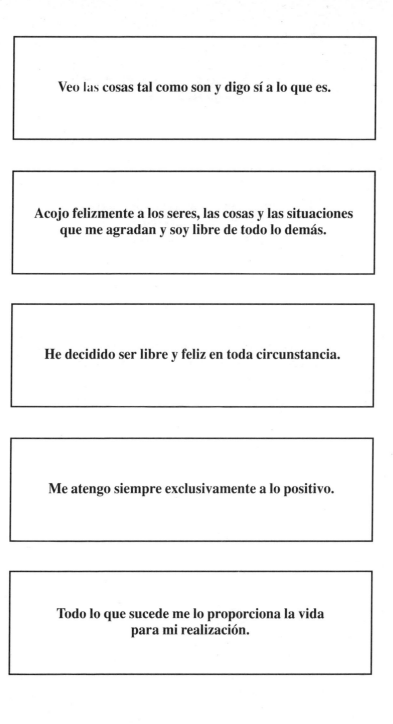

Veo las cosas tal como son y digo sí a lo que es.

Acojo felizmente a los seres, las cosas y las situaciones
que me agradan y soy libre de todo lo demás.

He decidido ser libre y feliz en toda circunstancia.

Me atengo siempre exclusivamente a lo positivo.

Todo lo que sucede me lo proporciona la vida
para mi realización.

Todo lo que me sucede me es dado por Dios
para mi realización.

Levo anclas, largo las amarras y navego
con toda libertad
por el océano de la vida.

Estoy gozosamente libre del pasado, gozosamente libre
del presente, gozosamente libre del futuro.

Abandono fácil y agradablemente todo lo que
ya no es necesario en mi vida.

Soy simple, directo y armonioso en mis relaciones
con los demás.

Soy yo mismo, en todas las circunstancias.

Cada día, desde todos los puntos de vista,
me siento mejor.

Soy una mujer maravillosa, resplandeciente de alegría,
de fuerza, de salud y de amor.

Soy un hombre maravilloso, resplandeciente de alegría,
de fuerza, de salud y de amor.

En cada instante, me encuentro realizando
una acción justa (o adecuada), en el buen momento
y con la buena intensidad.

He decidido orientar todas mis energías
hacia la realización del ser, respetando mi cuerpo
y mi mente, lo mismo que el cuerpo
y la mente de los demás.

Tengo en mí todos los poderes de realización.

3. Algunas citas

«Con ayuda de la mente subconsciente, se puede cambiar una naturaleza imperfecta, cultivando los pensamientos sanos y virtuosos que duermen en el corazón de todo ser humano. Si quiere superar el miedo, niéguelo mentalmente y oriente su atención hacia la cualidad opuesta. Una vez que se desarrolla el valor, el temor desaparece. Las fuerzas positivas son superiores a las negativas, es una ley infalible de la naturaleza. Podrá adquirir una inclinación hacia tareas u obligaciones desagradables cultivando su gusto por ellas. Puede crear en sí mismo nuevos hábitos, nuevos ideales, un nuevo carácter subconsciente (...).

»(...) La mente posee una fuerza de atracción, y es una ley cósmica el que las cosas afines se atraen. Usted se atrae pensamientos emparentados con los suyos, procedentes tanto de lo visible como de lo invisible (...). Las acciones mentales son las únicas reales. El pensamiento es dinámico. Un movimiento de cólera provoca un movimiento semejante en el entorno. Un pensamiento alegre crea alegría por simpatía. Por lo tanto, hay que cultivar los pensamientos que elevan. Los malos desaparecerán entonces por sí mismos. Un pensamiento noble actúa como un antídoto frente a su contrario (...).

»No piense constantemente en sus defectos, sus pecados, sus fracasos. Piense cada vez más en el Atman (el Alma), que es perfección. Sus debilidades se desvanecerán y alcanzará la perfección (...).

»Todos deberíamos conocer y practicar la autosugestión, cuyos beneficios son maravillosos. Lo que puede la medicina [el autor era médico] también puede realizarlo este método psíquico, liberándonos de las enfermedades, fortaleciendo nuestra salud, nuestra fuerza, nuestra vitalidad. Esta práctica, producto de la sadhana vedántica, no presenta ninguna novedad para la India. Consiste en afirmaciones intensas. La fórmula es sencilla: "Todo va cada vez mejor". Repítala constantemente, apóyese en esta idea. Se convertirá en lo que piensa. Si piensa que es fuerte, se convertirá en fuerte, y recíprocamente. Si se considera como un pecador, será pecador. Piense que es usted Brahmán (el absoluto) y se convertirá en Brahmán. La mente puede así crear en usted el cielo o el infierno, puede causar su esclavitud o su emancipación. No acoja jamás pensamientos negativos. Todo lo contrario, expúlselos tan pronto como aparezcan.

»La autosugestión es un medio potente y poco costoso de desarrollar la fuerza de voluntad. Puede sacarle de las situaciones más desesperadas (...).

»Lo mismo que se cultivan en un jardín rosas, lirios o jazmines, se puede hacer que nazcan flores de paz, de piedad y de amor en el jardín secreto de nuestro ser íntimo. Mediante la introspección, lo regará con pensamientos sublimes, librándolo de las malas hierbas que son las ideas discordantes y vanas. Cultívese psíquicamente (...).

»El pensamiento es una fuerza vital y viva, la más irresistible de las fuerzas del universo. Los pensamientos tienen la solidez de la piedra. Usted puede morir, pero sus pensamientos no morirán jamás. Poseen su propia forma, su color, su potencia y su peso. Gracias al instrumento del pensamiento, puede adquirir un poder creador. Recuerde siempre esto, es el hilo de Ariadna que le llevará a descubrir que es usted el testigo silencioso de las modificaciones que se producen en su mente, que es el Brahmán interior. "Lo que un hombre piensa, lo es." Si medita usted sobre el valor, introduce el valor en su carácter. Lo mismo ocurre con la pureza, el egoísmo, el dominio de sí mismo (...). Puede construir su carácter como un albañil edifica una casa o una pared.»

Sivananda,
Le pouvoir de la pensée.

«El subconsciente se compone de hábitos y recuerdos. Repite constantemente, cada vez que le es posible, lo que ha sido reprimido: antiguas reacciones, reflejos pasados, respuestas mentales, vitales o físicas. Hay que educarlo con una presión todavía más persistente de las partes superiores del ser, a fin de que abandone sus antiguas reacciones y adquiera otras nuevas y verdaderas.»

Sri Aurobindo.

«Lo mismo que la naturaleza del fuego es quemar, la naturaleza de la mente es pensar y vagabundear sin cesar. La mente está formada por pensamientos y dudas. Proyecta constantemente sueños y fantasmas, creando y destruyendo luego su propio universo. Edifica creaciones imaginarias y se deja engañar por su propia creación. Crea así su sufrimiento y padece las consecuencias. Ciertos psicólogos creen que se puede satisfacer a la mente dejándola libre y dándole lo que quiere. Pero no es así. La mente nunca se satisfará de ese modo. Creará siempre una montaña de deseos (...).

»Cada uno de nosotros crea un mundo independiente en su mente y se complace en su creación. El pensamiento tiene un poder infinito. Por eso los sabios oran así: "¡Oh, mente mía, piensa siempre bien de ti misma y de los demás". Cuando la mente está agitada y turbulenta, cuando tenemos constantemente pensamientos negativos, no sólo nos hacemos daño a nosotros mismos, sino que se lo hacemos también a los demás. A fuerza de pensar: "Soy un pecador, soy un pecador", un hombre bueno acaba por convertirse en un pecador, mientras que a fuerza de pensar: "Soy puro, soy sublime", un hombre malo acaba por volverse puro. Son nuestros pensamientos los que crean nuestro paraíso o nuestro infierno. Gracias a nuestro pensamiento, podemos hacer la experiencia de nuestra divinidad o rebajarnos al rango de criaturas infames. Por eso es de la mayor importancia tener pensamientos positivos respecto a sí mismo y a los demás (...). Si pudiéramos acostumbrar a nuestra mente a pensar positivamente, se haría muy pura y muy fuerte. Pero la dejamos vagabundear, y así nos consumimos continuamente en nuestras creaciones mentales (...).

»Ahora bien, si esa misma mente se hiciese pura, se libraría de todos sus pensamientos, de todas sus dudas, y haría la experiencia de Dios. La mente, que es la causa de todo sufrimiento, se convertiría en nuestra mejor amiga. Los Upanishads dicen que Dios se revela inmediatamente a aquel cuya mente se ha purificado. De hecho, la pureza mental no está reservada únicamente a los santos o a los que quieren la liberación (espiritual). Es necesaria en todos los aspectos, ya que, si nuestra mente es impura, no podremos comprender nada correctamente.»

Swami Muktananda,
Le Mystère de l'esprit.

Swami Muktananda cita en el mismo libro a Gaudapada: «Cuando dormimos, vemos en sueños mundos de dualidad. Esos mundos existen a causa de la mente. Y del mismo modo que la mente crea mundos en estado de sueño, crea el mundo de la dualidad en estado de vigilia».

Un gran científico actual, John Lilly, físico y psicoanalista, conocido mundialmente por sus trabajos sobre los delfines, pero también por sus investigaciones en neurofisiología, electrónica y biología, es el creador del compartimento de aislamiento sensorial, en que el cuerpo permanece en suspensión en un agua muy salada, a la temperatura de la piel, que lo sostiene sin ningún esfuerzo muscular, en la oscuridad y el silencio. Un total impresionante de horas de experiencias en este estado privilegiado, en que la mente, privada de estímulos sensoriales, funciona bajo la mirada lúcida del testigo interior, le hacen afirmar:

«Todo lo que creemos cierto es cierto, o se convierte en cierto en nuestra mente, dentro de ciertos límites, que hay que determinar experimental e individualmente. Esos límites son, a su vez, nuevas creencias que deben ser trascendidas».

John Lilly,
Les simulacres de Dieu.

4. Bibliografía*

Asimov, Isaac, *Le Corps et le cerveau*, Marabout.

– –, *Trous noirs*, Éd. l'Étincelle. (Trad. española: *Agujeros negros*, Molino.)

Aurobindo, Sri, *Questions et réponses*, Albin Michel.

Bailes, Frederick, *Votre esprit peut vous guérir*, Dangles.

Becker, Raymond de, *Bilan de la psychologie des profondeurs*, Planète.

Berne, Éric, *Que dites-vous après avoir dit bonjour?*, Tchou. (Trad. española: *¿Qué dice usted después de decir Hola*, Grijalbo.)

Dahlke, Rüdiger, *Mandalas: Comment retrouver le Divin en soi*, Dangles.

Descamps, Marc-Alain, *La Maîtrise des rêves*, Éd. Universitaires.

Desjardins, Arnaud, *Au-delà du moi*, La Table Ronde.

Dhiravamsa, V.-R., *L'Attention, source de plénitude*, Dangles.

Gaiwan, Shakti, *Techniques de visualisation créatrice*, Soleil.

Gallegos, E. S., y Rennick, T., *L'Imagination active*, Dangles.

Hay, Louise L., *Guérir votre corps* (East 51st Street, New York, N. Y., 100 22, USA).

Humpheys, Christmas, *Concentration et méditation*, Dangles. (Trad. española: *Concentración y meditación*, Martínez Roca.)

Janov, Arthur, *L'Empreinte*, Robert Laffont.

Jongeward, D., y Scott, D., *Naître gagnant*, Inter-Édition.

– –, *Gagner au féminin*, Inter-Édition.

Jung, Carl Gustav, *L'Homme à la découverte de son âme*, Payot.

Leboyer, Frédérick, *Pour une naissance sans violence*, Le Seuil.

Maslow, Abraham H., *Vers une psychologie de l'être*, Fayard.

Matz, Maxwell, *Psycho-cybernétique*, Godefroy.

Michaël, Tara, *Clefs pour le yoga*, Seghers.

* Los libros relacionados se citan en su edición francesa, utilizada por el autor. *(N. del T.)*

257

Muktananda, Swami, *Le Mystère de l'esprit*, Guy Trédaniel.

Murphy, Joseph, *La Paix est en vous*, Dangles.

– –, *L'Impossible est possible*, Dangles.

Nisargadatta Maharaj, Sri, *Sois!*, Les Deux Océans. (Trad. española: *Yo soy*, Sirio.)

Orr, Léonard, y Ray, Soundra, *Rebirthing*, Guy Saint-Jean.

Panafieu, Jacques de, *L'Illumination intensive*, Retz.

Perls, Frédérick S., *Rêves et existence en gestalt-thérapie*, Épi.

Revue Planète, febrero 1969, Retz.

Ramdas, Swami, *Carnets de pélerinages*, Albin Michel.

Rives, Hubert, *Patience dans l'azur*, Le Seuil.

Rolland, Romain, *La Vie de Ramakrishna*, Stock.

Ruyer, Raymond, *La Gnose de Princeton*, Fayard. (Trad. española: *La gnosis de Princeton*, Eyras.)

Sadhu, Mouni, *La Maîtrise du mental*, Dangles. (Trad. española: *Concentración*, Carcamo.)

Sagan, Carl, *Cosmos*, Marabout. (Trad. española: *Cosmos*, Planeta.)

Satyananda, Swami, *Yoga-nidra*, Éd. Satyanandashram.

Sivananda, Swami, *La puissance de la pensée*, Centre International de Yoga Védanta, París.

Teilhard de Chardin, Pierre, *Le Phénomène humain*, Le Seuil. (Trad. española: *El fenómeno humano*, Orbis.)

Truchot, Clara, *Do-in et shiatsu*, Le Courrier du Livre.

Verny, Thomas, *La Vie secrète de l'enfant avant la naissance*, Grasset et Fasquelle. (Trad. española: *La vida secreta del niño antes de nacer*, Urano.)

Weinberg, Steven, *Les Trois Premières Minutes de l'univers*, Le Seuil. (Trad. española: *Los tres primeros minutos del universo*, Alianza.)

Wood, Ernest E., *La Pratique du yoga*, Payot.

Yüan-Kuang, *Yi-king*, Guy Trédaniel.

5. Índice de técnicas

Vigilancia en la formulación de nuestros pensamientos . .   66
Medida de la fuerza del pensamiento   72
Insistir siempre en lo positivo   75
El método del «Gracias a...»   77
El método de los «quince objetivos» 103
El método del «nuevo punto de vista» o del «como si» . . 115
El método de «exploración» 125
El método de «las tres personas» 134
Los métodos de visualización 154
El sankalpa 158
El método del repertorio 162
El método de los trescientos objetivos 164
Las afirmaciones en pie, frente a frente 164
Las afirmaciones ante el espejo 165
«Abrir las contraventanas por la mañana» 165
Las afirmaciones al ritmo de la respiración caminando . . 166
Los contratos 168
«El ave migratoria» 174

Índice

Introducción   9

Primera parte
Vivir plenamente mediante el dominio del pensamiento

1. Vivir plenamente   15
   1. ¿Qué significa realizar su vida?   15
      a) La vocación del ser humano   17
      b) ¿Por qué el dominio del pensamiento?   17
   2. Un trampolín hacia el éxito definitivo   18
   3. Fuentes esenciales de esta enseñanza   19
      a) El yoga   19
      b) El «rebirth»   19
      c) El seminario intensivo de meditación   20

2. El poder creador   22
   1. El poder creador del universo   22
   2. El poder creador de la vida   23
   3. El poder creador del pensamiento   25
      a) Efectos materiales del pensamiento   26
      b) Efectos emocionales del pensamiento   26
      c) Efectos fisiológicos del pensamiento   27
      d) Efectos espirituales del pensamiento   28
   4. La jerarquía de los poderes   29

3. Decálogo del dominio del pensamiento   33
   1. Las palabras tienen un poder   33
      a) La carga afectiva de las palabras   34
      b) El poder de las palabras produce efectos
         múltiples   36
   2. Todo pensamiento produce un efecto   41

a) Efectos sobre la energía psíquica   41
b) Efectos sobre la salud   42

3. Creo el universo en que vivo mediante
mi pensamiento   45
  a) Nuestro mundo se conforma a nuestras
creencias   46
  b) Soy responsable de lo que vivo   48
4. Vivo en un universo que funciona exactamente
de la manera en que lo pienso   49
5. La calidad de mis pensamientos determina
la calidad de lo que vivo   51
6. El universo y la vida cooperan siempre conmigo . .   53
7. El universo me devuelve multiplicado lo que emito
a través de mis pensamientos   55
8. Reconozco y cultivo los pensamientos fecundos . .   57
9. Reconozco y elimino los pensamientos nefastos . .   59
10. Me mantengo vigilante en la formulación de mis
pensamientos   60

Segunda parte
Las técnicas de dominio del pensamiento

4. Vigilar nuestros pensamientos   65
1. Importancia primordial de la vigilancia   65
2. Ejercitar la vigilancia en la formulación de nuestros
pensamientos   66
  a) Afirmaciones negativas que deben corregirse . . .   66
  b) Versión positiva de los ejemplos propuestos   68
3. Medida de la fuerza del pensamiento   72
4. Insistir siempre en lo positivo   75
  a) Una ilustración   75
  b) Una técnica: «Gracias a...»   77

5. Saber distinguir un pensamiento verdadero
de uno falso   80
1. Consecuencias de la unidad de los tres poderes   80
2. Los atributos respectivos del universo,
el pensamiento y la vida   81

a) Existencia   82
b) Conciencia   82
c) Energía   83
d) Luz   83
e) Infinitud   83
f) Expansión   84
g) Creatividad   85
h) Unidad en la diversidad   86
i) Inteligencia organizadora   87
j) Equilibrio/Armonía   91
k) El orden   92
l) El vacío   93
3. El Todo se refleja en cada uno de sus elementos . . .   95
4. Los criterios de un pensamiento justo y benéfico . . .   96

6. Ir directamente al bien   97
1. La escala de la verdad   97
2. El interés de ir directamente al bien   101
3. En la práctica ¿cómo orientarnos hacia el bien?   102
a) Ejercicio para descubrir los esquemas de
pensamiento negativos   103
b) Otro modo de descubrir los esquemas de
pensamiento negativos   105
c) Evalúe la fuerza de su resistencia
a los pensamientos positivos   106
4. Decir inmediatamente sí a lo que es   107
a) Dos máximas de sabiduría   108
b) La importancia capital de la aceptación
de sí mismo   109

7. El método del «nuevo punto de vista»   111
1. La relatividad del punto de vista   111
2. Abrirse a nuevos puntos de vista   112
3. La práctica por escrito. Su eficacia   113
4. El nuevo punto de vista o método del «como si» . . .   115
a) Ya está practicando el «como si»   116
b) Exposición del método   116
c) El mejor momento para la práctica   117
5. Sugestión y autosugestión   119

6. La formulación directa. Algunos ejemplos   122
7. Progresión en la formulación   124

8. El método de «exploración»   125
  1. Nuestras potencialidades reveladas   125
  2. Sutileza del método   127
  3. Método de exploración y vidas anteriores   128
  4. El inconsciente es la morada de una profunda
    sabiduría   130

9. El método de «las tres personas»   134
  1. Un ejemplo concreto   134
  2. Exposición del método   137
  3. Elementos de análisis transaccional   139
  4. Algunos pensamientos positivos comentados   142

10. Los métodos de visualización   154
  1. El lenguaje por medio de imágenes   154
  2. Visualizar: ¿cuándo y cómo?   156
  3. La visualización en la vida diaria   158
  4. El sankalpa del yoga-nidra   158
  5. La imaginación es siempre más fuerte que la razón .   161

11. Otros métodos   162
  1. El repertorio   162
    a) Elaboración y lectura   162
    b) El casete de desarrollo personal   163
  2. Los trescientos objetivos   164
  3. Las afirmaciones en pie, frente a frente   164
  4. Las afirmaciones ante el espejo   165
  5. «Abrir las contraventanas por la mañana»   165
  6. Cantar OM caminando   166
  7. Los contratos   168

12. «El ave migratoria»   174
  1. La fuerza del ave migratoria   174
  2. La técnica   176
    a) El ejercicio del cuerpo   177
    b) El proceso mental   181
  3. La versión más elaborada del ave migratoria   182

4. Una técnica providencial para los que padecen
   de insomnio 183

13. Vencer las posibles resistencias a los métodos 185
   1. La huella del nacimiento 185
   2. El «rebirth». Su utilidad 188
   3. ¿Cómo vencer las posibles resistencias? 190
   4. Duración de la práctica de un ejercicio 194

Tercera parte
Campos precisos de aplicación

   1. Dificultades de identidad 197
   2. La espasmofilia 198
   3. El éxito en los estudios, la motivación 201
   4. El dinero 204
   5. La acción sobre los demás mediante
     el pensamiento 206
   6. La curación mental de las afecciones físicas 208
     a) En toda enfermedad es capital el papel
       del psiquismo 208
     b) Pensamientos positivos que favorecen la salud . 210
   7. La relación con los alimentos 212
   8. La imagen del cuerpo, la imagen de sí mismo 216
   9. La vida profesional 220
   10. La vida en pareja, la vida sexual, la comunicación . 223
     a) El fenómeno de «proyección» 224
     b) El amor romántico 225
     c) Después del amor romántico 226
     d) Juntos hacia la realización 227
     e) Afirmaciones positivas 227
   11. La vida familiar 230
   12. La vida espiritual 231
     a) Campos de aplicación del pensamiento 231
     b) Vida espiritual y vida religiosa 234
     c) Pensamientos de despertar a la vida espiritual .. 235

Conclusión 237
   1. Sea libre y feliz con total autonomía 237

2. Conviértase en lo que es potencialmente 237
3. Triunfar en la vida equivale a realizarse 239

Anexos
  1. El velero 243
  2. Elección de fórmulas positivas 245
  3. Algunas citas 253
  4. Bibliografía 257
  5. Índice de técnicas 259

La curación por la mente. La terapia revolucionaria de las imágenes mentales.

Gerald Epstein

VISUALIZACION CURATIVA

La curación por la mente

La terapia revolucionaria de las imágenes mentales

NEW AGE

ROBIN·BOOK

Los nuevos descubrimientos sobre la relación entre la mente y el cuerpo permiten derrotar todas las enfermedades.

El doctor *Gerald Epstein* ha estudiado exhaustivamente la acción de la mente sobre los mecanismos fisiológicos, y ha perfeccionado un arsenal de técnicas revolucionarias para aplicar estos nuevos conocimientos a la preservación y recuperación de la salud y el bienestar. El resultado de sus investigaciones ha sido cuidadosamente sintetizado en este libro.

- Descubra la acción terapéutica y preventiva de las emociones, las sensaciones y las imágenes.
- Aprenda a inducir visiones curativas.
- Sepa cuál es la visualización indicada para cada tipo de enfermedad.

El optimismo puesto en acción para conquistar el éxito y la salud.

No hay límites para lo que uno puede conseguir si programa su mente de manera adecuada. Este libro expone una serie de ideas y ejercicios prácticos que nos ayudarán a eliminar los obstáculos y a conquistar el control de nuestro propio futuro mediante:

- la elaboración de un programa adaptado a la personalidad de cada individuo,
- la superación del estrés en la vida doméstica y de trabajo,
- la toma de contacto con los sentimientos interiores y la eliminación de los pensamientos negativos.

Vera Pfeiffer

PENSAMIENTO POSITIVO

Un método práctico para disfrutar de la vida

Un método práctico para disfrutar de la vida.

ROBIN·BOOK

DINÁMICA MENTAL

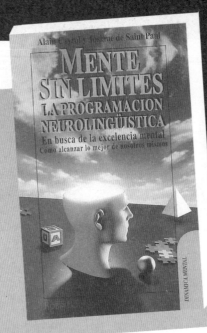

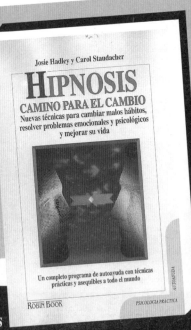